LES ENFANTS D'ALEXANDRIE

DU MÊME AUTEUR

L'ALLÉE DU ROI, *roman*, 1981.

LEÇONS DE TÉNÈBRES, *roman* :

LA SANS PAREILLE, 1988.
L'ARCHANGE DE VIENNE, 1989.
L'ENFANT AUX LOUPS, 1990.

L'ALLÉE DU ROI, *monologue pour le théâtre* (en collaboration avec Jean-Claude Idée), 1994.

L'ENFANT DES LUMIÈRES, *roman*, 1995.

LA PREMIÈRE ÉPOUSE, *roman*, 1998.

MAINTENON (en collaboration avec Georges Poisson), *essai*, 2001.

LA CHAMBRE, *roman*, 2002.

COULEUR DU TEMPS, *roman*, 2004.

LA VOYAGEUSE DE NUIT, *roman*, 2007.

LIBERTÉ POUR L'HISTOIRE, *essai* (en collaboration avec Pierre Nora), 2008.

LA REINE OUBLIÉE, *roman* :

LES ENFANTS D'ALEXANDRIE, 2011.
LES DAMES DE ROME (à paraître).
L'HOMME DE CÉSARÉE (à paraître).

FRANÇOISE CHANDERNAGOR

de l'Académie Goncourt

LA REINE OUBLIÉE

LES ENFANTS D'ALEXANDRIE

roman

ALBIN MICHEL

Il a été tiré de l'édition originale de cet ouvrage
trente-cinq exemplaires sur vergé blanc chiffon, filigrané, de Hollande
numérotés de 1 *à* 35

« Il y aura quelqu'un, je l'affirme,
pour se souvenir de nous. »

SAPPHO,
VIIe siècle avant J.-C.

UN cri rauque où siffle du sang, l'aboiement sec d'une porte qu'on enfonce, puis cet éclair métallique dans l'ombre : le soldat surgit de la nuit.

À son poignet gauche un bracelet de cuir, trempé de sang frais. Sous les ongles de sa main droite le sang de la veille, coagulé. C'est un soldat qui n'a pas peur de se tacher. Il travaille à l'ancienne : éventre, égorge, décapite… Les mains gluantes, il monte des profondeurs de la nuit.

Il cherche, il flaire. Dans la pièce obscure, il est allé droit vers l'escalier de pierre : la dernière contremarche est en trompe-l'œil – une toile peinte…

Accroupis sous l'escalier, les enfants ont entendu les coups, les cris, et le cliquetis qui accompagne, de salle en salle, la progression du soldat. Soudain, un poing crève la toile, une main pénètre dans leur trou, se déplie dans le vide comme une araignée, puis une lame, au ras de leurs corps, découpe le panneau. Dans cette déchirure, l'éclat d'un casque… Les enfants ne comprennent pas les ordres, la langue du soldat, mais ils comprennent le casque, les armes, le sang : c'est un langage universel.

Une fillette maigre, en robe noire, se glisse bientôt hors de la cachette. Puis l'aîné des garçons, pâle et blond, sort en rampant. Le plus jeune ne bouge pas : les yeux fermés, il reste roulé en boule au fond du trou, comme un hérisson. Le soldat l'attrape par la peau du dos et le soulève à hauteur d'homme. D'une main, il tient le petit suspendu par son vêtement ; de l'autre, il menace les plus grands. L'enfant qui flotte là-haut, plus mou qu'un chiffon, ouvre les yeux, découvre brusquement le bracelet de cuir sanglant, la main poisseuse, les ongles noirs, les poils collés. Il hurle et, de terreur, se pisse dessus. Le soldat écarte le bras et secoue le gamin pour l'égoutter. L'enfant hurle, le géant rit. Secoue encore, commence à s'amuser. Alors, la fillette s'élance vers son frère ; malgré l'arme pointée sur elle, elle s'élance et…

C'était toujours là que je me réveillais. Au moment où elle allait se faire tuer. Le même cauchemar toutes les nuits. Toutes les nuits, ce soldat rouge.

Je supprimai de mes lectures les romans d'épouvante, je n'écrivis plus après le dîner, je retardai le moment du coucher, j'augmentai ma dose de somnifères. En vain…

Une foule. Et, au milieu, un cortège : vêtements blancs, vêtements rouges, des bannières, des statues peintes qu'on porte sur des brancards comme des châsses. Une procession ?

Des vaches couronnées de fleurs. Un troupeau de chèvres. Des joueurs de cithare, de cymbales. Et cette poudre couleur safran qui tombe sur les bras nus et se mêle à la sueur : peut-être une cérémonie indienne ?

Mais ces pancartes, ces piques, ces cris ? Et cette multitude qui sans cesse avance, recule, ondule autour d'hommes en armes : une manifestation ? une émeute ?

Au premier plan, une statue couchée – le corps d'une déesse en pierre, parée de bijoux, que dix hommes encordés tirent sur une plate-forme à roues. Au deuxième plan, une seconde plate-forme, minuscule, où est assis, mains derrière le dos comme un élève puni, un garçon de cinq ou six ans. Il ne bouge pas ; ses boucles collent à son front, ses joues sont rouges, le soleil tape – un soleil de midi, très blanc. L'enfant dodeline. Derrière lui, deux enfants plus grands, qui vont à pied. Deux beaux enfants de taille identique, tous deux en longue robe. Une fille, un garçon, une brune, un blond, parfaitement symétriques. Autour du cou on leur a passé le même collier d'or, large comme un collier de chien, d'où partent deux chaînes semblables ; au bout des laisses, de part et d'autre du cortège, deux soldats. Avec un casque et un bracelet de cuir au poignet.

Une paire d'enfants ? Pas vraiment. Le garçon s'agite beaucoup, se donne du mal : il s'incline vers la droite, vers la gauche, écarte les bras et tend les mains vers la foule, paumes offertes. La fille, elle, marche la tête haute et les bras collés au corps. Très raide. Elle regarde droit devant elle, vers la statue allongée et le petit qui brinquebale, assis sur sa charrette.

Que fixe-t-elle exactement ? Les mains du petit garçon. Car il a les mains attachées dans le dos, cet enfant. Voilà pourquoi il est si sage : des liens en fil d'or entaillent ses poignets. Trop de luxe, ce fil d'or, trop de luxe !… Trop de chaleur aussi. Le petit est fatigué. Puisqu'il ne peut plus remuer, il se couche sur le côté. Maintenant, la fillette aperçoit son visage : cramoisi. Ses lèvres sont sèches, craquelées, il halète. Elle crie. Crie vers la foule. Puis se retourne vers les chevaux de l'attelage qui la suit. De celui qui tient les rênes, en haut, loin au-dessus d'elle, elle n'aperçoit que les avant-bras. Teints en rouge, passés au minium. Vers l'homme peint, elle crie. Crie vers la foule, vers les soldats : « Vous ne voyez pas qu'il va mourir ? »…

Je criais : « Vous ne voyez pas qu'il va mourir ! », et mon cri me réveillait : c'était la même petite fille que dans le cauchemar d'avant, celui des enfants cachés sous l'escalier, j'en étais sûre. Je reprenais un somnifère. Mais, dès la nuit suivante, la petite fille hurlait : « Vous ne voyez pas qu'il va mourir ? »

Qui étaient ces gens ? Pourquoi occupaient-ils mes rêves ? « Tu es médium », m'assuraient mes amis au temps où nous jouions à faire tourner les tables : enfantillages ! Mais j'avais peur. Maintenant, je dormais avec une veilleuse allumée. Sur la porte de ma chambre, je poussais le verrou. Les cauchemars entraient quand même. Ils se glissaient sous ma porte et, sitôt dans la chambre, ils gonflaient, mangeaient l'espace, m'asphyxiaient…

Encore une fois, les enfants enchaînés montent sous mes paupières fermées, ils entrent dans mes yeux. Toujours accompagnés du même cortège bigarré. Ils viennent d'arriver au pied d'une colline. Les bœufs ont du mal à gravir le raidillon qui, entre deux talus de pierres, monte vers le sommet ; on tire une vache par les cornes, d'autres la poussent par-derrière pour l'obliger à grimper. En bas, sur la place, la procession a dû s'arrêter. En plein soleil. Un soleil de chaux vive. Maintenant, le garçon blond et la fille brune se tiennent juste derrière la plate-forme où est couchée la statue : le petit et sa charrette ont disparu... Où ?

La femme de pierre, sur la plate-forme roulante, la femme aux grands yeux de verre, est couverte de crachats et d'ordures. Le garçon ne la regarde pas, il regarde, sur le côté du défilé, les mouvements que lui indique un vieil homme – courbettes, implorations ; et quand le vieux fait mine de s'agenouiller, l'enfant tente d'en faire autant, oubliant qu'il est attaché à sa sœur par le collier de sa chaîne. La petite fille résiste, elle recule, le garçon est entraîné en arrière, leurs regards se croisent : un moment ils se haïssent... Puis la fille lève les yeux au-dessus des pancartes frangées de laine, elle regarde les bâtisses rouges étagées sur la colline, leurs tuiles brunes, leurs balcons de bois, leurs colonnes dorées, elle sait qu'elle ne les verra jamais de plus près, elle va mourir en bas du raidillon : un homme est là, dans l'ombre, qui va la délier pour la tuer ; il la jettera dans une cave ; les vierges, dans ce pays, on ne les sacrifie pas tout de suite ; on les viole dans une cave pour avoir le droit de les étrangler. On lui a dit que ce serait vite fait, qu'il suffisait de ne pas se débattre, d'ouvrir les cuisses : « Tu n'auras pas mal. Pas longtemps »...

Sursaut d'horreur, réveil. Une petite fille inconnue m'appelait au secours, nuit après nuit. Mais où la trouver ? Comment la sauver ?

« Notez vos rêves sur un cahier », m'avait conseillé un psychiatre que j'étais allée consulter. Je notais. Peu à peu, mes souvenirs se précisaient, je me repassais le film, réécoutais la bande-son. Dans mes premiers cauchemars, personne ne parlait. Mais dans le dernier, j'entendais quelque chose : au passage du cortège, un homme, dans la foule, hurlait des noms, « Basile, Léa » ou « Vassilissa » (russes, ces Indiens-là ?) ; l'homme criait aussi « Basile, Léone », puis « Régine » ou « Régina ». Peut-être appelait-il les enfants ? Mais pourquoi quatre prénoms féminins alors que je ne voyais qu'une fille ?

« Basile-Léone, Basile-Léa, Régina… Basile-Léa, et si par hasard… si c'était *basiléia* ? s'était exclamée une amie lettrée à qui je racontais mes malheurs. Les mots que tu entends crier ne sont pas des prénoms : *basiléôn Basiléia* et *regum Regina*, c'est du grec, du grec et du latin ! Traduction : la Reine des rois. Très chic, la nuit tu rêves en grec ancien… Ce qu'il y a de sûr, c'est que, si son entourage parle la langue d'Homère, cette petite a quitté notre monde depuis longtemps. Elle n'a plus besoin de ton aide ! »

Mon amie se trompait : les morts aussi ont de grandes terreurs, ils craignent d'être oubliés. Souvent, leurs fantômes m'assiègent, me pressent de les entendre. Ces êtres « d'avant moi », dont les souvenirs débordent, s'installent dans ma vie, et ils ne me délivreront pas que je ne les aie d'abord « reconnus », écoutés, compris et racontés.

Qui était, cette fois, la mystérieuse « Reine des rois » ? L'Histoire ancienne a gardé la mémoire d'un « Roi des rois », l'empereur de Perse, mais avait-elle conservé aussi la trace d'une « Reine des rois » ? Sémiramis ? Zénobie ? D'ailleurs, comment appliquer ce noble titre à la petite prisonnière maltraitée – si ce n'était par antiphrase, comme le Christ crucifié fut « roi des Juifs »…

Mon amie helléniste, après avoir consulté quelques grimoires, vint à la rescousse : « Eurêka ! "Reine des rois", *basiléôn Basiléia*, c'était le titre que Marc Antoine avait donné à Cléopâtre le jour où, à Alexandrie, il a découpé l'Orient en royaumes pour les offrir à leurs enfants. » Car des enfants, m'apprit-elle, l'Égyptienne en avait eu quatre. Un de César et trois d'Antoine. « Bien sûr, les enfants de Cléopâtre, on n'en parle jamais, parce qu'une mère de famille nombreuse, ce ne serait pas vraiment "vendeur" !… Mais imagine que, sur les quatre, elle ait eu une fille, ton rêve deviendrait possible, historiquement possible ! À un détail près : je crois que ces petits ont tous été liquidés en bas âge après la victoire de Rome. »

Marc Antoine et Cléopâtre. L'Imperator et la Reine des rois. Un couple mythique. Et prolifique. Mon amie avait raison, ils avaient bien eu une fille.

La reine d'Égypte, qui ne faisait rien comme tout le monde, avait accouché cette fois-là de jumeaux superbes : un garçon et une fille, qu'on avait appelés Alexandre et Cléopâtre, et surnommés plus tard Hélios et Séléné – en français, Soleil et Lune. Deux astres : Hélios, blond sans doute, Séléné, plus nocturne. Les jumeaux magnifiques avaient déjà un frère aîné, Césarion, et ils eurent un cadet, Ptolémée. Petits princes élevés dans la pourpre et l'encens du Quartier-Royal, « Cité interdite » d'Alexandrie. Rois eux-mêmes à deux ans, à six, à douze. Princes éphémères de royaumes imaginaires qu'ils jouaient aux dés et aux osselets sur les terrasses du Palais. Si fragiles et si jeunes encore lorsque la ville était tombée…

« Tous liquidés » ? Oui, certains en Égypte, d'autres en Italie. Tous sauf un, assurent les historiens : Cléopâtre-Séléné.

Cette « survivante », j'avais dû la croiser il y a bien des années au hasard d'un livre, la croiser sans m'arrêter, et sans me souvenir plus tard que je l'avais croisée. Séléné…

Aujourd'hui, elle revenait. Orpheline sans mémoire, princesse sans royaume. Marchant sans fin dans les couloirs de la nuit, et cherchant à tâtons sa maison, ses frères, ses parents. Elle revenait pour que je ranime un monde oublié, que je souffle sur les cendres. Voulait que je déblaye les ruines, écarte les ombres, ramasse ses mots. Exigeait que je raconte son histoire, que je lui donne mes jours, que je lui transfuse mon sang. Alors, de nouveau ses bracelets d'infante glisseraient sur ses bras nus, et les flammes d'or brilleraient en haut du Phare comme une couronne. Elle se rappellerait…

Déjà, sous la cendre, l'herbe paraissait moins noire. Sur la mer, un ciel éteint rallumait ses lumières… Les morts ne demandent qu'à vivre.

En ce temps-là, le monde était jeune, et Alexandrie, la plus grande ville du monde. Du monde connu, bien sûr. Mais le monde connu, l'*Oïkoumèné* des Grecs, n'était pas petit : quand Séléné vit le jour, il s'étendait déjà de la mer du Nord à l'Éthiopie, et des rivages de l'Irlande jusqu'à l'île de Ceylan.

Au-delà, on soupçonnait bien, vers l'est, l'existence d'un mystérieux « pays de la soie », contrée bénie des dieux où les pelotes du précieux fil poussaient sur les arbres comme des fruits, mais aucun caravanier syrien, aucun marchand parthe, n'avait jamais été admis à parcourir de bout en bout la route des « fruits qu'on tisse » : de marché en marché et de troc en troc, elle se perdait dans les déserts d'Asie.

Quant aux pays du sud – qu'on devinait dès les premiers contreforts de l'Atlas et les montagnes d'Érythrée –, on les savait, de source sûre, peuplés d'unijambistes mangeurs de pierres, d'hommes sans tête dont la bouche s'ouvrait au milieu de la poitrine, et de satyres à corps de bouc qu'aucune personne sensée n'aurait eu envie d'aller voir de près.

De toute façon, si l'on admettait – et on l'admettait – que, contrairement aux apparences, la terre était ronde (des savants grecs l'avaient prouvé) et si l'on connaissait avec exactitude sa circonférence, on était non moins persuadé qu'elle ne bougeait pas et que le soleil en mouvement n'éclairait utilement qu'une moitié du globe : l'île des hommes, l'île habitée, avec ses deux mers intérieures, la mer Noire et la Méditerranée. Le reste, couvert par le grand Océan circulaire qui communiquait peut-être avec les Enfers, aurait fait une sombre destination pour une croisière…

Du monde éclairé, tempéré et navigable, Alexandrie était donc la plus grande ville – plus vaste, plus peuplée que Rome et Athènes, Antioche et Damas, Rhodes, Éphèse ou Pergame. Une ville moderne dont rues et canaux se coupaient à angle droit, une ville artificielle posée sur la mer aux confins du désert, une ville dont toute la richesse venait du port, toute la beauté était l'œuvre des hommes. Au ras des flots, la « Très-Brillante », comme l'appelaient les voyageurs, éblouissait par sa blancheur : blanches, les maisons basses, leurs terrasses de pierre tendre, les colonnes d'albâtre, les avenues pavées de marbre, et blanc, le grand Phare, « la plus haute tour du monde », dressé comme un aviron géant, comme une gouverne, au milieu des vagues.

Face à l'île du Phare, le Quartier-Royal occupait près du tiers de la capitale : tout l'angle nord-est de la cité et la pointe qui fermait la baie. Protégée par la mer et, au sud, par une muraille, cette pointe – le cap Lokhias – formait une ville dans la ville, « Cité interdite » avec son port privé et ses temples. Sur ce promontoire facile à défendre, les rois grecs, ancêtres de Séléné, avaient accumulé les palais, qui semblaient s'emboîter les uns dans les autres ; la presqu'île en était tellement chargée qu'il avait bientôt fallu bâtir au-delà de l'enceinte initiale, jusqu'autour du *Sôma*, vaste enclos où, dans un cercueil de cristal, reposait le corps embaumé d'Alexandre le Grand. Cerné de palais, ce jardin du « Précieux Corps » n'avait pas tardé lui-même à déborder, chaque pharaon y construisant son propre mausolée, toujours plus large et toujours plus haut, comme s'il suffisait de se hisser sur la pointe des pieds pour dépasser en grandeur le conquérant divinisé.

Entre palais et tombeaux, Lokhias et Sôma, la famille royale entassait tous les trésors du savoir : une bibliothèque, la plus ancienne et la plus grande du monde avec sept cent mille volumes ; un jardin botanique réputé ; un observatoire ; et deux ménageries, l'une, un zoo, pour les animaux exotiques, l'autre, le Muséum, pour les intellectuels réputés. On poussait les princes, dès leur plus jeune âge, à fréquenter ces deux espèces pour s'instruire à leur contact et apprendre à les apprivoiser ; les singes étaient les plus dociles, les crocodiles et les philosophes, les plus dangereux, les géomètres tenaient le milieu. « Et toi, Ptolémée, quand tu seras grand, que collectionneras-tu ? Les lions ? les sophistes ? ou les architectes ? »

Comme tous les enfants royaux depuis trois siècles, les jumeaux étaient nés sur le cap Lokhias. Leur mère avait préféré retarder de quelques mois le déménagement qu'elle projetait ; elle avait décidé, en effet, de s'installer dans l'annexe du Quartier-Royal, sur la petite île d'Antirhodos au milieu de la baie, où les souverains possédaient depuis deux siècles une demeure de plaisance. Ce palais d'été, elle le faisait agrandir et embellir dans l'espérance d'y accueillir Marc Antoine. S'il revenait…

Rien n'était moins sûr que ce retour. Ayant quitté sa maîtresse enceinte pour voler au secours de la Phénicie, le généralissime était ensuite reparti pour Rome où, devenu veuf de son épouse Fulvia, il s'était aussitôt remarié – avec Octavie, une veuve elle aussi, mais très jeune, une femme qu'on disait belle et douce, et qui avait surtout le mérite d'être la sœur de son dangereux allié, le jeune Octave… Cléopâtre avait la tête trop politique pour s'inquiéter d'un pareil mariage. Même si, parfois, elle pensait qu'Antoine aurait pu l'informer. La consulter ? Non, ne rêvons pas. De toute façon, mettre au monde des bâtards, elle en avait l'habitude. Son fils aîné, Ptolémée César, dit Césarion, alors âgé de sept ans, était le bâtard adultérin du regretté Jules César – ce qui n'empêchait pas qu'on l'associât déjà, tout bâtard qu'il fût, aux actes officiels où il apparaissait comme le futur roi de l'Égypte. Leur légitimité, les enfants de Cléopâtre la tenaient d'elle, et c'était plus que suffisant : la noblesse et l'illustration, elle en avait à revendre ! Ne descendait-elle pas, à la fois, d'une cousine d'Alexandre le Grand et de deux de ses plus proches compagnons, Ptolémée et Séleucos, devenus, l'un, roi d'Égypte, l'autre, de Syrie et de Babylonie ? Ses ancêtres macédoniens avaient régné sur la moitié du monde, depuis la Libye jusqu'à l'Inde. Qu'aurait pu ajouter, à un sang si glorieux, la « reconnaissance de paternité » d'un Romain ?

Grâce à Olympos, son médecin grec, la Reine avait porté ses jumeaux jusqu'au terme. Ils vinrent au monde au début de l'hiver, dans le Palais Bleu qui occupait la pointe extrême du cap. Sur trois de ses faces, ce vieux palais regardait la mer ; des récifs en défendaient l'accès, si bien qu'on avait jugé inutile de le fortifier. Il s'ouvrait sur le large par de grandes terrasses ; entre les colonnes, la brise marine gonflait les vélums, comme si, au bout du cap Lokhias, à la proue d'Alexandrie, le palais s'apprêtait à lever l'ancre.

Est-ce la proximité de la mer qui avait conduit les souverains à appeler « Palais Bleu » ce navire de pierre ? Sans doute pas, les Grecs d'autrefois ne croyaient pas que la mer fût bleue, ils la voyaient verte ou violette – *vineuse*, disait Homère –, mais bleue, jamais.

Le Palais tirait plutôt son nom des tesselles en pâte de verre qui ornaient les murs de ses salles d'apparat. Un décor résolument égyptien : les « indigènes » – que les colons grecs regardaient d'assez haut – maîtrisaient mieux qu'eux la difficile fabrication du bleu ; utilisant une technique à base de cuivre, ils savaient donner aux mosaïques et aux émaux la couleur des plumes du paon, des saphirs ou du lapis. Une couleur porte-bonheur, croyait-on, et dont les riches paraient aussi bien leurs corps que leurs maisons. Ils en mettaient partout : ce bleu vif repoussait la mort. Naître au milieu du bleu, comme les jumeaux de la Reine, ouvrir les yeux sur le bleu, était du meilleur augure. Les astronomes du Muséum, appelés au renfort des prêtres, confirmèrent le pronostic. En abandonnant, deux mois plus tard, la vieille demeure pour le palais rénové d'Antirhodos, l'île du Grand Port, Cléopâtre emmena avec elle Césarion mais laissa ses derniers-nés au cap Lokhias : le médecin Olympos lui-même croyait le bleu plus profitable à leur santé.

LES jumeaux grandirent dans l'ombre bienveillante du Palais. Lorsqu'ils sortaient à la lumière du jour, l'éclat des vagues qui se brisaient sur les écueils les éblouissait : ils avaient les yeux trop clairs. Leurs nourrices, et les esclaves qui les servaient, prirent l'habitude d'attendre la nuit.

En été, les nuits d'Alexandrie sont douces, moins moites que les jours ; la vapeur qui monte de la mer et du lac à midi se disperse avec le soir, l'air devient plus léger ; et, sur les terrasses du vieux Palais, même les nuits sans lune étaient transparentes – à cause du Phare. Aucune maison de la ville ne se trouvait plus proche du Phare que le Palais Bleu : de chaque côté de la passe étroite qui commandait l'entrée du Grand Port, le Phare et le Palais étaient posés en vis-à-vis, chacun sur son tas de rochers. Le feu qui brûlait en haut de la tour, à cent vingt mètres au-dessus de la ville, ce feu qui ne mourait jamais, illuminait à cru les colonnades du cap Lokhias avant de scintiller, étoile lointaine, pour les navires égarés. En un temps où la lueur vacillante des lampes à huile parvenait à peine à tirer une petite chambre de l'obscurité, les enfants de Cléopâtre connurent le bonheur sans pareil de jouer sur les terrasses à minuit passé : au crépuscule, le soleil des hommes relayait pour eux le soleil des dieux.

Les mois passant, leurs yeux, que les nourrices soulignaient de khôl chaque matin, finirent par s'habituer au grand jour, à la poussière, et à la brûlure de la mer chauffée à blanc : leurs paupières s'épaissirent, leurs prunelles foncèrent. Au grand soulagement des nourrices qui avaient craint, un moment, que ces princes d'Égypte n'eussent l'iris pâle des Barbares du nord, les yeux du garçon virèrent au bronze verdi et ceux de la petite fille prirent la teinte mordorée des topazes. Certes, les jumeaux gardaient la peau très blanche et Alexandre resterait blond, mais rien là qui démentît trop visiblement leurs origines grecques ni les rendît indignes de régner un jour sur l'Égypte.

De leur première enfance au creux du Palais Bleu, Alexandre et sa sœur ne conservèrent que le goût de la nuit et des jeux sur la terrasse à la seule lumière du Phare.

C'est l'été. La petite fille a deux ans et demi. Elle parle assez bien, mais n'est pas raisonnable pour autant. Ce soir, elle vient d'échapper à la surveillance d'une servante, on la cherche, la nuit tombe. Cypris, sa nourrice, parcourt en gémissant les chambres intérieures et les courettes sombres comme des tombeaux, elle invoque tour à tour Sérapis, le dieu tout-puissant d'Alexandrie, et Isis la secourable, la madone à l'enfant, Isis *aux dix mille noms*, *étoile de la mer*, *déesse parmi les femmes*, *mère salvatrice.* Cependant on ne trouve pas la princesse. Les soldats préposés à sa garde se chargent maintenant d'inspecter, à la lumière du Phare, les portiques qui longent la mer ; ils arpentent les terrasses, puis, torche à la main, s'aventurent sur l'étroite jetée et jusque dans les rochers en contrebas de la corniche. La nourrice appelle encore : « Ma douce, mon miel, ma petite perdrix... Où te caches-tu, mon scarabée ? N'aie pas peur, mon pigeon doré. Réponds, réponds à ta Cypris. »

Très loin, à la pointe du Palais, au bout du môle, un garde libyen aperçoit enfin un petit tas de vêtements jeté au pied d'une immense statue du fondateur de la dynastie, Ptolémée Sôter en costume de pharaon. Derrière ce monument de granit, la petite est étendue nue sur le sol, les bras écartés. Morte ? Non, elle regarde le ciel doré par la flamme du Phare et, de la main, caresse les dalles de la chaussée, qui ont gardé la chaleur du jour pour la rendre aux étoiles. Du pays où elle vit, elle sait seulement qu'à midi le ciel y est plein de dents, pointues, perçantes, mais la nuit il est plein d'yeux : les astres, là-haut, brillent comme des pupilles de chat.

Le soldat soulève l'enfant, la gronde : « À quoi joues-tu, petit scorpion ? Tu t'amuses à nous effrayer, hein, scribe vicieux, fille de Seth ! »

Fille de Seth est une injure caractérisée. Pire, même ; car traiter de *fille du Diable* la fille des rois pourrait être regardé, par un « scribe vicieux » précisément, comme un crime de lèse-majesté... Mais le garde, tout à l'émotion d'avoir retrouvé la princesse, n'en a cure ; et la petite, décidément rebelle, écoute si peu le soldat que déjà, en se tortillant, en s'écorchant aux mailles de la cotte, elle se dégage de ses bras, glisse à terre et, toujours nue, s'étend de nouveau sur le pavé, s'y étire, s'y pelotonne, frottant sa joue, ses cuisses, ses paumes, contre la pierre chaude.

« Pourquoi fais-tu ça ? demande le Libyen, surpris.

– Pierre gentille », murmure l'enfant, avant d'ajouter, sur le ton du secret : « Pierre caresse, me console douce. » Couchée dans la lueur du Phare comme au creux d'un berceau, elle ne sait plus si elle attendrit le marbre ou si elle se pétrifie.

La Reine avait peu de temps, convenons-en, pour le mignotage et les cajoleries. Ses jumeaux, depuis leur naissance, elle ne les avait revus qu'une demi-douzaine de fois, et encore : en passant. Maintenant qu'elle vivait dans son palais d'Antirhodos, elle ne venait plus « sur le continent » qu'occasionnellement, pour des cérémonies : offrandes à Isis Lokhias, qu'on honorait sur le cap dans un sanctuaire accolé au Palais des Mille Colonnes ; anniversaire de la naissance de son premier amant, César, auquel elle venait d'élever un petit temple près du Jardin botanique ; réception d'ambassadeurs étrangers, qui se déroulait, à l'ancienne mode, dans la salle d'audience d'un des palais « du Dedans » – comme on appelait les palais du cap Lokhias, par opposition à ceux que les derniers souverains avaient bâtis à l'extérieur de l'enceinte royale.

Quand, venant de son île, la Reine débarquait avec sa suite dans le port privé, elle était toujours pressée. Pas question d'aller jusqu'au Palais Bleu, trop excentré, où, d'ailleurs, elle savait ses enfants en sécurité : les rochers les défendaient, le Phare les éclairait, les vents éloignaient d'eux le mauvais air, et le bleu les protégeait…

De temps en temps, elle demandait qu'on amenât les jeunes princes sur sa route – sous la colonnade d'un temple ou sur un quai du Port des Rois. Ces jours-là, Cypris et Taous, la nourrice chypriote et la nourrice thébaine, mettaient les petits sur leur trente et un, un trente et un résolument égyptien : double trait de khôl sur les paupières, fard à joues, parfum huileux sur les cheveux et amulettes de lapis-lazuli autour des bras, du cou, des chevilles. La Reine, son chambellan, ses gardes, ses suivantes, ses secrétaires, ses chasse-mouches s'arrêtaient un instant à leur hauteur. Cléopâtre examinait ses enfants avec autant d'attention que les rouleaux de comptes du Trésor royal : « Pourquoi mon fils a-t-il ces dartres sur la figure ? – Il souffre du soleil, Maîtresse », elle se tournait vers ses scribes : « Qu'on convoque mon médecin. Et qu'on envoie Menkhès peindre l'*œil d'Horus* sur tous les murs de la chambre du prince. Notez ! », ou bien : « Je trouve ma fille un peu maigre… – Elle ne mange pas beaucoup, Maîtresse. – Pourquoi ? – Elle est triste. Depuis que je l'ai sevrée, elle est triste. – Notez : mon intendant enverra à la princesse un chimpanzé de ma ménagerie. Et j'exige qu'on change immédiatement de cuisinier ! Le nouveau préparera de la compote de dattes, écrivez : compote de dattes, figues rôties, cœurs de lotus, cédrats confits, ma fille est trop jeune pour apprécier la tortue du Nil ou le rôti d'hyène ! » Vite elle s'éloignait, ayant parfois caressé la joue d'un des petits ; leurs cheveux, jamais : elle détestait les chevelures luisantes de parfums dont on gardait ensuite la graisse sur les mains.

Les nourrices redoutaient ces inspections, et elles avaient communiqué leur crainte aux jumeaux. Face à cette inconnue hiératique, caparaçonnée de bijoux, coiffée d'une lourde perruque tressée que surmontait le cobra sacré, ils restaient pétrifiés. Ils savaient, certes, qu'ils se trouvaient devant la Reine, personnage quasi divin, mais ils ignoraient que cette reine était leur mère. Au reste, « père », « mère », « parents », des mots dépourvus de sens pour eux, des sons qu'ils n'entendaient jamais, des gens qu'ils ne voyaient pas. En fait de famille, ils ne connaissaient que la fratrie : « frère », « sœur ». « Alexandre est mon frère, disait la petite fille. – Oui, et Ptolémée César aussi, disait la nourrice. – Il ne s'appelle pas Ptolémée, disait la petite fille. Il s'appelle Césarion. – Si tu veux… – Et Alexandre est moins mon frère que Césarion. – Non, c'est le contraire. – Tu mens, nourrice ! Césarion est beaucoup plus mon frère puisqu'il sera mon mari ! »

Cypris soupire : comment lui expliquer, à cette enfant ? La vie est compliquée chez les rois ! Il est vrai, en effet, que, si rien ne change, Césarion, héritier grec des pharaons, épousera la princesse ; néanmoins, il n'est que le demi-frère de la petite… Un mariage avec Alexandre serait plus incestueux, donc, d'un point de vue dynastique, plus réussi. C'est du moins l'opinion des deux nourrices qui, en secret, en ont déjà parlé : elles rêvent de marier les jumeaux entre eux ; il serait sage, à leur avis, de ne pas résister à la volonté des dieux – pourquoi auraient-ils envoyé à la Reine ce couple parfait si ce n'était pour que la fille et le garçon montent ensemble sur le trône ? D'autant qu'Isis et Osiris, jumeaux eux aussi, avaient montré l'exemple : n'avaient-ils pas fait l'amour ensemble dès avant leur naissance, dans le ventre de leur mère ? Et vit-on jamais, par la suite, couple mieux assorti ?

« Ne rêve pas, dit Cypris à sa compagne. Le fils de César se porte bien. – Et sa fichue nourrice veille au grain ! ajoute Taous. Tous les six mois, à ce qu'il paraît, elle offre une momie de chien à Anubis l'*Aboyant* pour qu'il dépiste les ennemis de son "petiot"... Tu imagines la dépense ! Et lui, le "petiot", il surveille ta nourrissonne de près. Ah, on peut dire qu'il la couve, sa promise ! »

Césarion a dix ans et, en vérité, il ne couve du regard et du geste qu'une seule femme : sa mère. Elle est la seule qu'il protège, « Ne prends pas froid », « Repose-toi ». Car elle n'a pas d'autre soutien que lui, il le sait, elle n'a personne à qui parler. Depuis toujours (enfin, depuis l'assassinat de César, mais, à ce moment-là, lui, Césarion, n'avait même pas trois ans), depuis toujours donc, elle réfléchit librement devant lui, réfléchit avec lui. Il a dû grandir vite pour la comprendre, jamais il n'a joué comme jouent ces deux-là, les jumeaux : elle avait tellement besoin de lui !

Césarion est son partenaire, il est aussi son alibi. D'après la loi du royaume, seule une paire (un mâle, une femelle) peut régner sur l'Égypte – comme Isis, la sœur-épouse, règne sur le monde avec son frère Osiris. Seulement, la Reine n'a plus de frère : César en a tué un à la guerre, et elle a dû tuer l'autre pour cause de complot. Elle n'a pas, n'a plus d'époux. Elle ne peut donc régner que pour autant qu'elle a un fils, et au nom de ce fils, bâtard ou pas. Césarion, un enfant intelligent, n'ignore pas qu'à cet égard aussi il est indispensable à la Reine. Ou, plutôt, qu'il lui *était* indispensable – jusqu'à la naissance d'Alexandre…

Il voit son frère lancer une balle de chiffons, courir derrière les chats sur la terrasse. Il l'observe, il vient souvent l'observer. Chaque fois que son précepteur l'emmène « sur le continent » – à la Bibliothèque ou au Muséum –, il demande à faire un détour par le Palais Bleu.

Les serviteurs des jumeaux se prosternent devant lui comme ils le feraient devant la Reine elle-même. Puis ils s'empressent : le Seigneur des Diadèmes veut-il un siège, une ombrelle, une boisson, un éventail, des musiciens ? Toujours la même scène : dès qu'il paraît, tout le monde plie le genou, plie l'échine, enfin plie, même les ministres, même le *dioïcète* – qui est le premier d'entre eux –, et même les célébrités du Muséum. Il s'imagine qu'il s'agit du respect dû à sa fonction. Il ignore qu'il émane de lui, petit garçon mûri trop tôt, une gravité poignante, une autorité mélancolique à laquelle aucun adulte ne peut résister : on le craint, certes, mais en même temps on craint pour lui. Confusion de sentiments qui jette chacun dans une complaisance excessive.

D'un bref mouvement de la main, Césarion a chassé la nuée des serviteurs comme on chasse les mouches. Il veut rester seul avec les deux petits. Il s'amuse de leur babillage, mais, surtout, il cherche à les prévoir, à les deviner. N'est-ce pas ce que son père aurait fait ?

Quand il arrive sur la terrasse où jouent les enfants, la fillette lâche aussitôt sa poupée d'ivoire ; elle incline la tête ou baisse les yeux, en signe de soumission ; après quoi, si le « prince héritier », satisfait, lui tend les bras, elle court vers lui en riant. Mais Alexandre, lui, n'interrompt pas ses jeux pour si peu, et son frère doit le rappeler à l'obéissance pour qu'il abandonne son cheval à roulettes ou sa toupie. Décidément, songe l'aîné agacé, l'éducation de ces enfants est bien négligée !

Puisque ses cadets n'ont toujours pas de précepteur, Césarion a décidé de leur enseigner quelque chose – les nombres, par exemple. Aujourd'hui, pour leur apprendre à compter, il a apporté trois dés de serpentine et un cornet en bois. « Un », « deux », « quatre », « six », explique-t-il en leur montrant les points sur le dé ; pour l'occasion, oubliant le protocole, il n'a même pas hésité à s'asseoir par terre à leur côté – ce qui lui semble une marque affectueuse d'humilité. La petite en a-t-elle été touchée ? Elle veut lui faire plaisir en tout cas, se concentre, fronce les sourcils, retient son souffle, mais quand il désigne le point unique, l'*as*, la mauvaise chance, « Quatre-deux-six », récite-t-elle d'un trait ; elle répète « quatre-deux-six », sans respirer, autant de fois qu'il l'interroge et quelle que soit la face du dé. Il reprend ses explications... Inutile, tout est « quatre-deux-six » ! Bientôt, devant l'irritation du prince, elle se bute, prend peur, bredouille, déçue de le décevoir ; et lui s'en veut, déçu d'avoir montré sa déception : beau résultat ! Quant au jeune Alexandre, il n'a même pas regardé les dés, ni répété quoi que ce soit, trop occupé à écraser une sauterelle sous le cornet.

Césarion renonce, remet les trois dés de pierre verte dans le gobelet, puis, tout à coup, saisi d'inspiration, il les agite, les agite longuement comme s'il s'apprêtait à les jeter. Ah, cette fois, il a du succès ! Les petits adorent ce bruit de friture, ils crient de bonheur, en redemandent, alors il recommence : « Encore ! Encore ! » Soudain, Alexandre, très excité, se jette sur le cornet pour l'arracher des mains de son aîné, il veut essayer à son tour : « Moi ! Moi ! » Césarion, aussi vite, rattrape le gobelet et lui tape sur les doigts : « Ne va pas t'imaginer que je te laisserai jamais me voler quoi que ce soit ! » Pour punir l'usurpateur en herbe, il tend les dés et le cornet à leur sœur. La fillette hésite. Césarion doit insister : « Mais si ! Je te l'offre. Prends-le, Cléopâtre. »

C'est la première fois qu'on lui donne ce nom, elle n'est pas sûre qu'on s'adresse à elle. « Cléopâtre, je t'offre ces dés, ils sont à toi. Ils sont très beaux, crois-moi, et le cornet aussi, il est fait d'un bois rare – le thuya de Maurétanie… Sais-tu où est la Maurétanie ? » Elle cherche autour d'elle, comme si la Maurétanie pouvait se cacher derrière un pilier, puis secoue la tête. « Je t'apprendrai les noms de pays, l'Afrique, l'Italie, la Germanie… Tu te souviendras que ce gobelet vient de loin ? De plus loin que le Nil ? Garde-le bien, c'est mon cadeau. » Impressionnée, elle prend le gobelet à deux mains et le fourre, tant bien que mal, dans la ceinture de sa robe. Maladroite mais émerveillée de se retrouver soudain riche d'une triple trésor : « cornet », « Maurétanie », et « Cléopâtre ».

Jusque-là elle pensait qu'elle n'avait d'autre nom que *petite perdrix* ou *pigeon au miel* si elle était sage, et *vilain chacal* quand elle était méchante : à cause de la similitude de son prénom avec celui de la Reine, les nourrices n'osaient jamais dire : « Viens ici, Cléopâtre, que je te colle une fessée ! » Elles contournaient la difficulté en lui donnant du *Princesse* tout au long, ou en multipliant les sobriquets, « noms d'oiseaux » et noms d'amour – tout un bestiaire où même le crocodile avait sa place… Césarion seul l'a « appelée ».

Mais quand il s'éloigne – et il va partir longtemps, sa mère l'envoie chez les indigènes, à Memphis, pour apprendre l'égyptien et adorer des dieux à tête de bœuf –, quand Césarion s'éloigne, elle redevient, dans le Palais Bleu du Quartier-Royal, une petite princesse sans père, sans mère, et sans nom. Lézard parmi les pierres, nuage avec les nuages.

CHANGEMENT de décor. Les enfants ont trois ans et demi, et voilà qu'on fait leurs paquets : la Reine les emmène en Syrie.

Décisif dans l'histoire de la petite fille, ce voyage va la détacher du sein de sa nourrice, du bleu des mosaïques et de la dorure du ciel. Lui procurer ce qui lui manque pour se différencier : un nom à elle, et des douleurs que, pour la première fois, son jumeau n'éprouvera pas, des privilèges qu'il ne partagera pas. Brusquement, elle va se sentir dissemblable, se croire unique, elle devient, elle sera, « Séléné ». Sa vraie naissance.

Mais, pour l'heure, sur le pont du navire, elle n'est encore qu'une larve innommée, un embryon de petite fille mal dégagé des limbes et des langes, un paquet de chair souffrante, qui pleure, tousse, renifle, réclame sa Cypris, et vomit. Car à peine les galères royales avaient-elles commencé à longer les côtes de la Judée qu'elle a pris froid : il pleut sans cesse, une pluie glacée, la Reine et ses enfants ont embarqué en plein hiver, contrairement aux usages. D'habitude, d'octobre à mars, les bateaux restent au port ; tous les riverains de la Méditerranée, craignant la violence de ses tempêtes, déclarent la mer « fermée » pendant la mauvaise saison ; on la « rouvre » solennellement aux premiers beaux jours. Mais Cléopâtre a le pied marin – elle voyage beaucoup et depuis toujours ; du reste, elle n'a peur de rien. Non pas téméraire, mais, comme César, toujours pressée, donc fataliste. Après quatre ans de silence et d'oubli, Marc Antoine l'a réclamée ? Bravant les vagues, les vents, les dieux, elle ira à Marc Antoine – le sort de son royaume en dépend.

Son royaume : une proie facile. L'Égypte est riche, mais vieille et fatiguée, son armée, faible et peu sûre ; le pays a perdu les colonies que ses rois grecs lui avaient apportées, cet empire des mers qui le protégeait ; même Chypre vient de lui échapper. Ramené dans ses limites naturelles, le royaume se trouve réduit à l'arête : la vallée du Nil et le port d'Alexandrie. La politique internationale a ses lois, qui sont à peu près celles de la jungle : tout État qui n'est plus capable d'en dévorer un autre est fait pour être dévoré. L'Égypte, prodigue et paisible, est condamnée, les Romains n'en feront qu'une bouchée. Ils l'auraient déjà mangée s'ils ne se mangeaient entre eux : César contre Pompée ; puis Antoine et Octave contre les assassins de César ; bientôt – on y est presque – Antoine contre Octave…

L'indépendance du royaume tient à peu de chose désormais : l'habileté de sa jeune reine – qui vend ses trésors et son corps aux Romains avant qu'ils ne l'obligent à les leur donner. Elle se glisse dans le lit du vainqueur quand sa victoire reste encore indécise, qu'il a besoin des richesses de l'Égypte, de son appui, et qu'elle peut les négocier… Chaque fois, il lui faut parier, et parier bien. Jusqu'à présent, de l'avis général, elle ne s'est pas trompée. Il est vrai qu'avec César c'était facile ; sur César, même quand on n'est qu'une reine de vingt ans, impossible d'hésiter : il était tellement au-dessus des autres ! Un génie. Un dieu. Elle n'avait pas prévu que ce dieu serait assassiné, ce génie saigné comme un porc par des imbéciles... Pas prévu non plus qu'il lui manquerait tant : un amant de cinquante-trois ans ! À la cour d'Alexandrie on pense qu'il lui manque toujours, qu'elle s'efforce d'imaginer les conseils qu'il lui donnerait, on se rappelle le sourire protecteur du Romain lorsqu'elle exposait ses idées : « Tu progresses, petite reine ! » Bien sûr, soupirent les courtisans de tout grade – ceux qu'on a nommés *Premiers-amis* et ceux qui ne sont encore qu'*Amis-simples* ou *Qui-viennent-après* –, bien sûr, soupirent-ils du haut en bas de la hiérarchie, César lui manque.

Après la mort du grand homme, elle a failli, dans l'urgence, miser sur le fils de Pompée, elle s'est reprise à temps, a tout placé sur un numéro double, Octave-Antoine, en séduisant celui des deux qui passait à sa portée. À cette époque, en termes d'alliance, l'un valait l'autre. Aujourd'hui, l'affaire est plus délicate. Officiellement, les deux hommes, devenus beaux-frères, entretiennent les meilleures relations. Officieusement... deux mâchoires qui se broieront l'une l'autre ! A-t-elle encore le choix cependant ? Non, explique l'eunuque Mardion (premier conseiller du Palais) au très-noble *épistratège* de Haute-Égypte, non, dit l'eunuque Théon (*dioïcète* du royaume) au très-digne *gymnasiarque* de Naucratis, non, car, une fois de plus, c'est Antoine qui convoque la Reine, lui réclame des bateaux, exige des comptes. Dans le partage du monde auquel ont procédé les chefs romains, Antoine n'a-t-il pas reçu l'Orient ? Cléopâtre est orientale, elle entre donc « dans les compétences » d'Antoine…

Une division administrative qui – les eunuques le savent-ils ? – ne présente pas que des inconvénients. Après tout, quand elle a rencontré son nouveau « supérieur », la petite reine n'avait que vingt-huit ans. Avec César elle avait connu l'étreinte d'un dieu, avec Antoine elle découvrait l'étreinte d'un homme. Dans l'amour, les dieux sont efficaces mais furtifs. Zeus lui-même, leur roi, ne se soucie guère du plaisir des mortelles qu'il féconde. Il suffit de récapituler. D'abord, Léda. Pour approcher Léda, il se transforme en cygne ; le cygne est gracieux, certes, mais, au déduit, il ne vaut pas le taureau ; ce qui n'empêche pas Léda d'accoucher de quadruplés. Pour séduire Danaé, Zeus change de registre, il joue les pluies d'or ; convenons que, même pénétrante et même dorée, la pluie manque de consistance… Quant à Io, la pauvrette, de toutes c'est la moins gâtée : le roi des dieux, qui est d'abord un roi du camouflage, se déguise en brouillard – quelle femme, dites-moi, voudrait être baisée par un brouillard ?

La Reine pense-t-elle « baisée » ? Mais oui, c'est probable. Parce que Antoine dit « la baise », et d'autres mots encore qu'on n'entend guère dans les cours. Quand il ne cite pas Homère ou Euripide, il parle le langage, tout militaire, des camps. Cléopâtre n'est pas bégueule ; et elle a un don pour les langues : outre le grec, elle parle déjà l'égyptien, l'araméen, le perse, l'arabe, l'éthiopien… Pourquoi n'y ajouterait-elle pas, à l'occasion et « en situation », le vocabulaire d'Antoine ?

Les hommes, dans l'amour, disent des obscénités. Les hommes vous serrent fort dans leurs bras, vous écrasent de leur poids, les hommes vous brutalisent, vous insultent, vous écartèlent, mais quand ils ont joui – et qu'ils vont bientôt, repus, s'endormir d'un coup –, leurs yeux reflètent le bonheur enfantin des bébés gavés de lait… Antoine est un homme. Il rit, il pleure, il jure, se fâche, ment, triche, trompe, se trompe, s'abandonne, il souffre et il fait souffrir. Un homme.

Il était une fois une reine qui tenait son royaume à bout de bras. Des bras ornés, jusqu'aux épaules, de serpents d'or, symboles d'immortalité. Dans la chambre royale, à la poupe du navire, elle a fait sortir tous ses bijoux. Même ses bracelets de cheville. Elle prépare son entrée, cherche le bon costume de scène. Elle a toujours réussi ses entrées. Pour sa présentation à César, elle s'était fait livrer demi-nue, roulée dans une couverture – pas mal, non, pour une vierge et une souveraine en fuite ? Lors de sa première rencontre avec Antoine, à Tarse de Cilicie, au sud de la Cappadoce, elle était déjà moins timide. Elle s'était risquée à l'allégorie. Du symbolique à grand spectacle : habillée, ou plutôt déshabillée, en déesse de l'amour (une tunique en voile de Sidon, très transparente), elle avait remonté le fleuve sur un navire doré dont les voiles étaient de pourpre et les avirons, d'argent. À la manœuvre, rien que des femmes, costumées en naïades et en Néréides ; sur le pont et dans les cordages, de très jeunes enfants, nus comme des Cupidons. Couchée sous un dais d'or, alanguie au milieu des brûle-parfums, « Isis-Vénus-Aphrodite » se laissait éventer par ces chérubins et bercer par les cithares des filles de la mer, sans penser à rien…

À rien ? Parions plutôt qu'elle mourait de peur ! Une fois de plus, elle jouait son va-tout. Heureusement, le premier moment de stupeur passé, l'Imperator qui attendait la flotte royale sur le quai avait obligeamment rendu les armes. Dieu de la guerre, ne devait-il pas, pour se conformer aux vieilles légendes, succomber à la déesse de l'amour ? À moins que, *Nouveau Dionysos* (comme le surnommaient les Éphésiens), il ne lui fallût s'unir à Isis pour réengendrer le monde ? Quel que fût le prétexte, ils avaient si bien tenu leur rôle qu'on aurait cru qu'ils l'avaient répété…

À présent, quatre ans plus tard, Cléopâtre changeait de personnage – elle n'était plus si juvénile, elle avait trois enfants, mieux valait apparaître en mère triomphante. Sa paire de jumeaux, en rattachant encore une fois son image aux anciens mythes, lui fournissait l'occasion rêvée : elle serait Latone, modeste divinité aimée par Jupiter, qui, pour échapper à la jalousie de Junon, avait dû se réfugier à Délos, où elle avait donné naissance à des jumeaux éclatants de beauté, Diane-Artémis et Apollon. Des bâtards eux aussi, mais promis à l'immortalité.

Pour Alexandre et Cléopâtre, la Reine avait donc fait préparer, avant le départ, des tenues conformes aux représentations des dieux jumeaux tels qu'on les voyait sur les tableaux des temples et les mosaïques des palais.

À Antioche, les deux petits marcheraient devant. En mère sublime – Latone n'était-elle pas, pour le monde latin, le modèle des mères ? –, elle, la reine d'Égypte, se tiendrait en retrait. Comme effacée par ses enfants. Elle avancerait lentement, sans serviteurs, ne portant, en guise de sceptre, qu'une petite palme à la main : le palmier était l'arbre de la déesse fugitive, celui contre lequel elle s'était appuyée pour accoucher seule. Elle avancerait, sans protocole et sans ostentation, vêtue d'une simple tunique à plis, qui, négligemment dégrafée sur l'épaule, laisserait passer un sein dénudé : ne peignait-on pas souvent Latone les seins nus, en train d'allaiter ses enfants ? La vision serait peut-être agréable à l'Imperator.

Agréable aussi, à n'en pas douter, l'allusion mythologique. En s'identifiant à la solitaire de Délos, la Reine ferait d'Antoine un Jupiter. Une ascension flatteuse : à Tarse, rencontrant Vénus-Isis, il n'était encore que Mars, l'un des douze dieux, ou Dionysos, un mortel devenu Immortel sur le tard ; à Antioche, il se trouverait d'un coup promu roi des dieux. Belle montée en grade !

Dans son miroir d'argent poli, elle examina son sein gauche, puis son sein droit – le miroir était trop étroit pour qu'elle pût voir les deux à la fois. Lequel sortirait-elle pour la rencontre ? « Lequel, Iras ? demanda-t-elle à sa coiffeuse, devenue depuis longtemps sa confidente. Quel est le plus charmant ? » Iras trouvait les deux également jolis, fermes, et aussi petits qu'on les aimait alors. À l'inverse de la pauvre Latone réfugiée sur son île déserte, la Reine n'avait jamais été obligée d'allaiter...

À quoi ressemblaient-ils, les seins de Cléopâtre ? L'Histoire ne le dit pas et, après leur victoire, les Romains ont détruit toutes ses statues. Sauf, peut-être, à Alexandrie, où un riche ami de la Reine aurait acheté aux vainqueurs pour deux mille talents (des milliards !) le droit de sauver quelques portraits. Disparus depuis.

On montre bien aujourd'hui, dans certains musées, des bustes « supposés »... Trop « supposés » pour être honnêtes : parmi tant de marbres mutilés, de bouts de Vénus, d'Amphitrites rapiécées, de brisures de princesses et d'Isis écornées, comment rendre à César ce qui fut à César ?

On applique des grilles de lecture, on suit des modes. Autrefois, dès qu'on découvrait la statue d'une jolie femme, on disait « c'est Cléopâtre ! » ; aujourd'hui, chaque fois qu'on trouve un laideron, c'est Cléopâtre. Après avoir été belle à damner un saint, voici la reine d'Égypte vilaine à faire peur : les archéologues ne peuvent plus repérer un menton en galoche ou un nez busqué sans le lui attribuer. Pensent-ils qu'à force de mariages consanguins les Ptolémées n'étaient plus très agréables à regarder ? Point de vue moderne, assurément. Pour les Anciens, au contraire, l'endogamie monarchique avait le mérite de préserver les qualités du fondateur de la dynastie – du sang bleu « plus bleu que bleu ».

De toute façon, dans le cas de Cléopâtre, la question des tares génétiques ne se pose guère. Sa grand-mère, simple concubine, n'avait aucun lien de parenté avec son grand-père, et son père (un « bâtard ») n'était que le demi-frère de sa mère. Du reste, l'inceste royal avait beau être obligatoire, il y a loin de la théorie à la pratique : pour qu'un frère fasse souche avec sa sœur, encore faut-il que la même famille ait eu des filles et des garçons ; et qu'ils soient d'âge assez proche pour être appariés ; et que le mariage ait été consommé ; et que la sœur-épouse ne soit pas stérile ; et que son frère ne l'assassine pas ; et qu'elle ne meure pas en couches ; et que ses fils parviennent à leur tour à l'âge adulte, etc. Dans la lignée paternelle de Cléopâtre, on ne trouve que deux unions incestueuses prolongées d'une vraie postérité. Deux seulement, en deux siècles et demi. Le reste du temps, les Ptolémées épousaient des princesses étrangères, ou bien des nièces, des cousines, comme n'importe quel monarque d'Ancien Régime. Aucune raison pour que la reine d'Égypte n'ait pas été aussi gracieuse que notre Louis XV !

Mais, belle ou laide, petite ou grande, cette femme-là, je ne l'imagine pas. D'habitude, quand l'Histoire hésite ou s'efface, je comble les manques. Ici, bien que l'historien me laisse le champ libre, je ne peux rien imaginer. Cléopâtre, je ne la vois pas. Son visage, sa silhouette disparaissent sous des couches de culture superposées : il n'y a pas que César et Antoine qui lui soient passés dessus – trop de peintres aussi, trop d'écrivains… Ce n'est plus une femme, c'est un mythe. Comme Don Juan ou comme Carmen. Éternellement contemporaine. Sa beauté se met au goût du jour : au Moyen Âge elle porte un hennin, au Grand Siècle une fontange, et, dans le film de Mankiewicz, elle a des yeux de biche, des cheveux crêpés et une nuisette en nylon. Mieux, il arrive aujourd'hui qu'on la coiffe façon « punkette », mèches ultracourtes, ébouriffées. « Mais où est-ce qu'ils vont pêcher ces trucs-là, les gens de cinéma ? » s'indignent les puristes.

Où ? Dans les livres. Beaucoup d'Histoire rapproche de la vérité, un peu en éloigne – les scénaristes font « un peu d'Histoire ». Ils découvrent que les Égyptiens de bonne naissance portaient perruque et que, pour enfiler leur postiche, les hommes se rasaient la tête, les femmes se coupaient les cheveux. Chic, se dit le producteur, on va faire de l'« historique moderne » : l'Égyptienne, quand elle ôtera sa perruque, aura les cheveux en brosse… Pas de chance, Cléopâtre n'est pas égyptienne, elle est macédonienne ; c'est au nom des conquérants grecs qui dominent l'Égypte depuis trois siècles qu'elle exerce le pouvoir. Certes, ces Grecs-là, colons sans métropole, se disaient « Égyptiens », et, bien sûr, leurs rois avaient adopté certaines coutumes locales, comme celle du mariage entre frère et sœur. Mais, pour le reste, ils vivaient en Grecs, pensaient en Grecs, s'habillaient en Grecs, se coiffaient en Grecs et, obligés de se métisser, se vengeaient de cette mésalliance en méprisant les indigènes, « des demeurés, juste bons à écorcher la terre et à embaumer les chats » !

La perruque d'Isis, cette perruque large et sombre qu'on voit sur les murs des tombeaux, Cléopâtre la portait sans doute. De temps en temps. Pour les manifestations officielles. Quand elle « faisait » le pharaon. Les autres jours, elle adoptait la coiffure toute simple des tanagras : les cheveux longs, ondulés, séparés en boucles autour du front, puis renoués sur la nuque en chignon.

Mais j'ai beau connaître tous ces détails, je distingue mal le visage de la reine d'Égypte ; et je ne vois rien par ses yeux – tant d'autres l'ont fait ! Des amis veulent savoir qui j'imaginerais « dans le rôle », quel genre d'actrice… Ils insistent : « Dis-nous au moins si elle était blonde, ou brune, Cléopâtre ? » Je leur assure qu'elle était blonde, type flamand. J'exagère à peine : blonde comme la Sainte Vierge, elle l'a été jusqu'au XIXe siècle. À l'époque romantique, elle a foncé d'un coup : peau brune, chevelure odorante – l'Orientale lascive, la reine du harem, la sultane, la juive, la congaï, la vahiné… Évidemment, tout cela peut encore changer, l'avenir nous réserve bien des surprises sur le passé.

Pourquoi, d'ailleurs, mon héroïne devrait-elle connaître la couleur des cheveux de sa mère ? Elle en a été séparée si jeune qu'elle ne se rappelait sans doute plus ses traits. Elle devait seulement penser que sa mère avait été très belle. C'est ce que disaient les Romains. Pour le reste, que savait-elle de la Reine ? Peu de chose. Elle n'avait pas eu tant d'occasions de la voir, finalement ! Sauf pendant le voyage en Syrie…

La mer. À l'horizon, parfois, un bleu si profond qu'il en devenait violine. Mais, cet hiver-là, rien que des couleurs de surface, et très délavées : le plus souvent des vagues beiges, des vagues sales, un ciel vide que la pluie hachurait de gris, des rivages blancs au loin, que la même pluie gribouillait, raturait, effaçait. Le soir, pas une étoile. Par beau temps, et quand les vents étaient favorables, un bateau de commerce naviguant jour et nuit allait d'Alexandrie à Antioche en cinq jours ; mais, à la mi-décembre, le lourd navire royal contraignait la flottille militaire de l'escorte à se traîner sur la mer.

Les escales, d'autant plus fréquentes qu'on n'osait guère s'éloigner des côtes, se prolongeaient sitôt qu'il y avait un peu de brouillard. À Tyr, l'état de la petite princesse obligea à s'arrêter plus longuement encore. L'enfant était très malade. Elle ne mangeait plus, ne parlait plus. Toute la journée, elle somnolait sur les genoux de Taous la Thébaine, glissant parfois, sans même ouvrir les yeux, une petite main fiévreuse entre les seins de la grosse femme comme si elle voulait les pétrir ou les téter, puis écrasant son visage contre l'abondante poitrine pour en respirer l'odeur avant de s'en détourner : ce n'était pas sa nourrice ; ce n'était pas cette chair rassurante dont, depuis toujours, elle se croyait propriétaire, cette chair qu'elle aimait meurtrir et caresser, et dont le seul contact apaisait ses souffrances.

La flotte n'avait pas emmené Cypris, en effet. Tout le monde à Alexandrie savait que Cypris la Chypriote ne portait pas bonheur en mer : elle avait déjà fait naufrage deux fois et si, grâce à Isis la Miséricordieuse – et à une pratique précoce de la natation –, elle s'en était tirée, on ne pouvait pas en dire autant de ses compagnons de voyage… Les suivantes de Cléopâtre avaient supplié la Reine de ne pas laisser la nourrice embarquer avec elles pour Antioche. « Sur la mer, disaient-elles, elle pue comme le poisson du marché un jour d'été ! Elle attire les monstres ! » La Reine, bien que peu superstitieuse, ne tenait pas à mécontenter les dieux, elle avait déjà assez d'embarras diplomatiques avec les Romains sans en chercher avec Poséidon. Elle avait donc décidé que, pendant le voyage, Taous veillerait seule sur les jumeaux, assez grands pour avoir davantage besoin de leurs autres serviteurs – leur masseur, leur conteur, ou le vieux précepteur qu'elle venait de désigner pour eux, Pyrrandros, un Athénien ratatiné sous le poids des vingt-quatre volumes de commentaires qu'il avait consacrés au premier des douze travaux d'Hercule.

À Tyr donc, équipages et passagers descendirent à terre et prirent pension dans les maisons du port – ce qu'en dépit de la maladie de la princesse la Reine n'avait pas osé faire à Jaffa, ni à Dor : Hérode, le nouveau roi de Judée, n'était pas de ses amis ; elle le tenait pour un usurpateur et un assassin, et ne comprenait pas pourquoi Antoine l'avait aidé à s'emparer de cette terre opulente sur laquelle elle-même avait des visées. Hérode, qui connaissait l'hostilité de la Reine, aurait pu, la sachant en route vers Antoine, mettre un terme prématuré à sa croisière. Il aurait suffi qu'il y emploie quelques-uns de ces terroristes patriotes qui jouaient si volontiers du poignard… Aussi, une fois passé Gaza, la Reine avait-elle, à chaque escale, consigné ses gens à bord et obligé les capitaines à lever l'ancre dès que les nuages s'éclaircissaient.

Ce ne fut qu'à Tyr, en voyant les choses de près, qu'elle prit conscience de la maladie de Séléné. Jusque-là, ne voyageant pas sur le même bateau que ses enfants, elle avait écouté distraitement ce qu'on lui en disait aux escales. En découvrant sa fille presque inconsciente, elle craignit de la perdre. Le craignit en mère, et le craignit en reine : comment surprendre Antoine, le ramener vers elle, si elle ne pouvait produire qu'un seul des jumeaux ? Autant jeter tout de suite à la mer la tunique de Latone, les branches de palmier et les petits costumes de Diane et d'Apollon !

Mais à peine avait-elle fait ce constat tragique que, comme d'habitude, elle reprit espoir : la résignation n'était pas son fort. Pour divertir l'Imperator à Antioche, n'avait-elle pas emmené, avec ses autruches, le plus fameux médecin du Muséum, un homme qui avait herborisé dans le monde entier ? Il venait d'obtenir pour elle, en utilisant un ambix de verre, quelques dés d'essence de rose – un parfum sans huile, enfin ! En l'absence d'Olympos resté à Alexandrie auprès de Césarion, ce Glaucos, capable de fabriquer une odeur qui ne tachait pas, devait pouvoir soigner une mauvaise fièvre.

Hélas, Olympos et Glaucos n'appartenaient pas à la même école. Olympos, médecin ordinaire de la Reine, était un moderne, un *empirique* – pour le diagnostic et les remèdes, il se fondait exclusivement sur l'expérience. Glaucos, lui, se rattachait à l'école des *dogmatiques*, qu'on appelait aussi « la secte logique » : il cherchait une cause unique à tous les maux du corps. Influencé par ses travaux de botaniste et de parfumeur, il expliquait tous les malaises des hommes par le déséquilibre des sèves. Là où, instruit par l'expérience, Olympos eût prescrit des bains froids pour faire tomber la température et le jeûne pour calmer la dysenterie, Glaucos voulut rétablir « la juste proportion des liquides internes » : voyant la petite rouge de fièvre, il conclut à un excès de sang et ordonna la saignée, puis, apprenant qu'elle avait vomi, pencha pour un excès de bile et la fit purger.

Drainage. Assainissement et drainage. En deux jours, « la théorie des humeurs » mena la princesse à l'agonie. Décidée à sauver sa fille en dépit de la Logique et des logiciens, la Reine s'installa au chevet de l'enfant. Elle ne pouvait assister à une défaite sans réagir. Faisant flèche de tout bois, elle convoqua Diotélès.

Il arriva juché sur une des autruches dont il avait la garde. Et se lança aussitôt dans une tirade versifiée contre « ces médecins impies qui adorent la logique quand il ne faudrait adorer que le vin ». Il parlait haut, en esclave mal élevé, mais parlait en vers de six pieds aussi bien qu'un lettré. Son grec était très pur, bien que son vêtement fût cosmopolite : un pagne égyptien, des bottines thraces, une peau de lion, et un capuchon gaulois.

Quand il se laissa glisser de sa monture pour se prosterner aux pieds de la Reine et qu'elle lui eut donné l'ordre de se relever, il ôta sa capuche et se redressa de toute sa taille – qui ne dépassait pas celle d'un enfant de dix ans : Diotélès, fils de Démophon, fils de Lurkiôn, fils de Protomakhos, était l'un des Pygmées de la Reine. Comme les princes, il avait vu le jour sur le cap Lokhias, mais dans la ménagerie. Sa famille, installée là depuis trois générations, faisait partie d'un lot d'esclaves rares offert par le roi de Méroé au grand-oncle de Cléopâtre, le dixième Ptolémée. On aimait, dans les spectacles publics, opposer de petits acrobates à de gros éléphants. Les proches de Diotélès avaient tous travaillé dans le Stade et l'Hippodrome comme pseudo-chasseurs ou dresseurs de lions ; la plupart, bien qu'habiles, y avaient perdu la vie : le *spectacle vivant* faisait alors beaucoup de morts. Les ultimes rescapés de la lignée, on les gardait à la ménagerie où les visiteurs étrangers venaient les voir comme des curiosités. Le jeune Diotélès, qui s'ennuyait derrière ses barreaux dorés, avait profité de la proximité de leurs cages respectives pour apprivoiser les autruches ; avec elles, il montait maintenant des intermèdes dansés et des courses où, accroché au cou de l'oiseau, il défiait des cavaliers.

« Olympos a souvent recours à toi pour distraire de leur douleur les patients qu'il opère, dit la Reine. Il prétend que la médecine t'intéresse, que tu ne manques pas d'esprit et que...

– Je n'ai pas d'esprit, j'ai du bon sens.

– Ne m'interromps pas, Diotélès, je suis la Reine ! Olympos voulait autrefois que je t'envoie à Cos étudier la chirurgie. Mais tu es trop petit. La chirurgie exige de la vigueur, le patient est souvent récalcitrant... Je vois cependant, à ton langage fleuri, que tu as fait bon usage de la permission que je t'avais donnée d'entrer à la Bibliothèque. D'acrobate, te voilà devenu poète ! À l'occasion, serais-tu capable d'être encore infirmier ?

– Fais-moi apporter un tabouret. À moins que tu ne préfères, ô Maîtresse des Deux Terres, que j'examine ta fille du haut de mon autruche ?

– Impertinence !

– Que me donneras-tu si je la guéris ?

– Cent coups de fouet si tu ne la guéris pas. »

Diotélès le Pygmée fit les gestes qu'il avait vu faire à Olympos : prit le pouls, pinça la peau des mains et du ventre, regarda la langue, goûta la sueur, colla son oreille contre la poitrine... « Cette enfant a pris froid, mais c'est de sécheresse qu'elle va mourir – elle a perdu trop de liquide. Fais-la boire.

– Elle ne veut pas.

– Trouve une cruche à long bec, adaptes-y un morceau de chiffon et appuie-le contre ses lèvres. Ensuite, défais le nœud de ton châle, sors ton sein et serre l'enfant contre toi. Elle tétera.

– Mais ma fille n'est pas un bébé !

– Elle est plus faible qu'un nouveau-né. Donne-lui la vie une seconde fois. »

L'escale de Tyr dura huit jours. Puis on reprit la mer par petites étapes pour laisser à l'enfant le temps de se rétablir complètement. Arrêt à Sidon, à Beyrouth, à Byblos... Quand l'escadre arriva enfin près de l'estuaire de l'Oronte, en aval de la grande ville d'Antioche, la princesse était pâle et amaigrie, mais joyeuse : elle voyageait maintenant sur le navire royal, un vaisseau presque confortable, comparé à l'étroite galère de guerre où étaient restés Alexandre et Taous ; en plus, une immense autruche, chevauchée par un Gaulois tout noir, venait manger dans sa main ; et de jolies dames aux longues chevelures, aux bijoux colorés, de jolies dames toutes semblables, la pressaient contre leur poitrine en lui disant des gentillesses.

La flottille avait mis trois semaines pour faire la traversée. Des semaines dont, par la suite, la petite fille ne garderait que la vision confuse d'un collier d'or sur des seins nus et d'épingles à chignon qu'elle tirait de la coiffure d'une femme aux traits flous... Les épingles, ces longues épingles qui se terminaient toutes par des pierres précieuses qu'elle faisait jouer dans la lumière, ces épingles dont, parfois, la tête pivotait pour découvrir une minuscule cavité, elle les reverrait toujours – mais ni le visage, ni même la couleur des cheveux qu'elle libérait en s'amusant. La douceur, le parfum de ces mèches-là, non, elle ne se les rappellerait pas.

À Daphné, jolie ville d'eaux des faubourgs d'Antioche où l'on avait logé la Reine et sa suite, Cléopâtre procéda aux ultimes essayages ; elle fit agrafer jusqu'aux coudes la tunique de sa fille pour cacher ses épaules décharnées, mais elle ne chercha pas à dissimuler sa pâleur : la pâleur sied à Diane-Artémis, déesse de la lune ; de plus, elle accentuait très heureusement le contraste entre les deux petits, l'un rose et blond, l'autre brune et diaphane.

Courant entre les cyprès géants, les sources et les lauriers sacrés de Daphné, les jumeaux se remettaient vite de leur voyage d'hiver. Autour d'eux, tout était joyeux : les faubourgs d'Antioche grouillaient alors d'ambassadeurs étrangers, de roitelets « amis et alliés » convoqués par le nouveau maître de l'Orient. D'une villa à l'autre, circulaient des cortèges de musiciens, des processions de prêtres au corps peint, et trois autruches attelées au char d'un Pygmée qui chantait à tue-tête des vers grecs. Les curistes descendus du sanctuaire d'Apollon se pressaient au bord des chemins pour voir passer les chameaux et les rois : chaque jour, entre les jardins de Daphné et les remparts d'Antioche, se jouait comme un prélude à « L'Adoration des Mages ». Mais

Antoine, l'objet de cette adoration, n'habitait pas une étable : il occupait, au cœur de la vieille ville, l'ancien palais des Séleucides.

« Il est presque chez moi ! tempêtait Cléopâtre. Les Séleucides étaient mes cousins, ce palais pourrait être le mien, et il ose me faire attendre ! me laisser dehors ! »

Elle était furieuse d'avoir découvert la présence, à Antioche, d'Hérode, son ennemi juré. Pendant qu'elle perdait des jours précieux dans le port de Tyr, le roi de Judée l'avait devancée ; avant elle, il avait déposé ses hommages et son or aux pieds de Marc Antoine. Bien sûr, pour entreprendre la guerre contre ces Parthes qui, à l'est, des montagnes du Caucase jusqu'au golfe Persique, menaçaient la puissance romaine, l'Imperator avait besoin de bien plus que les richesses de la mer Noire, de la Syrie et de la Judée réunies. Il lui fallait les trésors de l'Égypte. Il pouvait bien feindre de dédaigner « l'Égyptienne » ; contre les Parthes, il ne serait jamais rien sans elle. Et elle, contre les appétits de l'Italie, n'était rien sans lui. La politique commandait leur union, et tous deux le savaient.

Il n'empêche que, pour négocier au mieux, elle trouvait préférable d'attendrir son partenaire. Suffirait-il de faire jouer sa fibre paternelle ? Pas sûr. Après tout, si Marc n'avait jamais eu de jumeaux, il avait d'autres enfants : deux fils de Fulvia, la femme dont il était veuf, et une fille de cette jeune Octavie qu'il venait de laisser à Brindisi, de nouveau enceinte ; sa noble lignée n'était pas menacée d'extinction. Sans parler des bâtards, puisqu'il proclamait bien haut qu'un homme fort se devait, comme Hercule, de semer à tous les vents – c'était son côté puéril... Mais, à défaut de toucher son cœur, la présentation d'Alexandre et de Cléopâtre flatterait son sens esthétique et peut-être, par l'allusion au roi des dieux, sa vanité ?

Avec Marc Antoine, Cléopâtre calculait trop : il était plus généreux qu'elle ne se le rappelait – après la rencontre de Tarse, ils avaient pourtant vécu six mois ensemble, six mois de fêtes, de folies, de fastes, de défis, la « vie inimitable », comme ils disaient ; sur leur amour et leurs caprices, le soleil ne se couchait jamais ; mais c'était il y a quatre ans. Un intermède... qu'elle avait presque oublié. Il lui fallait redécouvrir qu'en dépit de sa gloire, et du cynisme qu'il affichait, l'Imperator était un homme simple. Un sentimental.

Pris par surprise, il se livra tout à sa joie, sans arrière-pensée : quand, dans l'ancien palais des souverains syriens, le jeune Alexandre, rayonnant, lui apparut couronné d'or, vêtu d'or et chaussé d'or, tenant par la main sa petite sœur, si frêle dans sa longue robe tissée d'argent, si pâle sous ses boucles noires, si timide sous son diadème blanc, il s'exclama, courut à leur rencontre et se mit à leur hauteur, sans égard pour sa large toge qui balaya le dallage.

Accroupi, il s'extasia, sourit, rit, puis serra fort les enfants dans ses bras. Devant ses généraux et sa petite cour de sénateurs, il exultait comme un père nouveau-né, soulevant de terre tantôt l'un, tantôt l'autre de ses jumeaux pour les montrer : « Diane et Apollon, mes amis ! La nouvelle Diane, le nouvel Apollon ! Les dieux m'ont béni ! Ils m'ont permis d'engendrer ensemble le Jour et la Nuit !... Regarde-moi, mon enfant, oui, toi, mon flamboyant, mon doré : lumière-de-mes-yeux, tu m'éblouis... Et toi, ma brune, ma nocturne, ma ténèbre, tu te tais ? Tu ne dis rien ? Embrasse-moi, repos-de-mes-yeux, n'aie pas peur... Le jour et la nuit, mes amis ! Des enfants jumeaux ? Non ! Des astres jumeaux : le soleil et la lune. » (En grec, on disait *hélios* et *séléné*.) « Soleil et Lune, je suis votre père. Avec toi, Hélios, je vais éclairer le monde. Avec toi, Séléné, je l'enchanterai. »

Par la suite, le surnom d'Hélios resta au garçon, sans l'emporter cependant sur son prénom d'Alexandre, plus glorieux et propre à annoncer les futures conquêtes de son père en Orient. La petite fille, en revanche, devint – et pour toujours – Séléné.

De ce moment précis où son père l'a reconnue, l'a nommée, Séléné ne se souviendra plus. Elle sait qu'elle tient de lui son second prénom, devenu le premier ; mais elle le sait comme une chose apprise. D'Antioche, où elle a, paraît-il, passé plusieurs mois, elle ne revoit rien, que ces cônes de cyprès tombés depuis l'automne et qu'elle ramassait dans les allées pendant que son frère en bombardait les mendiants, ces boules légères qu'elle enfermait dans son coffret d'argent, ces vieux fruits des vieux cyprès de Daphné qu'elle thésaurisait, comme un écureuil des pays froids entasse les pommes de pin avant l'hiver. La scène du palais – « Soleil et Lune, vous êtes mes enfants » –, cette scène s'est effacée de sa conscience, et nul ne l'a ravivée : Cypris n'a pu la lui raconter, puisque

Cypris, la dangereuse naufragée, n'y était pas ; et de tous ceux qui y assistaient, aucun n'a survécu assez longtemps pour lui en parler.

Elle sait ce qu'elle doit à son père, mais elle ne s'en souvient pas.

MAUVAISE MÉMOIRE

Un faux berger joue à la flûte de Pan un air mélancolique. Couchée au milieu de la salle du banquet, la danseuse qui représente Ariane abandonnée semble endormie. Soudain, surgit Dionysos, son sauveur : il s'élance vers la belle dormeuse, baise son front, l'éveille, puis, l'enveloppant de ses bras, butine ses lèvres. D'abord elle feint la pudeur, puis brusquement, en dansant, rend au dieu son baiser.

Les convives romains applaudissent ; les délégués rhodiens, mieux élevés, se bornent à claquer leur langue contre leur palais.

Une petite fille, qui somnolait sur le marchepied du lit où dîne sa mère, se réveille en sursaut. Devant elle, « Dionysos » et « Ariane » dansent en prenant des poses tendres. Après qu'Ariane lui a ôté sa couronne de lierre, le jeune dieu dénoue la ceinture virginale de sa fiancée. Ils s'embrassent à pleine bouche. Se fuient, se retrouvent, se caressent, et s'embrassent encore. « Ils se mangent », pense la petite fille étonnée.

Bientôt, à la vive satisfaction des invités, les danseurs n'ont plus l'air de comédiens dressés à la pantomime, mais d'amants pressés de satisfaire leur désir. Ils s'étreignent – tambourins, clochettes – puis, toujours enlacés, gagnent l'un des hauts lits du banquet. Quelques débauchés sans ceinture n'attendent pas le plat suivant : « Danse avec les dieux »...

De ce ballet qu'offrit, en Syrie, la reine d'Égypte pour ses noces, Séléné, fille des mariés, ne se souviendra jamais : effrayée, elle a fermé les yeux.

Au départ d'Antioche, fin avril, Séléné, assise dans sa litière aux rideaux ouverts, joue avec une figurine de faïence bleue qu'elle entortille dans des chiffons. Cette poupée, pourquoi n'est-elle pas articulée comme la belle dame en ivoire qu'elle a laissée à Alexandrie ? ou joliment peinte comme l'autre dame, en bois, qu'on a oubliée à Antioche ? Et pourquoi la poupée tient-elle un bébé sur les genoux ? Pas facile d'habiller cette bonne femme sans étouffer son nourrisson ! Séléné a beau s'appliquer, elle finit toujours par emballer la tête du mioche dans la robe de la mère.

« Mais tu vas le tuer ! dit Taous en riant. Si tu l'enveloppes comme ça, il ne pourra plus respirer ! Tu vas tuer notre petit Horus…

– Il n'a qu'à ne pas être là ! »

Dès que le « petit Horus » est empaqueté, qu'il forme un tout avec sa mère, elle s'ennuie. Au-delà des rideaux, le paysage est noir de soleil. Il n'y a rien à voir ; elle s'ennuie. Même si quelquefois on la laisse descendre de la litière pour marcher à côté de ses porteurs, très vite elle ralentit le pas, il fait trop chaud, et on la remet dans sa boîte.

Une bonne partie de la caravane commence à souffrir, comme elle, de la chaleur. Décidément, la Reine est fantasque – quelle idée de voyager par la mer l'hiver, et l'été par les déserts !

Sitôt qu'en mars on a « rouvert » la Méditerranée à la navigation, Cléopâtre a renvoyé sa flotte, avec ordre de reprendre possession de Chypre en passant : Marc Antoine venait de rendre l'île à l'Égypte. Elle a fait aussi rembarquer ses autruches, ses cracheurs de feu, ses danseurs de corde. Mais, pour ses autres serviteurs, elle a décidé qu'ils rentreraient avec elle, par la terre : un voyage plus long mais plus sûr, que, dans son état, elle supportera mieux. Car, une fois de plus, elle est enceinte. Glaucos, tout *théorique* qu'il soit, sait quand même diagnostiquer une grossesse ! D'autant que, sur la *cause première* de cet état de fait, il n'a guère à s'interroger : la Reine a partagé le lit d'Antoine pendant trois mois et demi... Au vu et au su de tout Antioche, elle s'était installée dans le palais sur l'Oronte, laissant ses jumeaux au « bon air » de Daphné.

Avec l'Imperator, elle a visité les navires, inspecté les troupes, chevauché même jusqu'à Zeugma, à deux cents kilomètres au nord de la capitale syrienne, sur les bords de l'Euphrate où convergent maintenant toutes les armées du chef romain. Faisant caracoler sa monture (elle monte en tunique courte, comme une Amazone, scandaleusement et admirablement), elle s'est affichée partout avec Antoine : pourquoi pas, puisque désormais elle est sa femme. À Antioche, dans le vieux palais sur l'eau, il l'a épousée selon le rite égyptien – qui, bien sûr, n'a aucune valeur chez les

Romains. Mais elle s'en moque, et les roitelets d'Orient aussi. L'Imperator est bigame ? Et alors ? En Asie, ce n'est pas une « cause de nullité »... Les cadeaux de mariage ont été somptueux. De part et d'autre.

À son époux romain, la Reine a offert l'alliance égyptienne – tout l'or des Pharaons, tout le blé du Nil, les chantiers navals d'Alexandrie pour construire une flotte, et le titre grec d'*Autocrator* qui fait de lui le « protecteur » du royaume. À son épouse égyptienne, Marc Antoine a rendu Chypre et ce morceau oriental de la Libye, ces vertes collines, qu'on appelle la Cyrénaïque ; il lui a donné aussi un bout de la Crète, la côte du Liban et, au sud de l'Asie Mineure, le littoral de cette Cilicie où, quatre ans plus tôt, ils se sont connus et, pour la première fois, aimés. En dépit des apparences, il ne s'agit pas d'un cadeau d'amoureux : sans les forêts du Liban et de la Cilicie, la Reine ne pourrait faire construire les centaines de bateaux dont Antoine a besoin – l'Égypte a les meilleurs arsenaux, mais elle manque de bois.

Quant à la couronne d'Hérode, que la mariée aurait aimé voir ajoutée à sa corbeille de noces, l'Imperator a résisté ; l'amour ne lui fait pas perdre la tête, ni la sienne ni celle des autres. Il prend pour un allié sûr ce roi des Juifs qui lui doit tout ; or, s'il trompe volontiers ses femmes, jamais Antoine ne trahit ses amis...

La Reine a eu beau assaisonner de politique les plaisirs du lit, beau dire et beau faire, elle qui fait tout on ne peut mieux, son Marc, amusé, ne lui a abandonné que ce qu'il fallait pour tenir la Judée en respect : le Sinaï, la côte orientale de la mer Morte, riche en bitume, et, au cœur du pays,

Jéricho. « Mais je ne peux pas immobiliser toute une troupe égyptienne pour ne tenir que la ville de Jéricho ! protestait-elle.

– Eh bien, revends-la ! Hérode la rachètera, ce qui mettra tes finances à l'aise… »

C'est donc pour négocier Jéricho qu'elle rentre maintenant à Alexandrie par les vallées de l'Oronte et du Jourdain. Sa santé – toujours excellente, grossesse ou pas – n'est qu'un prétexte. En revanche, celle de sa fille donne à nouveau des signes de fragilité : la chaleur lui a fait venir aux paupières des abcès purulents. Entre sa poupée de terre et sa réserve de boules de cyprès, elle gît dans sa litière, les yeux fermés.

Diotélès étant reparti avec ses autruches, Glaucos, seul à gouverner, hésite entre la saignée et les onguents. Mais la ville de Jéricho où l'on vient d'arriver produit le « baume de Judée », renommé dans tout l'Orient pour ses propriétés apaisantes ; en cadeau de bienvenue, la Reine a même accepté d'Hérode cent plants de balsamiers, et c'est Glaucos justement, connu pour ses talents de botaniste, qui sera chargé d'acclimater l'arbuste dans le delta du Nil. Certes, songe le médecin, abandonner la théorie des humeurs au profit du baume de Judée serait d'un courtisan plus que d'un philosophe ; d'un autre côté, qui peut nier que la soumission aux puissants ne soit le commencement de la sagesse ? Au terme d'un fructueux débat intérieur, il se résigne à n'employer, pour traiter l'enfant, que cet onguent miraculeux qui enrichira bientôt la reine d'Égypte comme il a enrichi le roi des Juifs.

La Reine vient d'ailleurs elle-même admonester sa fille qui

hurle dès que le baume touche ses paupières : « Aurais-tu décidé de mourir ? Ouvre les yeux, grosse bête ! La vie est pleine de couleurs. Belle comme un perroquet. Et le royaume des morts, ma chérie, si tu savais comme il est gris ! Plus de fleurs de lotus, Séléné, plus d'oiseaux, même plus ce petit vent frais que tu sens sur ta peau quand le soir descend. Sous sa caresse, tes lèvres deviennent délicieuses, n'est-ce pas ? Sors ta langue, Séléné, goute tes lèvres, goûte le monde : il est fondant ! »

L'enfant voudrait obéir à cette voix douce et sensuelle qui module comme un chant des mots qu'elle ne comprend pas, mais elle ne peut s'empêcher de souffrir et de crier. Et de se mettre en colère. Parce qu'elle a mal, elle en veut au monde entier.

Y compris à sa poupée, sa poupée de faïence qu'elle jette par terre et fracasse. Un incident ? Non, un drame. Qui s'est produit au moment où, au bout d'un long défilé rocheux, la caravane arrivait enfin sous les murs de Jérusalem. Hérode chevauche en tête, près de la litière de la Reine, une litière à vingt porteurs noirs, vingt Nubiens, qui, balancée en cadence, tangue comme un bateau. Cléopâtre, dont le ventre commence à s'arrondir, a la nausée ; ce qui ne l'empêche pas de négocier âprement le montant du tribut qu'Hérode devra lui verser pour récupérer Jéricho. Les enfants, eux, sont loin derrière, au milieu des bagages, des chariots et des mulets. Personne, donc, pour raconter à la Reine la terreur qui s'empare de Taous à la vue de la poupée brisée. « Nous sommes maudits ! s'écrie-t-elle en se couvrant le visage de son voile. L'Égypte est maudite ! La princesse a brisé la statue de la déesse et du petit Horus. Malheur à nous ! »

Il faut dire que Taous est la nourrice d'un garçon : partout, elle oublie les poupées. Pour que Séléné ait quelque chose à bercer, elle lui a prêté sa statuette personnelle de la déesse, une poterie sommairement sculptée, une petite *Isis à l'enfant* comme on en trouve sur tous les marchés ; la figurine bleue tient sur ses genoux un bébé qui a l'air d'un nain chauve et, de la main droite, elle lui présente un sein plat. Mais si médiocre qu'en soit la facture, cette *Isis lactans*, « Isis allaitante », a, pour un esprit simple, tous les pouvoirs de la divinité. En la brisant, la princesse d'Égypte vient de s'aliéner la Mère Universelle *qui est, à elle seule, toutes les déesses que les peuples nomment par d'autres noms*. Et c'est elle, Taous, la coupable, coupable de négligence, de légèreté. Taous qui s'abîme maintenant dans la poussière, se lamente devant les débris de la Consolatrice.

Pyrrandros, le vieux précepteur qui ne s'est signalé jusqu'à présent que par sa discrétion, ramasse les morceaux dans le pli de sa tunique en essayant de raisonner les domestiques effarés : « De même qu'Isis a parcouru le monde pour rassembler les quatorze fragments de son frère Osiris assassiné et démembré par le dieu Seth, et que, l'ayant reconstitué, elle l'a ressuscité, de même nous ramasserons les débris d'Isis pour reformer son image et lui rendre sa beauté. » Mais il ne convainc personne. Tous les serviteurs sont consternés. Séléné elle-même a cessé de crier, elle sent confusément qu'elle a fait quelque chose de mal – du reste, les porteurs ont reposé sa litière et se sont assis par terre, les jambes coupées. Silence. On n'entend plus que les gémissements de Taous la Thébaine.

Un cavalier celte de l'escorte armée, inquiet de voir le convoi s'arrêter au bord du ravin et les chariots former un bouchon, vient distribuer au hasard quelques coups de fouet pour faire repartir tout le monde. On se remet en marche, accablé, Pyrrandros portant toujours dans sa tunique les précieux morceaux d'Isis. « Il suffirait peut-être, dit le précepteur, d'offrir à la déesse, dès qu'on sera dans la ville, des fleurs et du lait pour l'adoucir...

– À Jérusalem ? demande Glaucos, incrédule. Tu comptes adorer Isis dans Jérusalem ? »

Pauvre Pyrrandros, sa suggestion est bien d'un Athénien ! À Alexandrie, où vivent tant de Juifs, on sait à quel point ces gens sont compliqués dès qu'il s'agit du sacré. Glaucos ne comprend pas leur manière de penser : les Juifs ne veulent pas honorer les dieux des autres, mais pas, non plus, que les autres honorent le dieu des Juifs. En matière de religion, ces originaux se refusent aussi bien à prêter qu'à adopter. Pas question, donc, d'offrir ici la moindre libation à Isis ni d'entrer dans le temple du dieu local pour l'inciter, moyennant récompense, à s'entremettre auprès de la déesse absente : le seul regard d'un incirconcis souillerait le sanctuaire et tournerait au *casus belli* !

Glaucos, d'ordinaire si fertile en remèdes, ne trouve donc aucun moyen de réparer sur-le-champ le sacrilège de Séléné. Bien sûr, en savant du Muséum, toujours prêt à supposer les dieux aussi raisonnables que lui, il ne croit pas que la vengeance d'Isis puisse être bien redoutable : il s'agit du geste d'une enfant, et d'une enfant malade qui plus est ; la bonne déesse ne refusera pas de négocier, on saura la dédommager plus tard en argent sonnant, avec tout ce qu'il faudra d'intérêts. Plus que le châtiment, ce qui inquiète le médecin dans cette affaire, c'est le présage : et si cette Isis brisée annonçait la mort de la Reine, la fin de son règne ? Car la Reine est une « *Nouvelle Isis* », c'est l'un de ses noms officiels, choisi dans la liste des épithètes à la disposition des Ptolémées. Partout, elle se fait représenter dans le costume et l'attitude de la divinité. Dans les temples, on révère en même temps la mère d'Horus et celle de Césarion ; et le peuple, habitué depuis toujours à adorer le pharaon, associe dans une même vénération la déesse qui a ressuscité Osiris et la souveraine qui ressuscitera l'Égypte. Comment, dès lors, interpréter la destruction de la statuette ?

Et que signifiait, déjà, il y a deux mois, l'étrange scène à laquelle Glaucos a assisté au bord de l'Euphrate ? C'était à Zeugma, juste avant qu'Antoine, pour leurrer les Parthes, fît mine de passer sur l'autre rive du fleuve. La Reine, que son état obligeait à revenir en Syrie, avait décidé de le quitter là. Avant de se séparer, ils sacrifièrent ensemble à Dionysos, le *dieu de vie* qu'Antoine aimait, puis se donnèrent l'un à l'autre un dîner d'adieu, face au pont de bateaux d'où la ville tirait son nom : chacun avait son cuisinier et s'efforçait, par le raffinement des plats qu'il offrait, d'éblouir l'autre. Depuis qu'ils se connaissaient, depuis la rencontre inoubliable de Vénus et Mars, d'Isis et Dionysos, l'Imperator et la Reine cherchaient sans cesse à s'étonner. Ils avaient besoin de s'affronter, de jouter. Quand donc déposaient-ils leur orgueil ? À quel moment l'un d'eux s'avouait-il enfin vaincu ? Dans la chambre ? Glaucos en doutait.

Pour cet ultime souper, peu d'amis avaient été conviés : une seule table, à trois lits de trois. Si le médecin était présent, c'est que son service auprès de la Reine enceinte l'exigeait.

On buvait beaucoup. Du vin à la violette et au cumin. Coupé d'eau chaude. Le ton était à l'optimisme, et même à la plaisanterie. Personne ne semblait plus redouter la cavalerie parthe et ses terribles archers. Antoine, héros incontesté de la bataille de Philippes, allait venger l'armée romaine, taillée en pièces par les Parthes seize ans plus tôt au-delà du fleuve. Pour égaler Alexandre, l'Imperator suivrait les plans de César, trouvés dans les papiers du grand homme après son assassinat : il prendrait l'ennemi à revers en longeant le Caucase – le coup était imparable. Quand l'aube parut sur les rives de l'Euphrate, les Parthes étaient déjà, depuis longtemps, réduits en miettes – on aurait eu du mal à trouver les restes de leurs troupes au milieu des arêtes de poisson et des os de gibier qui jonchaient le sol…

« Hélas, dit Cléopâtre en voyant la lumière du jour filtrer sous la portière de la salle, hélas il est temps de nous séparer…

– Hélas, répondit Antoine en tendant sa coupe à l'échanson, hélas la gloire m'appelle, je dois te quitter…

– Hélas, reprit la Reine d'un air faussement tragique, hélas, grand général, peut-être ne rebaiserons-nous jamais ? »

Ils commencèrent à multiplier les « hélas », comme faisaient les poètes tragiques dont l'œuvre leur était familière ;

c'était à qui des deux en alignerait le plus pour amuser ses amis. Car, pour une oreille étrangère, l'« hélas » grec produit des effets comiques involontaires qu'un général romain et une reine polyglotte sentaient parfaitement. « *Aïe, aïe !* » s'écrie l'un des protagonistes « *Oïe oïe !* » lui répond le chœur ; bientôt les *popoï* plaintifs du héros alternent avec les *papaï* déchirants de l'héroïne ; puis ce sont des *totoï* et des *otototoï*, sur lesquels, pour peu que dure le désastre, l'autre ne peut enchérir que par des *ototototoï* – que les traducteurs rendent sobrement par « Trois fois hélas ! ».

Ainsi Marc Antoine et Cléopâtre s'étaient-ils lancés dans une déploration parodique tandis que l'assistance riait aux larmes. Seul Glaucos, qui avait peu bu, ne participait pas à la joie générale : tous ces « hélas », quelle folie – pouvait-on commencer une campagne militaire sous de plus mauvais auspices ? Ce fut pire encore quand la Reine glissa des citations plus longues : « Hélas, pour la débâcle des nôtres », « Hélas, nous voici sans défenseurs »... Et Antoine, qui avait reconnu des vers des *Perses*, une vieille tragédie passée de mode, Antoine en rajoutait : « Ils ont péri, hélas ! Tu vois tout ce qui reste des forces que j'avais levées ! » Il osa même entonner cet appel des morts qui bouleversait le médecin chaque fois qu'il l'entendait : « Où sont Arabos le Mage et Artamès le Bactrien qui menait trente mille cavaliers noirs ?... Et Psammis, qui naguère quittait Babylone ? Et Amphistreus à l'infatigable javeline, et Tharybis le superbe guerrier ? Où sont le preux Seuakès et Lilaios aux nobles aïeux ? Tombés, ils sont tombés, tombés... »

Glaucos, saisi d'effroi, n'osait plus lever les yeux. Quel

présage sinistre ! Pourquoi les autres riaient-ils ? Les dieux les avaient-ils aveuglés ?

À présent, devant l'Isis brisée, le médecin se souvient de cette soirée à Zeugma et il tremble. Depuis quelque temps, les avertissements, tous néfastes, se multiplient. Une seule chose le rassure : dans la pièce, c'est une bataille navale qui provoque la ruine du héros ; or, chez les Parthes, Antoine ne combattra que sur terre... Le signe manque pour le moins de précision : peut-être le Destin hésite-t-il encore ?

EN quittant Jérusalem, la Reine ordonna qu'on mît Séléné dans sa propre litière. Le baume de Judée étant resté sans effet sur l'état de la princesse, elle avait décidé de veiller elle-même sur son enfant : prétexte. Prétexte pour échapper à un tête-à-tête prolongé avec Hérode. Sous couvert de courtoisie, celui-ci imposait en effet sa présence dans le cortège jusqu'à la frontière égyptienne ; la Reine, que cette surveillance agaçait, tira parti de la maladie de sa fille pour fermer ses rideaux.

La litière royale, où Cléopâtre faisait voyager avec elle deux ou trois suivantes, était comme un lit immense, moelleux et parfumé. Tous les jours, les porteurs nubiens en frottaient les montants à l'huile de citronnelle pour éloigner les insectes ; Iras, la coiffeuse de la Reine, en profitait pour faire descendre l'enfant, la débarrasser du sable de la route, lui tresser les cheveux et lui laver les yeux à l'eau claire. Bien qu'encore aveugle, Séléné restait calme puisqu'elle ne se heurtait plus à rien : le monde roulait sous elle, doux et rond comme les coussins, les matelas, les traversins, et le ventre de sa mère ; elle aimait se blottir dans son giron, enfouir son visage entre ces seins dont, depuis l'escale de Tyr, elle connaissait enfin l'odeur. L'odeur d'Isis. Une robe qui sentait l'aneth et la giroflée.

À l'intérieur de la litière, on vivait caché, on vivait couché. Le jour, derrière les tentures de soie, les femmes dormaient, chantonnaient, disaient des poèmes ; la nuit, elles chuchotaient, riaient, grignotaient des amandes et des pistaches, ou des prunes séchées.

Lorsqu'un matin, au bout du chemin, après les marécages de Serbonis, apparurent enfin les tours de Péluse, la ville-forteresse qui défendait l'accès au Delta, les Égyptiens crièrent de joie, et Séléné, surprise par le bruit, ouvrit les yeux. Au-delà des rideaux de la litière, elle vit, à gauche de la ville, le désert qui scintillait comme du mica, puis, se confondant avec l'horizon, un minuscule ruban vert : le Nil.

Elle vit. Elle avait vu. Elle voyait ! Les servantes s'extasièrent, lui embrassèrent les paupières, rendirent grâce à Isis, et coururent prévenir Glaucos. La Reine, elle, ne semblait pas très étonnée – ses dons de guérisseuse, sa capacité à infuser la vie, elle n'en avait jamais douté.

Rien de miraculeux dans cette guérison. Ni même de psychosomatique : en rejoignant la litière de sa mère, l'enfant s'est simplement trouvée séparée des cônes de cyprès qu'elle traînait avec elle comme un trésor. Deux mille ans après, nous le savons : le cyprès est allergisant et son fruit, même sec, peut provoquer une conjonctivite violente. Voilà pourquoi, cruelle romancière, j'ai poussé Séléné à ramasser, dans le faubourg de Daphné, quelques pommes de cyprès – après tout, les cyprès de Daphné étaient célèbres et c'est à Daphné que Cléopâtre avait installé sa suite… Pour autant, personne ne sait, évidemment, à quoi jouait sa fille de trois ans dans les jardins de sa résidence.

Est-ce à dire que j'invente ? Oui. Que je viole l'Histoire ? Non. Je la respecte. Religieusement. Dès que l'Histoire parle, je me tais. Mais que faire quand elle est muette ?… La vie de Séléné, on ne la connaît qu'en pointillé. D'un point à l'autre, il faut tracer la ligne. Droite ou courbe, c'est selon. Je dispose d'assez de points, cependant, pour connaître la direction : une demi-douzaine de faits datés, et une dizaine d'évènements sans date. Surtout, je n'ignore rien de sa famille, de ses entourages successifs, des lieux où elle vécut.

Pour le voyage de Syrie, je n'invente pas le séjour de Cléopâtre à Antioche, je n'invente pas la présence des jumeaux aux côtés de leur mère, je n'invente pas les surnoms que leur père leur a donnés, ni l'escapade des deux amants à Zeugma, la grossesse de la reine, son retour par la Judée, le baume précieux, le nom des médecins, la « revente » de Jéricho, les plants de balsamiers, la reconduite par Hérode, etc. Mais, pour les sensations, les sentiments, les comparses, les détails – conjonctivite, scène des « hélas », bris de la statuette, voyage dans la litière –, je prête à une petite fille sans mémoire les souvenirs que l'Histoire n'a pas gardés. Qui cela peut-il déranger ?

L'Histoire, je ne la viole pas, non, je ne la bouscule jamais. Mais, c'est vrai, je la caresse, je la cajole. J'occupe les vides, je me faufile dans les interstices. Je lui demande de me faire une petite place… Je l'écoute avec de grands yeux, je la comprends, je lui souris, je la séduis. Pour qu'elle m'aime ; qu'elle m'aime comme je l'aime. Et elle me livre ses secrets : les tours ocre de Péluse, ses remparts de briques, sa Porte de Bronze, et là, tout près, le miracle – le Nil aux larges feuilles, les carrés de fèves d'un vert cru, les huttes de roseaux séchés, les buffles qui pataugent dans les fossés, les femmes, une cruche sur la tête, qui cheminent sur les levées, et le cri pointu des canards, le vol sec des martins-pêcheurs ; puis, refermé sur ces richesses comme un coquillage sur une perle, le ciel, humide et rose.

Dans l'eau du fleuve se reflète la haute silhouette du « bateau thalamège », *La Chambre nuptiale* ; c'est le fleuron de la flotte nilotique des pharaons. D'ordinaire basé à Skhédia, sur le canal du Bon Génie, à dix kilomètres d'Alexandrie, il est venu jusqu'ici, à l'entrée du Delta, pour ramener la Reine et sa suite par le chemin le plus doux. On dit que cette barge gigantesque s'élève de six étages au-dessus des eaux et que, construite en bois du Liban, elle offre les commodités d'un palais : une cour à colonnade, des salles de banquet peintes à la feuille d'or, des volières d'oiseaux rares, un jardin d'hiver, une « chapelle », et assez de brûle-parfums pour qu'on ne sente jamais la sueur des centaines de rameurs cachés sous le pont inférieur…

C'est la première et la dernière fois que les enfants voyagent sur le Nil, la première et la dernière fois qu'ils voient la plaine du Delta, avec ses crocodiles à fleur d'eau et ses hippopotames. S'en souviendront-ils ? Sans doute pas

– trop occupés à courir d'un pont à l'autre, derrière leurs « cerceaux babillards » qui tintent de toutes leurs clochettes.

La Reine, elle, ne peut s'empêcher de songer au voyage qu'elle a fait onze ans plus tôt, sur ce même bateau, avec César. Ils avaient remonté le fleuve jusqu'à Assouan. Ensemble, ils cherchaient la source du Nil. Mais elle se sentait fatiguée. Elle était enceinte, comme aujourd'hui, et dormait comme elle n'avait jamais dormi. L'Imperator la protégeait...

Les rames frappent l'eau avec la régularité d'une pale, elle a sommeil. Marc aussi la protégera. Contre le monde entier. Elle entend au loin le rire de ses jumeaux, bientôt elle retrouvera Césarion... Elle est heureuse. Enceinte sur le Nil, comme autrefois. Le même navire. Des concordances du meilleur augure. « Dites à Glaucos qu'en passant à Héliopolis, nous planterons ses balsamiers. Le jardinage lui rendra peut-être sa gaîté ? Je le trouve triste, ces temps-ci... » Le même fleuve, le même navire, la même grossesse – présage de bonheur !

Pourquoi les dieux brouillent-ils ainsi les messages qu'ils nous envoient ?

RETOUR à Alexandrie par le fleuve et le canal Canopique, qui déroule ses anneaux comme un serpent. Après Skhédia, c'est dans une felouque d'or qu'on longe Éleusis et ses guinguettes, les roseaux du lac Maréôtis, les huttes des pêcheurs, le faubourg des potiers. Sans quitter l'eau, on pénètre dans la ville par un canal plus étroit, le Maiandros, qui remonte vers le nord. Sur la gauche, après le marché aux esclaves, voici le souk des dinandiers, la rue des orfèvres syriens, et le Grand Gymnase grec avec sa palestre, ses salles de conférences et ses bosquets. À droite, le quartier juif et ses fontaines sans déesses, ses places sans rois, ses synagogues sans dorures, et l'ancienne caserne des mercenaires hébreux, à demi ruinée. Puis l'avenue de Canope et la colline de Pan, dont on peut faire l'escalade par un petit chemin en spirale pour admirer, en contrebas, le Jardin des Muses et ses célébrités statufiées, « si bien peintes, disent les gens, qu'on les croirait vraies ». Et soudain, juste après les colonnades de la Bibliothèque : le Grand Port, le Phare, la mer.

Au bout du cap Lokhias, Séléné retrouve les mosaïques bleues et les terrasses de la nuit. La Reine a rejoint Césarion dans l'île-palais d'Antirhodos. C'est là qu'elle accouche d'un garçon nommé Ptolémée, et surnommé Philadelphe, « Qui-aime-ses-frères ». Un surnom en forme d'exorcisme : depuis deux siècles, tous les rejetons de cette dynastie se haïssent ; on s'extermine en famille. Le pouvoir du pharaon ? Une dictature tempérée par l'assassinat. Mais Cléopâtre, en vraie mère, semble nourrir l'illusion que le dernier-né aimera ses aînés, qu'il n'y aura pas, entre ses enfants, de querelles de succession ; ils ont partagé le même ventre, ils sauront partager l'héritage – après ses accouchements, elle est toujours un peu « fleur bleue »... C'est ce que pense le jeune Césarion qui, lui, se montre circonspect : il regarde le nouveau venu sans aménité.

Deux mois plus tard, un jour de grand vent, on embarque Ptolémée Philadelphe pour le Palais Bleu, la « nurserie » royale. Seul Césarion reste dans l'île avec sa mère. Tous les matins, sous la direction des savants du Muséum, il trace, du bout de l'index, des figures de géométrie sur une table couverte de sable. Il raisonne bien. Il démontre, puis il efface. De son écriture rapide, il grave sur ses tablettes de cire des hymnes d'Hésiode, des épigrammes de Callimaque. Il a une bonne mémoire. Il écrit, puis il efface. Quelquefois, avec son précepteur, il joue aux « douze mercenaires » sur un damier d'ébène et d'ivoire ; il gagne, puis range les pièces, il efface.

Certains soirs, il dîne avec la Reine, dans l'intimité. Elle veut qu'il apprenne à boire, ou, du moins, à faire semblant, et à prononcer des compliments de circonstance. Elle lui donne un anneau d'améthyste pour le protéger des vapeurs du vin. Ensemble, ils boivent à la victoire du mari de sa mère et à la défaite des Parthes. Il s'efface... Depuis son retour, la Reine porte une nouvelle bague, il l'a remarqué, une intaille d'agate gravée du mot «*Méthè*» : Ivresse. Un cadeau du Romain ? Elle lui décrit avec flamme, trop de flamme, la splendeur des légions sous le soleil de Zeugma... Personne n'a de nouvelles d'Antoine.

Dès mars Cléopâtre repartit en voyage. On disait qu'elle allait au-devant de son mari, l'Imperator victorieux. Elle sortit du port à la tête d'une flotte parée comme pour une fête. Pourtant, sur les quais, dans les tavernes, on racontait que les bateaux emportaient des vivres et des vêtements pour l'armée ; ce qui étonnait, car les vainqueurs avaient l'habitude de se servir dans les pays conquis.

Quand le navire amiral, oriflammes déployées, passa devant le Palais Bleu, Pyrrandros le précepteur amena les jumeaux sur la plus haute terrasse pour l'admirer. Alexandre laissa s'imprimer dans sa mémoire la vision des longs rubans orangés attachés aux rames et au mât des galères, dont la voile restait pliée. De grandes écharpes couleur de feu sur une mer turquoise, c'est l'image d'Alexandrie que le garçon gardera. Mais Séléné, elle, ne se rappellera pas cette scène ; elle est distraite parce qu'elle a envie de prendre le bébé Ptolémée dans ses bras, elle tire sur le manteau de la nourrice du prince, venue, avec l'enfant maillоté, admirer la flotte qui s'en va : « Tu me le laisses, dis ? Je voudrais le porter. Donne-le-moi, mon petit frère. Donne-le ! Donne-le, méchante ! C'est un ordre ! Je suis grande ! »

Toutes les petites filles rêvent d'une poupée vivante. Mais une princesse de ce temps-là n'avait sûrement pas besoin d'emprunter son frère pour satisfaire cette envie ; elle pouvait utiliser à sa guise les enfants de ses esclaves. Et Séléné qui croisait sans cesse la marmaille déguenillée des servantes dans les cours intérieures du palais, les bambins au derrière nu et au crâne rasé, Séléné ne s'en était pas privée : ces paquets de chair, elle avait l'habitude de les promener, les secouer, les débarbouiller, peut-être même en avait-elle, par maladresse, éborgné deux ou trois… Ce qui la poussait vers Ptolémée, c'était donc moins le goût du jeu ou l'envie d'imiter les nourrices qu'un amour à la fois tyrannique – Ptolémée était sa chose – et généreux : elle voulait tellement le bonheur de ce bébé qu'elle pleurait d'angoisse chaque fois qu'on n'arrivait pas à calmer ses cris.

Mais elle aimait aussi Césarion, douze ans, qui, lui, n'aimait pas Ptolémée.

De Césarion, elle était amoureuse. Elle admirait sa réserve ; se laissait impressionner par son autorité ; et désirait tendrement son corps. Peut-on désirer à cinq ans ? Sans doute puisque, certaines nuits, elle rêvait qu'il était malade, qu'il était nu, et qu'elle le soignait – situation qui provoquait en elle un émoi délicieux. D'autres fois, elle revoyait simplement sa chevelure, ou rêvait du collier pectoral en émail rouge et vert qui cachait son torse. Quand il venait au Palais Bleu (et depuis le départ de leur mère il y venait souvent), elle essayait de caresser son bras. Timidement. Non qu'elle crût le geste indécent – il était son fiancé – mais, tant que le mariage n'était pas fait, pareille familiarité avec le pharaon pouvait sembler déplacée : elle était encore la sujette de son frère, ce demi-dieu dont elle conservait religieusement – avec le vocabulaire assorti – les trois dés en serpentine verte et le gobelet magique « en maurétanie ».

Lui, parfois, la prenait sur ses genoux le temps de lui montrer un jeu, ou bien il guidait sa main pour l'aider à former ses lettres – elle voulait écrire à l'encre, diluer elle-même les bâtons d'encre dans l'eau, y ajouter la poudre d'or et remuer le mélange avec sa plume de roseau ; on lui donnait des brouillons, du papyrus usagé qu'elle finissait de gâcher.

De cette enfant maigre et fragile, Césarion avait décidé de ne pas se méfier. Elle avait beau être la fille d'un Romain qu'il appréciait peu – où allait-il les mener, cette tête brûlée, maintenant qu'il avait perdu chez les Parthes la moitié de son armée ? –, il ne pouvait s'empêcher de ressentir pour elle une tendresse que ses frères ne lui inspiraient pas. En jouant avec Séléné, en trichant pour la laisser gagner, il oubliait un moment ses soucis de prince héritier. Des inquiétudes au-dessus de son âge. Des secrets lourds à porter. Pour l'instant, ni la populace d'Alexandrie, toujours prompte à se rebeller, ni les *toparques* et les *nomarques*, qui étaient les énarques de ce royaume-là, ni même les *archisomatophylaques*, nobles aussi hauts que leur titre était long, personne ne soupçonnait la réalité du désastre ; encore moins – loué soit le dieu du mensonge ! – son étendue… Seul Césarion savait.

Seul il savait. Seul il restait. Jamais enfant aussi aimé – sa mère l'adorait – ne fut plus solitaire que cet enfant-là. Le fils d'une reine d'Égypte et d'un demi-dieu romain pouvait-il partager le sort commun ? Du reste, dans son orgueilleux esseulement, il avait fini par croire ce que lui disaient les prêtres, et que répétaient à satiété les bas-reliefs de leurs temples : son père véritable était Amon, le plus ancien des dieux égyptiens. César s'était borné à prêter son enveloppe charnelle le temps de la conception. Une substitution courante chez les puissants : Alexandre le Grand n'avait-il pas été engendré de la même façon ?

Césarion se sentait donc à la fois fils de César – dont il révérait la mémoire – et fils d'Amon. Il n'était pas de la même essence que les trois princes du Palais Bleu : ceux-là ne seraient jamais que les enfants de deux mortels, dont l'un – le général – ne suscitait pas vraiment l'admiration de son beau-fils. Certes il était courageux, et certes il avait vengé César assassiné, mais il ne méritait pas la confiance aveugle dont la Reine l'honorait, ni le temps et l'énergie qu'elle lui consacrait…

Les amours d'une pute et d'un soudard, voilà comment Octave présentera bientôt au peuple romain l'alliance de Marc Antoine et de Cléopâtre. Et de ces calomnies, qui finiront par atteindre l'enfant-roi, il reste encore quelque chose aujourd'hui. On a beau faire la part de la propagande, on associe toujours au couple d'Alexandrie des images de débauche et de vulgarité. Idées reçues.

Pas plus que la Reine n'était une « dévergondée » – elle qui, arrivée vierge dans les bras du vainqueur des Gaules, n'eut en vingt ans que deux amants –, pas plus, donc, que Cléopâtre ne joua les almées de bazar, Marc Antoine ne fut un rustre.

Sur lui, il faut porter de temps en temps le regard affectueux de ses amis – « les Inimitables », témoins de ses joies, puis ces « Compagnons de la Mort », qui le suivirent jusqu'au bout. Que voyaient-ils, ceux du dernier carré ? Un balourd ? Non. Un aristocrate de bonne naissance : une bien meilleure famille, les Antoines-Antonii, que celle d'Octave, une de ces vieilles familles nobles qui peuvent mépriser les usages parce qu'elles les connaissent... Antoine est un helléniste raffiné, parfaitement bilingue car il a fait ses études à Athènes et à Rhodes, privilège dont Octave souffre d'avoir été exclu. C'est un homme cultivé, plus à l'aise avec les philosophes du Muséum qu'à Rome, où tout est si provincial. Un impertinent, qui a la raillerie facile au Sénat, mais qui tolère à sa table, en bon compagnon, les insolences dont il est l'objet. Un amateur de plaisirs, qui, pour braver les puritains, ne quitte les banquets qu'à l'aurore, s'affiche avec des danseuses, pique-nique dans les bois sacrés, mais peut, quand le sort lui est contraire, vivre en ascète, couchant dans son manteau et buvant de l'eau. Un orateur hors pair, capable aussi bien de séduire les Alexandrins par ses traits d'esprit que de retourner une foule romaine en jouant sur l'émotion. Un chef de guerre adoré des soldats, avec qui il vit en campagne comme le dernier des légionnaires, marchant avec eux, mangeant comme eux, prenant la main des blessés et pleurant avec les mourants. Un politique, enfin, qui fait des « exemples » sanglants, mais garde assez d'ingénuité pour croire à la parole donnée. Si l'on ajoute qu'il était beau… comment ne pas l'aimer ?

Excessif, impulsif : certes. Émotif, naïf : en effet. Infantile par moments, et souvent nonchalant : on ne peut le nier. Exagérément optimiste, puis trop vite déprimé : c'est un fait. Et, la dernière année, fataliste mais soupçonneux, vaillant mais alcoolique, et noble, et sarcastique, et triste, et tendre, et violent : tous les adjectifs – même les plus opposés – lui vont. C'est un homme qui traverse l'Histoire suivi d'une traîne d'adjectifs. Dites-moi, quelle femme n'en serait folle ?

JE voudrais comprendre en quoi Marc Antoine s'est trompé. Dans sa campagne contre les Parthes, où est la faute ? S'est-il mis en marche trop tard ?

Il ne s'est pas alangui dans les bras de Cléopâtre, pourtant ! Non, il a quitté Antioche et ses amours dès les premiers beaux jours ; et s'il n'est arrivé qu'au début de l'automne devant la première citadelle ennemie, c'est que, par le nord, la route était longue et difficile. Surtout pour une armée de cent mille hommes, qu'accompagnaient cinquante mille valets d'armes, trente mille mulets et d'énormes machines de guerre. Ce détour par l'Arménie et les Portes Caspiennes pour surprendre Ecbatane, la capitale d'été des souverains parthes (aujourd'hui Hamadan, en Iran), ce détour était une folie : deux mille kilomètres de cols, de gorges, de hauts plateaux, des marécages, des déserts, et là-bas, au bout du bout, à moins de six jours de marche de l'objectif, sous les murs d'une ville mède qui résiste, la neige ! La neige qui tombe à gros flocons dès octobre ! Une folie…

Personne, pourtant, pas même César, ne pouvait mesurer l'ampleur du risque. À l'époque, les généraux n'ont pas de cartes ; tout au plus disposent-ils de récits de voyages et de

« périples culturels » façon Guides Bleus ; car aucun géographe n'a eu l'idée de reporter en deux dimensions les contours des montagnes et la courbe des fleuves. Seules les côtes font l'objet de relevés détaillés, mais sous la forme, surprenante, d'itinéraires linéaires : le roseau taillé du cartographe ne tourne pas quand la côte tourne, mais quand, sur le papyrus, il arrive au bout de la ligne ; alors, comme le laboureur parvenu au bout du sillon, il repart en sens inverse… Voilà pourquoi les soldats se fient plus volontiers aux on-dit des marchands (qui sous-estiment, malheureusement, les contraintes militaires) et aux indications des guides indigènes (souvent trompeuses). Dans l'ignorance des vraies distances et des particularités du relief, les Romains cantonnés en Syrie remontent donc jusqu'au Caucase pour soumettre le Tigre et l'Euphrate, Babylone et Ctésiphon…

Mais pouvaient-ils agir autrement ? Pas sûr. Jusqu'alors, l'attaque frontale s'était révélée coûteuse. Dans les plaines de Mésopotamie, dans ces plaines trop larges où l'on voit l'adversaire venir de loin, les Parthes écrasaient toujours les armées romaines. Après quoi, emportés par l'élan, ils poussaient volontiers jusqu'à la Méditerranée, histoire de prendre un bain de pieds. Quatre ans plus tôt, ils avaient ainsi visité la Syrie et la Judée en « touristes » exigeants, avant d'aller admirer Smyrne, Milet et le temple d'Éphèse, d'où ils souhaitaient rapporter quelques « petits souvenirs » pour leur famille… Si l'on voulait ôter à ces pique-assiettes sanguinaires toute envie de voyager chez les autres, il fallait les battre chez eux ; et, pour les battre, les déconcerter. Donc cap au nord, en direction des montagnes.

Surgir à l'improviste : le procédé militaire n'est pas neuf. Dans une guerre conventionnelle, la victoire dépend toujours des mêmes recettes géographiques éprouvées : arriver où l'ennemi ne vous attend pas, en surmontant un obstacle réputé infranchissable ; tenir une hauteur, fût-ce une taupinière, en espérant que les badernes d'en face rangeront leurs troupes dans une cuvette ; éviter de charger en terrain lourd ; et, quand l'armée est en ordre de marche, ne jamais laisser traîner son arrière-garde. Ah, justement la voilà, l'erreur d'Antoine : l'arrière-garde…

À l'aller, à la fin de l'aller, alors qu'ils venaient de pénétrer en territoire ennemi, les hommes étaient si fatigués que la colonne s'étirait sur des kilomètres, et les plus lents, naturellement, étaient les dix mille légionnaires qui escortaient les trois cents chariots de matériel et d'engins – dont un bélier sur roues de cinquante mètres de long. En tombant sur cette troupe embarrassée et isolée, les premiers détachements de cavalerie ennemis avaient eu la partie belle. Résultat : deux légions exterminées et toutes les machines de siège détruites, sans espérance de les renouveler puisqu'il n'y avait pas de bois dans ce pays. Les évènements s'enchaînaient ensuite selon une logique implacable : faute de tours mobiles, échec devant Phraaspa, capitale de la Médie-Atropatène ; nécessité, pour prendre la ville, d'aménager une rampe de terre contre les murailles, d'où nouvelle perte de temps, et arrivée du gros des armées parthes ; attaques répétées de leurs archers à cheval, qui désorganisent le chantier et ralentissent encore les travaux du siège ; là-dessus, apparition de la neige, du froid et de la faim. Bientôt, les assiégeants craignent d'être assiégés ; il faut plier bagage, battre en retraite. Et là, c'est la curée : les Parthes et les Mèdes s'en donnent à cœur joie. Les Romains, contraints – pour éviter le déploiement de la cavalerie ennemie – de revenir par des chemins de montagne plus étroits qu'à l'aller, des steppes sans villages, sans eau, sans troupeaux, les Romains, le ventre creux et les pieds gelés, doivent livrer dix-huit batailles en vingt-sept jours…

Comme les bridgeurs rancuniers qui rejouent inlassablement les parties qu'ils n'ont pas gagnées, les généraux malchanceux refont leurs guerres perdues. À Maison-Blanche, un petit port entre Beyrouth et Sidon, Marc Antoine, au milieu des débris de son armée, fait pour la centième fois le compte des erreurs et des trahisons. Car ce sont les trahisons qui ont rendu les erreurs irrémédiables. Certes, il avait imprudemment laissé s'effilocher son armée, mais, outre les deux légions commises à la protection du train d'équipage, il avait chargé son allié Artavasdès, le roi d'Arménie, fort de ses treize mille soldats, de veiller sur l'arrière-garde. Or, quand il a vu l'ennemi attaquer, Artavasdès n'a pas levé le petit doigt. A prétendu ensuite qu'il s'était engagé pour annexer la Médie, mais pas pour combattre les Parthes, auxquels, personnellement, rien ne l'opposait. Il est l'ami des Romains, mais les ennemis de ses amis ne sont pas forcément ses ennemis… Du reste, quelques semaines plus tard, quand il a vu que Phraaspa résistait et que les Parthes accouraient, toujours plus nombreux, au secours de la capitale des Mèdes, il est reparti. Carrément. Avec buccins et trompettes. Reparti pour l'Arménie en laissant Antoine se débrouiller seul avec l'hiver, la faim, et la flèche du Parthe, dans un pays inconnu…

« Ordure ! Enfoiré ! *Putide !* Artavasdès, je te chie sur la tête ! » Antoine se verse du vin. Il ne veut plus d'échanson, plus d'esclaves, plus même d'ordonnance ; il boit sans compagnon. Il boit dans un gobelet de terre cuite, en se servant d'un pichet de poterie, comme dans les tavernes. Et, comme dans les tavernes, il boit assis. Sur une chaise de bois dur, devant une table haute que le vin bon marché, épais, violet, a tachée d'auréoles. Il ne supporte plus de rester couché avec ses officiers pour bavarder. Tel un veuf ou un orphelin, il ne s'allonge que pour dormir. Seul face à la mer, assis loin du camp, il attend.

Et boit. Et se parle comme parlent les militaires romains, comme écrivent les poètes latins quand un traducteur pudibond ne les censure pas : « Je vais te faire ta fête, enculé ! Le pal, Artavasdès, le pal, et je te jure que tu le sentiras passer ! Avoue-le, avoue-le donc que ce salaud d'Octave t'a payé pour me lâcher ! » Il bougonne et boit – un vin de pays, non filtré, non coupé, pas même assaisonné, un breuvage immonde –, il boit pour se punir, et quand il a trop bu, il boxe dans le vide, contre son « petit beau-frère » : à Brindisi, Octave lui avait promis vingt mille fantassins en échange des cent trente navires de guerre dont l'armée d'Occident avait besoin pour reconquérir la Sicile ; lui, Antoine, toujours loyal, avait aussitôt exécuté sa part du marché, et Octave, grâce à ces renforts, avait pu écraser les pirates siciliens ; mais des vingt mille soldats qui devaient, en contrepartie, rejoindre l'armée d'Orient, pas l'ombre d'un ! « Tu vas me les cracher, mes légionnaires, dis ? Tu vas me les lâcher, cul-serré ? »

Un faux-jeton, doublé d'un tortueux, voilà ce qu'il est, le

frère chéri d'Octavie : intrigues minables, mensonges à rallonges, finasseries à la petite semaine ! « J'en ai marre de tes salades, tu m'entends ? »

Il parle tout seul derrière sa table, tape du poing, puis il pleure. Il pleure les trente-deux mille soldats et les six mille chevaux qu'il a perdus entre Phraaspa et Beyrouth : la moitié du contingent romain – puisque le reste de la grande armée avait été fourni par les royaumes alliés... La plupart des hommes sont tombés dans les montagnes de Médie, mais huit mille encore sont morts dans la deuxième partie de la retraite – entre les montagnes glacées d'Arménie et les monts du Taurus. « Tu es reparti trop tôt, Général, lui disaient alors les vieux centurions. Quand nos gars ont réussi à repasser l'Araxe et que les Parthes nous ont lâché la grappe, fallait nous laisser souffler. Les hommes étaient au bout du rouleau, et le foutu hiver de ce pays de merde faisait que commencer ! Nos bonshommes, ils se trouvaient peinards dans cette vallée, au moins ils avaient de quoi bouffer... Mais toi, après deux semaines, t'avais déjà plus qu'une idée : qu'on replie nos tentes, qu'on recharge le barda ! Sous la neige ! Tu nous as remis en route trop tôt, Général, comme un qu'aurait le feu aux fesses... »

Voilà, on y est : parti trop tard d'Antioche – à cause de l'Égyptienne ; parti trop tôt d'Artashat – à cause de l'Égyptienne... Pendant la retraite, les vieux troupiers eux-mêmes, avec leurs pieds enveloppés dans des chiffons volés aux cadavres, leurs barbes constellées de cristaux de gel, leurs capuchons de fortune taillés dans les peaux de loup des musiciens morts, les vieux troupiers en rigolaient, même si leurs lèvres crevassées saignaient dès qu'ils riaient : « T'as la quéquette qui te démange, hein, Général ? » Et lui, qui marchait à pied comme eux, avec eux, finissait par blaguer avec eux, comme eux : « Tu vois, Quintus, c'est pas tant que ça me démange par-devant, c'est que je voudrais pas que ça me cuise par-derrière ! »

Il savait bien que ses légionnaires auraient préféré lui voir accepter l'invitation du roi d'Arménie : « Ah, mon ami, dans quel état sont tes troupes ! Par Zeus, c'est à pleurer… Prends tes quartiers d'hiver chez moi. Au bord de l'Araxe, tes légionnaires seront comme des dieux sur l'Olympe. Dans trois mois, ils repartiront ragaillardis… Tu me connais, Antoine – je ne suis pas l'ennemi des Parthes, c'est vrai, ma sœur a épousé leur roi, mais je n'en reste pas moins le meilleur ami du peuple romain. Fais-moi confiance, ton cauchemar est terminé »… Est-ce que tu crois, Artavasdès, que tu vas me baiser deux fois ? Fuir, ah fuir cette canaille au plus vite ! Avant qu'il n'ouvre ses frontières aux Parthes pour qu'ils finissent le travail, ou qu'il ne l'achève lui-même !

Antoine peut être diplomate, mais c'est d'abord un soldat. Pour lui, qui a trahi trahira. Les Romains ont beau le croire épris de sortilèges orientaux, il n'aime ni les paroles trop fleuries, ni les traités contradictoires, ni les palabres infinies. Il reste un homme de l'ouest, un Occidental plutôt carré : le chien qui a mordu mordra… Alors, il a remercié poliment Artavasdès, l'a assuré lui aussi de son amitié, et il a foncé sans attendre à travers l'Arménie. À travers la Cappadoce et la Commagène aussi, car plus aucune région n'était sûre maintenant que la nouvelle de sa défaite s'était répandue : tous des hyènes ! À marches forcées, il avait décidé de regagner la Méditerranée, cette côte de Phénicie dont il venait de donner les ports à Cléopâtre. Là, et seulement là, il trouverait un asile sûr. Et les auxiliaires à pied, qui portaient le bât depuis qu'on avait perdu les mulets, tombaient, épuisés, aussitôt recouverts par la neige. Des briscards qui avaient vingt ans de service se battaient à mort pour une poignée d'orge ou mangeaient de l'herbe – quand ils en trouvaient ! Ceux qui ne mouraient pas de froid mouraient de dysenterie.

Face à la mer qu'il ne voit pas, et aux premières fleurs des collines, Marc Antoine boit du poison. Le poison violent du souvenir et celui, plus fort encore, du vin acide, du vin raide – le vitriol de l'oubli. Le pichet, le gobelet laissent sur la table des traces violacées, il promène son doigt sur ces mouillures, les étire et les ramifie. Dans ces taches de vin, il ne voit pas, ne peut pas voir – en ces temps où les cartes n'existent pas – le plan des pays qu'il n'a pas conquis, des villes qu'il n'a pas prises... Que dessine-t-il, alors, sur le bois ? Des étoiles filantes ? des guirlandes fanées ? ou les chapelets de boyaux qui sortaient des ventres crevés ? Taches de vin, taches de sang. La lie et les caillots. Parfois, les coudes sur la table et la tête dans les bras, il s'endort, assommé.

C'est pourquoi il n'a pas aperçu les voiles à l'horizon. Ni entendu là-bas, sur le port, les clameurs qui saluent l'accostage du premier navire – celui de la Reine.

Quand il est sorti de sa torpeur, elle était là. Enfin, presque : elle montait vers lui sur le chemin pierreux, entourée de sa garde celte rutilante et des principaux officiers romains – en guenilles, eux.

Il devrait se lever, bien sûr, marcher à sa rencontre, mais il est trop saoul et, en même temps, trop lucide : il craint de ne plus tenir debout, de tituber, de s'effondrer ; alors il reste assis derrière sa table. Elle fait signe à son escorte de s'arrêter. Maintenant, il la voit s'avancer seule dans le grand soleil de midi. Elle est en tenue de parade : sur sa tête, la perruque ; sur son front, le cobra dressé ; un châle pourpre noué entre les seins ; et, sous sa robe de lin blanc, des cothurnes à semelles de bois pour se grandir.

Il hoche la tête : avec ces chaussures-là, elle va se casser la figure, la pauvre fille, elle est dingue ! Elle se tord les pieds dans les cailloux, elle a beau marcher avec componction, elle va se ramasser, et qui est-ce qui rigolera si Sa Majesté s'étale ? Lui, le vaincu, l'ivrogne, le bon à rien ! Alexandre le Petit ! Tiens, pour commencer, il va se resservir une grande rasade, Alexandre le Petit ! Noyer son chagrin, se noyer dans le chagrin : « À la tienne, Majesté », et cul sec !

Elle n'est pas tombée et se tient devant lui, raide comme la Justice, dans un silence emphatique. Il baisse les yeux, fixe son gobelet vide et lâche, l'air buté : « Je ne savais pas que c'étaient déjà les Ptolémaia ! » Les *Ptolémaia*, le carnaval d'Alexandrie, qui a lieu tous les quatre ans – on défile, on se déguise, on promène des phallus géants, on s'accoutre en satyres, en bacchantes, on contrefait l'amour… La plus formidable mascarade du monde !

Elle dit : « Tu as souhaité la visite de la reine d'Égypte. C'est la reine d'Égypte qui vient te saluer, Imperator. »

Elle regarde avec insistance la tunique sombre d'Antoine, sa barbe de six mois, qu'il ne taille plus : « Et cette reine ne s'attendait pas, Général, à te trouver en grand deuil… Qui as-tu perdu ? » Il en a le souffle coupé. Trente mille hommes, il a perdu trente mille hommes, un détail ! Et il le lui a écrit, expressément : trente mille. Est-ce qu'elle se fiche de lui ? Déjà, elle poursuit : « Nous savons, à Alexandrie, que tu as porté aux Parthes des coups redoutables. Et Rome n'ignore plus, à l'heure qu'il est, que l'Égypte t'a témoigné son admiration en triplant spontanément sa contribution à l'effort militaire… De qui portes-tu le deuil, Imperator ? Mes vaisseaux ont hissé l'oriflamme de la victoire, et tes hommes sont dans la joie : mes intendants ont commencé à leur distribuer des gratifications… »

Une version à l'usage du Sénat romain, à l'usage d'Octave : il est saoul, mais pas au point de sous-estimer le sang-froid politique de la dame. Quelle maestria ! De ses mains tachées de vin, il applaudit en ricanant. N'empêche, puisqu'ils ne sont qu'entre eux, qu'ils sont tous les deux, que personne ne les entend, elle pourrait lui épargner son numéro, la grande souveraine ! lui témoigner un peu de pitié ! Mais elle prend plaisir à ironiser : « De qui portes-tu le deuil ? », ah la garce !, et « gratifications »… Gratifications ! Le croit-elle trop ivre pour se souvenir qu'il s'agit tout bonnement de la solde de ses hommes, car, depuis des semaines, ces malheureux n'ont pas touché un sou ; même ici, en « pays ami », les survivants n'ont rien à manger, rien à se mettre. Il a vendu toute sa vaisselle d'argent – enfin, celle qui lui restait après le pillage de ses bagages –, mais il n'a même pas eu de quoi nourrir les blessés ! Et voilà que sa femme, qu'il a tant attendue, tant espérée – dont il escomptait plus que de l'aide, de la compassion –, cette femme, parce qu'elle est reine, joue les donneuses de leçons et l'invite, du haut de ses semelles de bois, à mieux se tenir. Mais il « s'est tenu », bon sang ! De Phraaspa jusqu'à Beyrouth il s'est tenu, et il a tenu ses bonshommes ! Sait-elle combien il est difficile d'empêcher qu'une défaite ne se transforme en déroute, qu'une retraite ne tourne à la débandade ? Eh bien, ce désastre-là, au moins, lui, Antoine, l'a évité ! Piètre stratège, peut-être, mais bon général !

En vérité, elle sait tout cela. Par Dellius, le légat qu'il avait envoyé à Alexandrie pour la chercher, elle sait que, dans l'épreuve, son mari a été admirable. Et il ne s'agit pas d'*eau bénite de cour*. Vingt siècles après, quand on lit le récit des évènements, « admirable » sonne presque petit : Antoine est un chef que ses succès affaiblissent mais que ses revers élèvent, un homme que l'adversité porte au-dessus de lui-même, que le malheur grandit.

Artisan de la victoire à Pharsale, vainqueur à Philippes, il ne donna jamais mieux sa mesure que pendant la retraite de Parthie : les dix-huit attaques de l'ennemi menées contre son armée en fuite, il les repoussa toutes ; et s'il n'arrivait pas à remporter une victoire décisive, c'est que les archers parthes, sachant qu'il manquait de cavaliers pour les poursuivre, se repliaient aussitôt qu'ils perdaient. Et revenaient dès le lendemain, comme une nuée de moustiques… Acculé, jamais il ne perdit son génie tactique ; il inventa même une manœuvre nouvelle, dont il n'imaginait pas à quel sort brillant elle était promise : « la tortue ». Le premier rang d'infanterie lourde forme un carré et met un genou en terre, en s'abritant derrière ses hauts boucliers concaves ; à l'intérieur de ce rempart improvisé, on met en sécurité les enseignes, les bagages et l'infanterie légère qui, levant au-dessus des têtes ses boucliers plats, forme la toiture de l'abri : en deux minutes, les boucliers s'emboîtent les uns dans les autres comme des écailles, s'ajustent comme les tuiles d'un toit, et les légions deviennent aussi invulnérables aux flèches des archers et aux balles de plomb des frondeurs que si elles étaient blindées ; seuls des cavaliers pourraient encore tenter d'attaquer cette carapace, mais les lances, réapparaissant aussitôt entre les boucliers, transformeraient la « tortue » en hérisson…

Il est rare, dans l'Histoire, qu'un chef d'armée fasse progresser la technique militaire à l'occasion d'une défaite, mais plus rare encore qu'il obtienne de troupes démoralisées, pressées de toutes parts, l'exécution parfaite d'une manœuvre inédite. Marc Antoine y parvint pourtant. Sans doute parce que son armée, assoiffée, affamée, harcelée jour et nuit, ne se sentit jamais abandonnée. Dans la retraite, l'ex-lieutenant de César tint bon, courant de l'avant à l'arrière pour rassurer ses soldats, et combattant au premier rang ; pas une fois il ne laissa à son sort un traînard ou un blessé, il l'aurait plutôt porté sur son dos ! Voilà pourquoi, jusqu'au bout, ses hommes lui gardèrent leur confiance et pourquoi, en mourant, ils le bénissaient encore, lui embrassaient les mains. Jamais, non plus, il ne laissa la discipline se relâcher : tous les soirs, et par tous les temps, les survivants plantaient leurs *aigles*, montaient le camp, et il inspectait les troupes, ses pauvres troupes amaigries et loqueteuses. Quand une centurie s'était mal comportée, il la « décimait » dans les règles, désignant au hasard un homme sur dix et le faisant décapiter. Il n'y eut pas de déserteurs…

Mais qu'est-ce qu'elle croit, la très digne reine d'Égypte, qu'il est facile de tuer le soir des hommes qu'on a passé la journée à sauver ? qu'il est tout simple de condamner des vieux bougres à la mâchoire édentée, aux bras couturés de cicatrices, des gamins exténués, des innocents au visage émacié, qui ont juste suivi le mouvement, le premier mouvement de recul, et qui regardent maintenant leur général – leur bourreau – avec des yeux agrandis par la peur ? « De qui portes-tu le deuil ? »

À la Reine, il montre son gobelet en terre : « Gratifications, ouais, gratifications… J'espère que j'aurai droit à une "gratification", moi aussi. J'adore me saouler la gueule dans de la belle argenterie…

– J'ai tout ce qu'il faut à bord de mon navire. Et même du vin de Falerne.

– Celui-ci est parfait. » Et, joignant le geste à la parole, il attrape la cruche, jette la tête en arrière, et s'en verse directement une lampée dans le gosier. Enfin, le gosier, c'est façon de parler : en ce moment, il est un peu maladroit dans ses mouvements, n'est-ce pas, il a trempé sa tunique, éclaboussé la table…

Elle voit mieux, cette fois, de quelle sorte de breuvage il s'agit : du vin de deuxième pression, où il y a plus à manger qu'à boire – quantité de débris noirâtres, restes de feuilles, petits bouts de vrilles… Pire que la piquette du soldat ! Il ne s'autorise plus que cette soupe visqueuse.

« C'est dégoûtant, dit-elle.

– Ça tombe bien. Je suis un homme de guerre, moi, très chère ! Et la guerre, c'est dégoûtant. »

Il a baissé la tête, s'est remis à pousser du doigt, sur la table, les gouttes noirâtres, les résidus de grappes, la poussière de lie. Il cache ses larmes. Sans lever les yeux, il dit d'une voix entrecoupée : « Tu sais comment il est mort, Flavius ? Quatre flèches, toutes de face, il y en avait une qui lui ressortait dans le dos avec quelque chose de spongieux au bout – un morceau de foie, ou de poumon… Je lui ai dit qu'il allait guérir. » Il pleure en silence, les yeux baissés. Puis reprend d'un air de défi : « J'avais demandé à Rhamnus de me couper la tête après ma mort, et de l'enterrer, je ne voulais pas que les Parthes en fassent ce qu'ils ont fait de celle de Crassus : un cadeau aux noces de leur prince – petit présent pour la mariée, puis accessoire dans la pièce qu'on donnait… Quelle pièce, déjà ? Bon, je suis trop saoul ! Toi qui sais tout, dans quelle pièce est-ce qu'il faut une tête ? Les *Suppliantes* ? Non. Les *Troyennes* ? Non plus. Allons, allons, un petit effort, ma Reine ! Tout le monde sait ça… Ah, j'y suis, les *Bacchantes*, bien sûr ! Je me ressers un petit godet, tiens, c'est mérité ! Les *Bacchantes*, voilà ce qu'ils ont joué, les Parthes, avec la cabèche de Crassus… Sacré Euripide : la maman coupe la tête à son fils en croyant que c'est la tête d'un lion ! Elle avait un peu forcé sur l'hypocras, la chasseresse, c'est dangereux de boire comme ça… Et mon aide de camp, le petit Sextus, tu te souviens de lui ? Sextus qui enlevait son cheval comme un Pégase face à l'obstacle ? Il est mort entre mes bras – mais des bras, lui n'en avait plus : ces salauds les avaient élagués au cimeterre… Ah oui, la guerre, c'est à vomir, ma mignonne ! Plus ignoble que ma tunique sale et mon picrate du pauvre ! Et en plus, ça ne sent pas la myrrhe, ça sent la merde. Des milliers de soldats qui bouffent des racines et qui ont la courante, tu imagines ? "Retirons-nous, citoyens, en bon ordre et dans la dignité !" Tu parles !… Dégueulasse. Oh, j'oubliais : toi, tu gardes de la retenue en toutes circonstances – pensez, une Ptolémée ! –, tu ne dis pas "dégueulasse", tu dis "répugnant", "déplaisant", "dé-goû-tant"… »

Pour le tirer de son accablement, elle avait voulu le piquer au vif. C'est gagné. Elle pose sa petite main claire sur la main sale et dit seulement : « Je suis là maintenant, Marc, et je ne suis ni dégoûtée ni dégoûtante. »

RÉMINISCENCE

Un chant d'amour, accompagné de la cithare et de la double flûte : « Non, je ne renoncerai pas à elle, même si l'on me chassait à travers la Syrie avec des bâtons, à travers les déserts avec des épées. Non, je n'écouterai pas ceux qui me disent de repousser le désir que j'ai d'elle. »

Un chant qu'un jour – plus tard et loin d'Alexandrie – Séléné croira reconnaître. Un poème que son père aimait ? qu'elle entendait au Palais ? La dernière phrase, qui lui donne envie de pleurer, cette phrase, il lui semble qu'elle la connaît depuis toujours : « Non, je n'écouterai pas ceux qui me disent de repousser le désir que j'ai d'elle. ».

Elle a entendu ces mots-là. Autrefois. Souvent. En est sûre. Presque sûre. Son cœur se serre. Ce même chagrin, très ancien, ce chagrin aussi vieux qu'elle et qui toujours la submerge. « Le désir que j'ai d'elle... ».

ALEXANDRE et Séléné étaient des enfants de l'amour. Autant naître orphelins ! Les couples amoureux sont trop occupés d'eux-mêmes pour s'intéresser à leur progéniture : l'arbre qui pousse se soucie-t-il des fruits qui tombent ?

Les jumeaux grandissaient dans l'obscurité, s'agrippant le soir à la lumière du Phare et, le matin, à l'apparition nébuleuse de l'île d'Antirhodos, là-bas, au creux du Grand Port, où leur père vivait maintenant avec leur mère et toute sa Cour, auprès du fils de César.

C'était la première fois depuis près de six ans que Marc Antoine revenait à Alexandrie. Maître de l'Orient romain, il se battait tout l'été et prenait chaque année ses quartiers d'hiver dans une capitale différente : Éphèse, Athènes (qu'Octavie, sa femme romaine, avait adorée) ou Antioche ; pour l'Imperator, Alexandrie n'était qu'une ville parmi d'autres, la plus riche mais la plus mal située tant qu'il devrait batailler à l'est pour affermir son pouvoir.

Dommage, car il aimait Cléopâtre et il aimait Alexandrie. De son premier séjour, il gardait le souvenir de lents soleils d'hiver et de nuits épicées. Et puis, cette ville offerte, ouverte autour de sa baie, cette ville à la chair de nacre, lui semblait plus belle que Rome. Plus salubre aussi : ici, le vent du désert et la brise marine balayaient à tour de rôle les avenues larges et les canaux, chassant les mouches, les mendiants, les miasmes, et donnant aux femmes du pays, sous les chapeaux et les voiles dont elles protégeaient leurs visages, cet air de défi qui est l'apanage de la bonne santé.

Le même air, mi-provocant mi-goguenard, qu'il trouvait à son fils Alexandre. Celui-là était bien l'héritier des Antonii, le digne descendant d'Hercule, ancêtre de la lignée. Déjà fort pour son âge, ce garçon : vif, remuant, et d'une beauté rayonnante. Beau, c'était le premier mot qui montait aux lèvres de tous ceux qui le rencontraient : « Qu'il est beau ! » Ensuite seulement, on remarquait Séléné, et toujours pour s'étonner : « Voilà des jumeaux qui ne se ressemblent pas. Mais alors, pas du tout ! »

À trois ans, un enfant ne rapproche pas les deux propos, mais, à six, Séléné avait déjà compris que son corps n'était pas potelé, sa chevelure, pas dorée, son visage, pas riant. Elle semblait n'en souffrir que par intermittence : après tout, elle était princesse, et Césarion l'aimait. Simplement, elle fuyait les visiteurs, les inconnus, craignait les foules et les exhibitions. Maigrichonne et maladive, elle ne se plaisait que dans la compagnie du « bébé » Ptolémée et du Pygmée Diotélès qui, autrefois, lui avait sauvé la vie. Son frère jumeau s'exerçait à la course et au combat avec les fils de la noblesse ; elle, on la trouvait dans la pénombre des chambres intérieures, avec les petites esclaves de ses servantes, à qui elle demandait de la coiffer, décoiffer et recoiffer sans cesse ; pendant que ces filles peignaient et tressaient ses cheveux en *côtes de melon* – une dizaine de petites torsades qui laissaient à demi nu le cuir chevelu –, elle restait passive et somnolente, pareille à une laine souple, un de ces longs écheveaux que d'autres servantes du palais travaillaient sur leur métier ; elle aimait à se sentir tissée, tapisserie éternellement inachevée qu'on faisait et défaisait, avant de recommencer.

À d'autres heures, on la voyait assise dans un coin, un rouleau entre les mains, chuchotant d'un ton égal des phrases qu'elle ne comprenait pas : elle lisait à mi-voix, comme les adultes éduqués. Mais elle lisait en gamine, et les mots groupés de travers perdaient tout sens. Ce qui ne l'empêchait pas, dans un murmure continu, de dérouler et d'enrouler les livres saugrenus que lui abandonnait distraitement son vieux précepteur, *Discussion entre Socrate et Démosthène sur l'utilité de l'éloquence* ou *Remontrance d'Hésiode à Théocrite sur son usage de l'hexamètre*.

« Va plutôt dehors, jouer au ballon ou *aux noix* avec ton frère », disait sa nourrice lorsqu'elle la trouvait ainsi réfugiée entre quatre murs, ses boîtes à rouleaux ouvertes en désordre sur le pavage. Mais Séléné préférait la nuit, la solitude, le secret ; et à toutes les caresses, la caresse d'un peigne, à tous les sons le bruit d'un livre.

Cypris, inquiète pour la santé de la petite princesse, finit par informer la Reine. D'autant que l'enfant demandait parfois des choses surprenantes aux brodeuses du Palais, « Brode-moi, disait-elle en se déshabillant et en offrant son torse nu ou la peau de ses bras, brode-moi d'or. »

On consulta les médecins. Ils *flairèrent la terre* – comme disaient les autochtones pour décrire la prosternation ; après quoi, Olympos expliqua que la fillette, qui avait toujours eu la peau claire et les yeux délicats, avait apparemment constaté que le soleil lui nuisait ; mais l'*expérience* (il insistait sur le mot) enseignait qu'une pommade à base d'amandes douces fortifiait ces carnations fragiles – pourquoi ne pas essayer sur Séléné ? Glaucos rappela, lui, que la princesse n'avait jamais eu les humeurs stables, elle souffrait maintenant d'un excès de bile noire – au sens propre, une « mélancolie ». Il convenait de l'en purger. Et de la fouetter plus souvent pour lui faire rendre, par les larmes, ce surplus d'humidité.

À Diotélès, le bouffon noir, personne n'avait rien demandé : il n'était pas médecin, ce qu'il regrettait d'autant plus que l'âge rendait à présent ses acrobaties périlleuses. Néanmoins, comme il était très insolent, il n'hésita pas, accroupi sur la table comme le dieu babouin, à donner son sentiment sur la question qu'on ne lui avait pas posée : si, à son âge, la petite Séléné prenait plaisir à être coiffée et à dérouler des livres, quel mal y avait-il ? Il fallait seulement lui donner une vraie coiffeuse, qui ne nuisît pas à ses cheveux, et de vrais livres, qui ne lui déformeraient pas l'esprit. Sans attendre, il demanda à la Reine la permission de faire copier pour l'enfant deux ou trois contes tirés de la vie du grand Alexandre écrite par Ptolémée Sôter, ancêtre de la souveraine et compagnon d'armes du héros. Les épisodes supplémentaires – combats d'Alexandre contre les Amazones ou contre les éléphants du roi Porus –, il les mimerait lui-même.

« Toi, ver de terre, tu jouerais Alexandre le Grand ? Tu oserais, moustique, jouer un éléphant ?

– C'est le moins qu'on puisse attendre d'un histrion,

Maîtresse : qu'il fasse illusion, donne à voir ce qui n'est pas – un Noir pour un Blanc, un petit pour un grand. »

À dire vrai, la Reine ne suivait pas avec autant d'attention l'instruction des « enfants de l'amour » que celle de Césarion : dans le jeu des empires, aucun des cadets n'était une carte maîtresse. Césarion, en tant qu'aîné, accéderait au trône d'Égypte, et lui seul pouvait, comme fils de César, prétendre à gouverner Rome. D'où la menace qu'Antoine, mari de la Reine et maître, à travers elle, de l'unique enfant du grand homme, pouvait faire peser sur Octave. Depuis qu'il avait hérité la fortune de Jules César, celui-ci se faisait appeler Octavien *César*, mais nul n'ignorait qu'il existait, sur l'autre rive de la Méditerranée, un Ptolémée *César* : deux Césars, et une seule Rome… En revanche, les petits princes du Palais Bleu n'étaient pas appelés à jouer un rôle politique de premier plan. Sauf, peut-être, Alexandre-Hélios, qu'on pouvait espérer marier à quelque princesse étrangère qui lui apporterait son royaume en dot.

C'est à quoi sa mère s'employait déjà. « Figure-toi le gouvernement des peuples comme un jeu, expliquait-elle à son fils aîné qu'elle voulait rendre digne de César. Un jeu où l'on pousse des pions. On ne peut gagner qu'en ayant toujours un coup d'avance sur l'adversaire. » Par une coïncidence qui ne devait rien au hasard, les projets matrimoniaux de la Reine s'accordaient aux projets militaires d'Antoine. La rupture de l'alliance entre les Mèdes et les Parthes, qui, un an plus tôt, avaient ensemble combattu ses légions, offrait à l'Imperator l'occasion de se venger des Arméniens. Il suffisait de jouer à front renversé : obtenir l'appui des Mèdes contre le roi d'Arménie en promettant de donner les terres conquises au jeune Alexandre, qu'on fiancerait à Iotapa, fille du roi de Médie ; quand ces enfants atteindraient l'âge de gouverner, les deux royaumes n'en formeraient plus qu'un. À moins, bien sûr, que d'ici là, d'autres retournements… Artavasdès, en tout cas, ne remonterait pas des Enfers où on allait l'expédier !

Depuis des mois, les diplomates de Cléopâtre s'employaient à négocier l'affaire entre Caucase et Caspienne. À Antioche où, à nouveau, la Reine suivit son mari qui s'apprêtait à conquérir l'Arménie, elle prolongea – directement dans leur langue – ses conciliabules avec les ambassadeurs de Médie.

C'est ainsi qu'un beau jour les enfants du Palais Bleu virent débarquer une nouvelle compagne, une petite fille de sept ou huit ans, plus brune que Séléné, qui se prosterna avec une grâce tout asiatique devant Césarion, venu, en l'absence des souverains, l'accueillir dans le Port des Rois. On la conduisit au bout du cap Lokhias, où, sur les terrasses, à l'abri des vélums et des dais de soie, elle fit la connaissance des autres princes d'Égypte. Tous, pour la circonstance, portaient dans leurs cheveux un diadème de lin blanc aux longs rubans.

Alexandre, contrairement à son habitude, semblait presque intimidé ; mais il retrouva tout son aplomb quand l'interprète lui dit, de la part de la fiancée qui ne savait pas un mot de grec, que sa peau avait la couleur du blé, ses cheveux, celle du miel mat, qu'enfin, pour résumer la situation, il était… « beau ». Séléné ne cilla pas. À côté d'elle, le petit Philadelphe s'agitait. Juste sorti d'une varicelle, le visage couvert de croûtes et l'air grognon d'un esclave qu'on va revendre au marché, l'enfant essayait d'arracher son diadème, qui le gênait. Mauvais signe, songea Césarion. En plus, le bambin était gaucher. Malgré les précautions prises à sa naissance en immobilisant son bras gauche dans le maillot, il utilisait sa main *sinistre*. Un porte-malheur ambulant, ce benjamin ! Et toutes les turquoises dont on le couvrait, tout le bleu dont on le fardait n'y changeraient rien !

On fit, avec du vin pur, quelques libations devant la statue de Sérapis, le dieu à la barbe fleurie, puis on alluma du feu devant un dragon mède et on y jeta du soufre et des petits gâteaux ; après ces formalités, on sépara Iotapa de sa suite exotique. Tous, même l'ambassadeur, même les mages, même l'interprète, même la nourrice, s'éloignèrent. La petite les regarda partir sans une larme. La nourrice mède pleurait, criait à fendre les pierres ; Iotapa, abandonnée au milieu d'étrangers dont elle ne comprenait pas la langue, restait impassible. Séléné admira le visage lisse de sa future belle-sœur : « Voilà ce que doit être une vraie reine ! » Elle ignorait que Iotapa, tirée d'un harem de trente épouses qui s'entr'assassinaient allègrement, était depuis longtemps passée au-delà des sentiments. Elle avait su très tôt que la vie n'est pas *la farandole des desserts…*

UN sixième enfant rejoignit bientôt le groupe des princes. Celui-là avait été expédié d'Antioche, où séjournaient maintenant Cléopâtre et son mari ; mais il venait de Rome, via Athènes. Il s'appelait Antyllus, avait dix ans, et était le fils aîné de Marc Antoine, né de son premier mariage, avec Fulvia.

Orphelin de mère, il avait été recueilli avec son frère cadet par Octavie, la femme romaine d'Antoine. Depuis cinq ans, Octavie élevait les deux garçons avec ses propres enfants : les trois qu'elle avait eus de son premier mari, le défunt consul Marcellus, et les deux filles que lui avait données Marc Antoine, Prima et Antonia, demi-sœurs des princes d'Égypte. Lesquels, bien sûr, n'avaient pas plus entendu parler d'elles qu'elles n'avaient entendu parler d'eux… Ces sept enfants, dont l'aînée, Marcella, avait maintenant onze ans, et la plus jeune, Antonia, dix-huit mois, formaient une joyeuse famille recomposée qu'Octavie voyait grandir avec bonheur dans les jardins qu'Antoine possédait au Champ de Mars, le nouveau quartier de Rome, et dans leur maison des Carènes, sur l'Esquilin. Cette maison, assez grande, avait appartenu autrefois au grand Pompée, Antoine l'avait confisquée à la faveur des guerres civiles et embellie pendant les trois années passées près de la blonde Octavie.

L'Imperator, malgré le besoin croissant qu'il avait de son épouse égyptienne, était reconnaissant à son épouse romaine de rester aussi douce, aussi dévouée qu'au temps où il partageait son lit ; c'est pourquoi il n'avait pas la moindre intention de divorcer. D'autant qu'Octavie lui était indispensable en Italie, où elle accueillait ses partisans, recevait ses familiers, favorisait leurs ambitions, bref, gérait le clan. Il lui écrivait souvent. Des lettres affectueuses, et même tendres. Au fond, il l'aimait bien. D'ailleurs, il ne se croyait pas polygame, non. Pas comme ces roitelets d'Asie qu'il méprisait : à Rome, il n'avait légalement qu'une femme ; à Alexandrie, légalement, une seule aussi. Et chacune, dans sa partie du monde, s'employait à le servir de son mieux.

Pour la première fois cependant, en lui retirant l'éducation d'Antyllus, Marc montrait sa déception à Octavie. Elle avait failli. Manqué à son devoir politique, qui était d'obtenir de son frère l'exécution du traité qu'ils avaient passé : l'envoi des vingt mille soldats dont il avait besoin pour liquider Artavasdès et occuper l'Arménie. Au lieu de quoi, l'innocente lui avait écrit d'Athènes, toute fiérote, qu'avec l'accord d'Octave elle lui amenait de Rome deux mille hommes. Deux mille ! Sa garde personnelle, en somme ! Pourquoi pas, tant qu'elle y était, un licteur et trois valets ! De qui se moquait-elle ? Était-elle devenue la complice de son frère ? Ce saligaud qui se flattait d'être quitte en ne remboursant que dix pour cent de sa dette ! Et en monnaie de singe encore ! Des légionnaires âgés, usés, encombrés de concubines et de mouflets, bref, bons pour la retraite ! Et elle espérait sérieusement que son mari allait la recevoir avec des transports de joie ? que, pour fêter cette bonne épouse et ses deux mille bras cassés, il renverrait son Égyptienne en Égypte ? « Je suis en route, mon amour, prête à t'accompagner jusqu'à l'Euphrate, et je t'amène ton Antyllus, que tu n'as plus vu depuis si longtemps... » Réponse immédiate : « Dis à ton frère que ses deux mille bons à rien, il peut se les foutre où je pense ! Rembarque ces inutiles pour Brindisi, et rembarque-toi avec eux. Quant à Antyllus, laisse-le à Athènes, je l'enverrai chercher. » Non mais ! Quelle idiote ! Cléopâtre, au moins, savait le soutenir – de ses troupes, de son argent, de ses navires, de ses conseils...

À son tour, Antyllus avait découvert les vieux cyprès de Daphné et bu aux sources sacrées. Après Antioche, il était arrivé à Alexandrie les yeux remplis des trésors de l'Oronte et des merveilles de la guerre. « Comme mon père n'a plus assez de Romains pour marcher contre l'Arménie, expliquait-il à sa nouvelle famille, il a levé des troupes en Macédoine et en Syrie : j'ai vu des trompettes syriens qui portaient des peaux de lion...

– Comme soldats, ils sont nuls, les Syriens ! Rien que des lâches ! dit le jeune Alexandre, fâché de se faire voler la vedette.

– Préjugés, trancha Césarion. Une fois sur deux, Alexandre, tes opinions sont des préjugés, c'est désastreux pour un roi », poursuivit-il gravement.

Césarion avait pris Antyllus en sympathie. Certes, le garçon, blond et élancé, ressemblait à son demi-frère Alexandre, et tous les deux à leur père. Mais Antyllus ne serait jamais un rival pour l'enfant-pharaon : il ne pouvait prétendre à rien. Et son âge, ses connaissances, son précoce bilinguisme, faisaient de lui, pour le fils de César, le compagnon rêvé. C'est ce qu'avait déjà jugé la Reine, du fond de la Syrie, en recommandant de lui donner pour précepteur Théodore, un cousin d'Euphronios qui éduquait son aîné. Les deux garçons, qui avaient en commun trois demi-frères et deux précepteurs, devinrent vite complices : Césarion donnait de la profondeur à Antyllus, qui donnait de la légèreté à Césarion.

Le jeune Romain, logé lui aussi sur l'île d'Antirhodos, venait jouer avec « les petits » chaque fois que Césarion devait signer des décrets ou coiffer la double couronne pour recevoir l'épistratège du Delta ou le gouverneur de Chypre.

Au Palais Bleu, tout le monde adorait le fils de Fulvia ; même Alexandre, qui trouvait en lui un modèle à imiter ; et même Ptolémée Philadelphe le souffreteux, qui ne se tirait d'une otite que pour tomber dans une pneumonie.

Pendant ces maladies qui, à tout coup, mettaient ses jours en danger, Iotapa, la mystérieuse aux pommettes hautes et aux longues paupières, essayait de calmer Séléné, dont la vie semblait suspendue à la respiration du « bébé » : elle la prenait par la main et l'obligeait à s'asseoir dehors au pied d'un mur, sur une natte de jonc posée à même la terrasse, pour regarder, selon l'heure, le vol des mouettes ou la danse des étoiles. Tandis que leurs chasse-mouches et leurs porte-gobelets, respectueux et inquiets, se tenaient à l'écart, les fillettes restaient là en silence, épaule contre épaule. Incapables d'échanger deux mots dans un langage commun.

Pyrrandros, leur précepteur, ne faisait pas son travail. Trop vieux, et trop homme de lettres, pour enseigner des rudiments : Iotapa ne savait ni lire le grec, ni le parler ; Alexandre n'écrivait encore qu'au poinçon, sur des tablettes prégravées ; et Ptolémée restait gaucher.

Mais tout allait changer, car la Reine rentrait : Marc Antoine revenait victorieux d'Arménie, il ramenait à Alexandrie Artavasdès enchaîné. Il était temps. À Rome, l'opinion s'impatientait – Octave, aidé de son ami Marcus Agrippa, un stratège de talent, remportait dans les régions d'Occident victoire sur victoire, tandis qu'à l'est rien n'avançait... Le parti d'Antoine allait avoir enfin de quoi faire mousser, au Sénat, la gloire de son chef. L'Imperator, lui, ne se dorait pas la pilule. Bien sûr, il avait conquis l'Arménie – ce qui n'était pas très difficile, en été –, et les Mèdes ne l'avaient pas trahi, heureuse surprise !, mais le fils aîné d'Artavasdès, l'héritier légitime du royaume, avait réussi à s'enfuir, il s'était réfugié chez les Parthes, qui avaient aussitôt pris fait et cause pour lui. Il fallait se dépêcher de mettre en musique cette demi-victoire et se hâter de couronner le jeune Alexandre tant qu'on avait des couronnes à distribuer...

« À propos d'Alexandre, dit-il à la Reine qui s'allongeait près de lui dans la grande chambre de la galère royale, je ne voudrais pas médire du précepteur que tu lui as choisi, mais avec les enfants il manque de génie...

– C'est le moins qu'on puisse dire !

– Alors, renvoie-le ! Hier, à Ascalon » (toute la côte, depuis

Tarse jusqu'à Gaza, appartenait maintenant à Cléopâtre, dont les navires pouvaient faire escale où bon leur semblait), « hier, quand mon ami Hérode est venu me saluer à bord, il était accompagné d'un jeune philosophe syrien que j'ai trouvé plein d'esprit. Il se fait appeler Nicolas de Damas, écrit sur les plantes et les hommes des pays qu'il a visités, il m'a offert un petit traité politique dont il est l'auteur, *Sur le bien dans la vie pratique* – ni un chimérique, ni un sceptique : un philosophe de l'école d'Aristote. Et puisque Aristote fut le précepteur d'Alexandre de Macédoine…

– … Nicolas de Damas ferait un bon précepteur pour Alexandre d'Égypte, c'est ça ? Aucun homme recommandé par ton ami Hérode ne peut être "un bon précepteur", Marc, car ton ami Hérode est un assassin… Embrasse-moi.

– Ne dis pas de sottises, ce garçon ne m'est pas "recommandé" par Hérode, il n'est en Judée que depuis trois semaines, en route vers l'Arabie, et…

– Embrasse-moi.

– Je le trouve amusant, moi, ce Nicolas. Je suis sûr que tu le trouveras beau : très brun, élégant – rien d'un Diogène ! Et puis, il est jeune, ambitieux, il a tout intérêt à réussir auprès de nos enfants.

– Si tu veux… Embrasse-moi. Ne parlons plus de ces gens-là. Baise-moi tant que nous sommes à quai : Poséidon est si jaloux… Baise-moi, Marc, avant que je n'en sois réduite à trouver beau un Nicolas *de Damas*, *de Smyrne* ou d'ailleurs ! »

La première chose que découvre le nouveau précepteur en prenant ses fonctions, c'est que les enfants du Palais Bleu ne connaissent même pas la ville qu'ils habitent. Antyllus non plus, il est vrai : il parle de Rome, d'Athènes, d'Antioche, mais – à part le Quartier-Royal, fermé sur lui-même – il n'a rien vu d'Alexandrie. Alexandrie, cette merveille ! La seule ville au monde construite en suivant les règles d'Aristote, son « maître » ! Alexandrie, la ville idéale telle que le grand philosophe l'avait peinte par avance dans sa *Politique* : le plan en damier, la ventilation des rues, la spécialisation des quartiers, celle des places publiques – ici, Nicolas retrouve tout de ce qu'il a appris dans les livres !

Il veut communiquer son enthousiasme aux enfants en leur faisant découvrir leur ville comme aucun voyageur ne la verra jamais : du haut du Phare.

OUBLIER Alexandrie. Oublier l'Alexandrie d'aujourd'hui pour ressusciter celle d'hier. Oublier la ville que j'ai vue pour retrouver celle du passé. Effacer d'un trait cette ville moderne et pauvre. Pas même pouilleuse, seulement laide : des tours à bon marché, des parkings, des hangars, des grues, des pétroliers.

Même le site a changé. À cause des tremblements de terre, des raz de marée. Le cap Lokhias a disparu sous les flots ; Antirhodos a sombré avec ses quais, son temple, son palais ; l'île de Pharos, soudée au continent par les alluvions, n'est plus une île ; et les navires n'entrent plus dans le « Grand Port », trop ensablé. Une ville plate comme une flaque d'huile sur une côte rectiligne. Et pas un brin d'herbe ! Parce que le désert est resté là, tout autour, avec ses épines, ses cailloux. « Alexandrie *près de* l'Égypte », disaient les Anciens. Pas *en* Égypte, non, car décalée vers l'ouest, loin du Nil. Bien sûr, on avait relié la cité au Delta par des canaux ; maintenant, il y a des autoroutes. Mais le sable n'a pas reculé, il arrive au ras du bitume, cerne les échangeurs, grignote les faubourgs. Une ville bâtie sur du sable… De là sans doute, et malgré sa laideur, cette magie particulière, ce curieux « tremblé ».

Aujourd'hui encore, quand on y accède par la mer, on a du mal à la croire vraie – un mirage. Dont il ne faut pas trop s'approcher : il disparaît derrière la misère et la banalité. Ce qu'il y a de mieux à Alexandrie ? Y arriver…

Mais la métropole d'autrefois, celle qu'à force de lectures j'ai espéré reconstituer, comment pourrais-je l'oublier ? Maintenant que j'ai rendu de la pierre à la légende, du vent aux voiliers, du marbre à la cité, je ne peux plus détacher ma pensée de cette ville imaginée, imaginaire, qui m'habite. Que ma langue se colle à mon palais, que ma main se dessèche si je t'oublie, Alexandrie ! Là est mon royaume désormais. Une patrie aux contours un peu flous ; incertains, inexacts même, par endroits ; comme ils le seraient restés dans le souvenir d'une enfant.

Car, du haut du Phare, Séléné n'a pas assez regardé, Séléné n'a rien fixé : elle ne sait pas qu'elle va perdre Alexandrie, qu'il aurait fallu accumuler, thésauriser, avaler comme une perle cette ville qui s'offrait.

Pourtant, depuis la terrasse du deuxième étage – les visiteurs ne sont pas montés jusqu'au brasier du troisième –, on peut voir à cinquante kilomètres à la ronde : la côte est si basse. Et le nouveau précepteur, Nicolas de Damas, montrait, expliquait, soulignait, comparait, admirait. Les cinq enfants (Césarion n'est pas venu, le protocole complique trop les déplacements d'un enfant-pharaon), les cinq enfants ont découvert avec une surprise polie l'immensité de la ville, les vingt kilomètres de remparts et, ce qui semble les intéresser davantage, l'existence des autres ports. Ils n'avaient jamais eu sous les yeux que les tourelles du Port des Rois, le bassin du port militaire et l'anneau presque parfait du Grand Port ; or, derrière la digue d'un kilomètre et demi qui rattache l'île du Phare au continent, il y a un autre port, plus ouvert sur le large, la rade du Bon Retour, dans lequel s'imbrique un cinquième port, le Kibotos, carré et fortifié, qu'un canal relie directement au sixième port, le plus actif, celui du lac Maréôtis au sud de la ville. Alexandrie, qu'on croit, depuis la mer, posée sur le désert, est, vue du ciel, posée sur les eaux : couchée de tout son long sur l'étroite bande de terre qui sépare le lac de la côte ; étirée comme un sphinx au milieu des sables, entre l'eau saumâtre et l'eau salée.

Le précepteur s'extasie, il parle de la crue lointaine du Nil qui, chaque année, grâce au canal du Bon Génie – « oui, ce serpent vert que vous apercevez là-bas, à main gauche, au-delà des murailles » –, remplit d'eau pure les réservoirs creusés sous la ville. On est en octobre justement, Alexandrie a fait le plein pour un an, tout y semble neuf, n'est-ce pas, revigoré : « Vois, Antyllus, comme la colline de Pan est verdoyante ! Et le Jardin botanique ? C'est la grande émeraude qu'on devine au-delà d'Antirhodos, à côté du Port des Rois, non, à droite du port militaire, Alexandre, plus à droite… »

« Quand le sage montre la lune, l'imbécile regarde le doigt », dit le proverbe chinois. Les enfants sont comme l'imbécile : leur vue, leur attention s'arrêtent au premier objet. Antyllus, du fait de son âge, est le seul qui puisse embrasser tout le paysage sans trop de myopie. Encore son intérêt ne va-t-il pas jusqu'au sud de la ville, jusqu'au grand lac : il ne dépasse guère la digue, là, en bas, la digue qui sépare les deux principaux ports – du côté du continent, elle est percée d'arches comme un pont, un pont géant sous lequel glissent les voiliers. Antyllus observe, fasciné, cette circulation bien réglée ; à la forme des coques, à la couleur des voiles pliées, à l'importance de la dunette, il s'essaye à deviner l'origine des bateaux, « Celui-là vient d'Italie ! », « Oh, la birème des soldats a coupé la route au gros vaisseau de Corinthe ! », « Ceux-ci, avec leur voile rouge, m'ont bien l'air d'être des pirates… »

Iotapa, elle, regarde encore moins loin. Du doigt, sans dire un mot, mais en haussant le sourcil pour bien montrer qu'elle interroge, elle désigne, presque au pied du Phare, les ruines noircies qui couvrent la plus grande partie de l'île, les arbres carbonisés, les murs calcinés. Comme Nicolas ne répond pas, elle insiste, montre encore : « Oui, Iotapa, oui, le faubourg de Pharos a brûlé il y a quinze ans, c'était la guerre. Pour défendre les droits de la Reine contre son méchant frère, le grand César a dû incendier Pharos… » Aussitôt, Iotapa pivote sur ses talons et pointe, presque à l'opposé, du côté du Quartier-Royal, une autre tache sombre : on dirait que, dans un paysage, cette petite ne voit que les cendres ! « Oui, Iotapa, c'était une “bibliothèque-fille”, elle a brûlé à la même époque, César l'a incendiée en voulant détruire les bateaux de l'ennemi, mais, en compensation, Marc Antoine, notre *Autocrator* bien-aimé, vient de donner à la Reine les deux cent mille volumes de la bibliothèque de Pergame. » Que comprend-elle à toutes ces justifications, la petite étrangère aux longues paupières ? À peine le précepteur a-t-il fini sa phrase qu'elle désigne, toujours muette, d'autres décombres, sur les quais. Ah non, on ne va pas passer la journée à faire l'inventaire des dommages de guerre !… Le précepteur ne le sait pas, personne ne le sait, mais Iotapa, princesse de Médie, a vu le siège de Phraaspa – du côté des assiégés ; tout le harem se trouvait dans la ville, sans le roi ; elle avait quatre ans ; elle se souvient des faubourgs incendiés par l'armée d'Antoine, des villages dans la montagne qui illuminaient la nuit comme des torches ; elle se rappelle l'odeur de la fumée, des chairs brûlées, et les cris qui vont avec. Quand elle voit des cendres, elle se sent chez elle, c'est tout.

Alexandre aussi, au sommet du Phare, fait une fixation, mais plus joyeuse : il voit de l'or partout. Sur la grande île que les incendies de César ont désolée, il a tout de suite repéré ce qui brille encore : le toit qui abrite l'Isis Pharia, l'Isis du Phare, *maîtresse de la mer*, dont le sanctuaire reste le temple préféré des marins. Ce bâtiment-là, protégé par ses jardins, n'a pas brûlé au moment des combats d'Alexandrie : « C'est une chance, en effet, qu'il ait gardé son toit d'or, dit Nicolas.

– Et il a aussi des arbres en or ! Quand nous avons débarqué, je les ai vus !

– Ce ne sont pas des arbres d'or, Alexandre, ce sont des acacias très communs, mais les fidèles y accrochent des rubans flammés sur lesquels ils ont inscrit en lettres d'or le nom de la déesse et le bienfait dont ils lui sont reconnaissants. Si nous avons le temps d'aller jusqu'au temple, tu verras aussi que les marins sauvés du naufrage suspendent sous la colonnade des maquettes de leur navire, mêlées aux barques funéraires. Il y en a des centaines, c'est très touchant.

– Ils sont en or, ces petits bateaux ?

– Non, en bois. Ou en papyrus. Désolé pour toi…

– Alors, si j'ai besoin de payer des mercenaires quand je serai grand, je prendrai plutôt le toit.

– Je ne crois pas que les prêtres d'Isis aimeraient ça…

– Mais ils en ont d'autres, des toits en or ! Tiens, regarde », et, au loin, près du canal de l'ouest, l'enfant montre l'acropole de la ville, un monticule qu'on a consolidé et surélevé pour lui faire porter les quatre cents colonnes du Sérapéum, énorme temple à Sérapis, dieu protecteur de la ville. Nicolas pourrait expliquer à son élève que ce n'est pas l'or de son toit qui rend ce sanctuaire précieux, mais la statue qu'il abrite : Sérapis soumettant Cerbère, un Sérapis colossal, dont les mains touchent aux parois du temple. On vient de toute la Méditerranée admirer sa couleur bleu sombre due au lapis broyé incorporé au bronze, et sa force surnaturelle qui couche à ses pieds le chien des Enfers. Pas étonnant qu'il suffise aux malades de dormir dans l'un de ses cloîtres pour recouvrer la santé : devant un dieu qui tient la mort en laisse, la maladie ne peut que reculer !

Mais inutile d'épiloguer, le jeune Alexandre n'a pas encore le sens du sacré ; le précepteur en reste à l'argument d'autorité : « Il est interdit de voler l'or des dieux. Si la Reine t'entendait parler de "décoiffer" un temple, elle serait très fâchée. D'autant qu'elle s'apprête justement à célébrer sous ce toit-là une grande cérémonie. Pour fêter la victoire de ton père sur le traître Artavasdès. Il y aura un beau cortège, des prisonniers, de la musique, et beaucoup de sacrifices.

– Des sacrifices ? Alors, le peuple sera content, il va manger de la viande grillée !… Est-ce que je la verrai, moi, cette fête ? Et Iotapa aussi ? Tu es sûr qu'on ne nous laissera pas au Palais ? Même Philadelphe ? »

Pour l'heure, Ptolémée Philadelphe ne se soucie ni des cérémonies ni des vues imprenables. Il n'est pas resté longtemps dans le palanquin sur lequel on l'a porté pour monter dans la tour. Arrivés à la plate-forme, ses *lecticaires* l'ont soulevé encore à bout de bras pour qu'il admire le paysage sur lequel Nicolas attire son attention, avec des mots simples, « Vois comme la mer brille, comme la ville est blanche au soleil ! » Mais Ptolémée préfère de beaucoup l'infiniment petit à l'infiniment grand. Ayant exigé en pleurnichant d'être posé par terre, maintenant il suit, accroupi sur le dallage, les va-et-vient d'une fourmi. Il ne s'arrache à cette contemplation qu'un instant, pour gratifier Nicolas d'un sourire reconnaissant : grimper à cent vingt mètres de haut pour y découvrir une fourmi, quelle belle aventure !

Un peu désenchanté, le nouveau précepteur fait le compte de ce que ses élèves vont retenir de leur expédition : Antyllus n'a remarqué que les bateaux (qu'il peut observer chaque jour du cap Lokhias), Alexandre a trouvé de l'or (il en a déjà plein ses palais), Iotapa a admiré des cendres, et Ptolémée, une fourmi. Quant à Séléné… Au fait, Séléné qui n'a rien commenté, rien demandé, qu'a-t-elle vu ? Pas grand-chose, apparemment. Profitant de l'absence de sa nourrice – personne n'oserait traverser le port avec cette « naufrageuse » –, Séléné a joué avec le vent, le vent qui soulève ses cheveux qu'aujourd'hui elle a, par caprice, gardés flottants. Le vent la coiffe à sa façon : quand, au sommet du Phare, elle se tient face au Grand Port, le vent d'ouest rebrousse sa chevelure, et quand elle court de l'autre côté de la plate-forme, vers le port du Bon Retour, il lui lisse les cheveux. Amusée, elle se jette, les yeux fermés, dans chaque courant d'air et s'en laisse envelopper. Immobile, sans ouvrir les yeux, du bout de la langue elle lèche parfois ses lèvres. Que cherche-t-elle à savoir ? Si le vent des hauteurs est plus sucré que celui du Lokhias ?

En vérité, elle teste la saveur du bonheur, comme une dame le lui a recommandé autrefois. Quelle dame ? Sans doute Isis, dans un rêve. Elle était malade et la déesse lui parlait du vent frais qu'elle sentirait sur sa peau si elle survivait, de la douceur du vent sur ses lèvres, et du goût que prendraient ses lèvres sous cette caresse : « Délicieuses, n'est-ce pas ? Elles sont fondantes, parfumées. Sors ta langue, Séléné, goûte tes lèvres, goûte le monde… » Elle obéit à la voix et se concentre sur son corps, sur sa vie. « Cette enfant est folle », s'inquiète Nicolas de Damas en la voyant, les cheveux tordus comme des serpents, se lécher les babines religieusement.

Plus tard, aux Barbares de l'ouest qui la questionneront sur le Phare, Séléné dira : « Il y avait du vent, beaucoup de vent. On montait longtemps, je crois, pour arriver jusqu'au vent… La ville ? Je ne sais pas… Je ne me rappelle que le vent. Un vent très blanc. »

AMNÉSIE

Un jour qu'au Palais elle nettoie la volière des princes, une vieille esclave tombe en arrêt. Elle se rappelle, dit-elle, ça y est, elle se rappelle ! En hiver, dans le pays où elle est née, il pleut des plumes blanches, un duvet de tourterelle qui couvre le sol… Tout le monde rit : on ne la croit pas.

Sauf Diotélès, qui assure avoir lu, dans Xénophon, que cet étrange phénomène s'appelle « neige ».

L'esclave gauloise reste hésitante, presque honteuse. « Neige », dites-vous ? Forcément, dans son pays, ce n'était pas ce mot-là. Elle a marché si longtemps. Elle a eu beaucoup de maîtres. Et beaucoup d'enfants. Les maîtres l'ont vendue. On lui a pris les enfants. « Neige » ? Peut-être…

Du passé, il ne lui reste rien. Pas un mot, pas un amour, pas un objet. Même pas l'un de ces débris dérisoires, amulettes, épingles, petite monnaie, babioles de bazar que, vingt siècles après, des archéologues ramasseront avec respect. On ne conserve pas le duvet de l'oiseau, le souffle du vent, un flocon de neige… Qui se souviendra de l'esclave qui ne se rappelle rien ?

LA fête voulue par la Reine fut très réussie. Pendant près d'une semaine on ramassa, sous les portiques, des ivrognes béats et, dans le port, des ivrognes noyés ; toute la ville, à part le quartier juif, sentait la brochette et la saucisse : Bacchus-Dionysos et le grand Sérapis avaient été généreusement honorés. On eut même un mal fou, dans le mois qui suivit, à expulser les paysans qui, entrés sous prétexte d'admirer le défilé, essayaient de s'incruster dans les ruelles sordides de Rhakôtis, le quartier réservé aux indigènes « autorisés ».

Officiellement, les cérémonies n'avaient duré que deux jours. Mais quelles journées ! La première est connue dans l'Histoire sous le nom de « Triomphe d'Antoine » ; la seconde, sous celui des « Donations d'Alexandrie ». Une superbe opération de communication… et, a posteriori, un désastre politique. Mais on ne gouverne pas « a posteriori », surtout lorsqu'on est un guerrier ! L'idée de Marc Antoine était pourtant excellente : il s'agissait de jeter de la poudre aux yeux, et de la poudre d'or – avec tout le butin pris en Arménie, on avait largement de quoi payer les frais ! Et mieux valait se hâter de faire la fête, puisque, là-haut, près du Caucase, les légions étaient déjà en train de perdre pied…

Pour célébrer une victoire, il n'y a pas, depuis que le monde est monde, trente-six façons de procéder. On fait parader les troupes, musique en tête, après avoir invité les soldats à se parer de casques d'or, de plumes de paon ou de tatouages guerriers. Dans le même temps, on montre au peuple les drapeaux, fétiches, boucliers, totems, trésors, arrachés aux ennemis ; quelquefois – attraction très appréciée mais qui dépend des techniques de conservation – on montre aussi à la foule les têtes coupées des chefs vaincus. À défaut, on exhibe ces chefs sur pied, ridicules et enchaînés. Puis on rend grâce à Dieu, ou aux dieux : danses sacrées, *Te Deum*, parfums, sonneries de cloches, sacrifice de bestiaux variés. On chante un peu, on mange beaucoup, on boit trop. Et les militaires baisent les femmes des civils, avec la bénédiction des cocus qui se prennent pour des héros.

C'est exactement ce qui s'est passé en l'an 34 avant Jésus-Christ, dans la ville d'Alexandrie. L'Imperator, qui précédait ses troupes vêtues de neuf, suivait, sur son char, Artavasdès et sa famille accablés sous le poids de leurs chaînes d'argent. Pour l'occasion, Marc Antoine s'était habillé en « *Nouveau Dionysos* » : tunique grecque, cothurnes, couronne de lierre, et, à la main, la lance surmontée d'une pomme de pin que portaient habituellement les dévots du dieu. Rien là d'extraordinaire : cinq ans plus tôt, pour entrer dans Éphèse, il avait adopté la même tenue, à la satisfaction générale. Cette fois-ci, pourtant, il ne satisfit que les Orientaux, pas les Romains de Rome, qui, désinformés par Octave, se persuadèrent que leur général avait célébré à Alexandrie un Triomphe romain – un Triomphe que leur Sénat n'avait pas autorisé ! Il avait même eu le toupet de sacrifier à Sérapis, un dieu étranger, quand un triomphateur ne doit sacrifier qu'à Jupiter Capitolin ! Ses victoires, disait-on, commençaient à lui tourner la tête, à moins que ce ne fût cette Égyptienne, cette dépravée qu'il avait préférée à la vertueuse, la tendre, la belle Octavie.

Quand cette rumeur parvint à Antoine, il s'étonna : « Mais enfin, je ne prétendais pas célébrer un Triomphe ! Je faisais une fête, c'est tout ! Une procession en l'honneur de mon dieu personnel, Dionysos, le seul des Immortels qui ait traversé la mort. C'est une affaire entre lui et moi, non ? Si j'avais voulu organiser une parodie de Triomphe, comme mon beau-frère l'insinue, je me serais couronné de lauriers, j'aurais porté une toge brodée, je me serais maquillé en rouge, j'aurais attelé des chevaux blancs, etc. Là, non : je défile avec des éléphants, avec des bonshommes déguisés en satyres, avec des femmes vêtues de peaux de bêtes, et même avec des autruches – les autruches de Diotélès n'ont pas l'air d'oies du Capitole, que je sache ! La mauvaise foi d'Octave me surprendra toujours ! »

Sur le moment, pourtant, ne prévoyant pas qu'on exploiterait ces festivités à son détriment, Antoine avait été comblé : par la liesse de la population, la joie de ses soldats et la bonne tenue de sa famille. Dans le sanctuaire de Sérapis, en haut du vieux quartier de Rhakôtis où s'achevait le défilé, Cléopâtre l'attendait sur son trône, entourée des dignitaires du clergé égyptien et de tous les enfants. On avait regroupé les aînés dans une loge du grand cloître ordinairement réservée aux *traducteurs de rêves* ; seul le petit Philadelphe était resté près de sa mère, assis sur une chaise basse. La Reine avait pensé que la présence du plus jeune à ses côtés accentuerait sa propre ressemblance avec Isis, dont, une fois de plus, elle empruntait la robe moulante, le châle noué sur le sein gauche et la perruque à trois pans. Ptolémée Philadelphe, boudeur et fatigué, suçait son pouce. Mais, sans qu'il s'en doutât, ce comportement puéril évoquait, mieux qu'un noble maintien, l'enfant Horus, le fils unique d'Isis, qu'on aimait à représenter avec un doigt dans la bouche : en lui, Grecs et Égyptiens adoraient l'Enfance, comme, en Isis, ils révéraient la Maternité.

« Mère à l'enfant », une figure divine promise à un bel avenir. Les moines circoncis et les prêtres au crâne rasé semblaient enchantés de ce duo sacré ; et Marc Antoine lui-même, en pénétrant dans la cour centrale derrière ses prisonniers, fut touché du spectacle que donnaient sa femme et son fils. Seule fausse note : la mauvaise humeur d'Artavasdès. Le prisonnier, aussi rebelle qu'un Gaulois mal élevé, refusa de se prosterner devant la Reine. Des gardes accouraient déjà pour l'y contraindre, mais Cléopâtre les arrêta d'un geste. De la main, elle fit signe d'entraîner le vaincu à droite, derrière le troupeau de bœufs gras…

Allait-on sacrifier tout ce monde en même temps ? Les femmes et les enfants du roi d'Arménie, déjà vêtus de deuil et couverts de cendres, agitèrent leurs chaînes en poussant de longs gémissements. Mais personne, à part la Reine, ne comprit ce qu'ils disaient : on jugea leur langage très effrayant – forcément, hein, des Barbares… Une seule des épouses royales, la dernière du défilé, semblait, autant que sa chaîne le lui permettait, garder quelque dignité ; elle ne pleurait pas, ne grinçait pas, ne regardait même pas autour d'elle : indifférente aux injures, aux quolibets, elle tenait, sur son bras libre, un tout-petit auquel elle donnait le sein, et ses yeux restaient fixés sur les yeux du bébé – il puisait en elle sa nourriture, elle puisait sa force en lui. Face à la mort imminente, ils se donnaient mutuellement la vie.

La scène émut Séléné. Jusque-là, elle avait trouvé le défilé trop bruyant ; Artavasdès, affreux avec sa barbe noire ; le dieu, trop bleu ; le chien des Enfers, effrayant ; et son père, ridicule en Dionysos. Elle n'aimait pas non plus les mugissements désespérés des bêtes qu'on égorge, ni l'odeur douceâtre du sang chaud qui montait maintenant des autels. Mais elle s'illumina en apercevant le bébé.

Brusquement, elle s'inquiéta du sort des prisonniers. « Fils d'Amon, demanda-t-elle tout bas à Césarion sérieux comme un pharaon, que va-t-on faire des Arméniens ?

– Les tuer, dit-il.

– Tous ?

– Les généraux, certainement. Le Roi et ses grands fils, plus tard.

– On les tue comment, dis ? Comme les veaux ?

– Non, on les décapite.

– Et les femmes ?

– Elles seront esclaves.

– Et les petits enfants ? Ils resteront avec leurs mamans ?

– On les sépare. »

Nicolas, le précepteur, qui se tenait plus bas face à la loggia, mit un doigt sur ses lèvres pour inciter les bavards à plus de discrétion : l'Imperator faisait maintenant déposer aux pieds de la Reine les plus belles pièces du butin, portées sur des brancards. Des armures de parade en or, d'immenses cratères d'argent, des dieux d'airain incrustés d'opales ; plus trois ours en cage. Des coffrets d'ivoire sculpté, des vases murrhins arc-en-ciel, des monceaux d'ambre gris ; plus deux loups du Caucase. Des coupes d'onyx, des amphores de myrrhe ; plus une paire d'albinos. Enfin, tout un bric-à-brac exotique dont Séléné s'ennuya vite. Elle tira sur la tunique de son grand frère : « Les enfants d'Arménie, si on les sépare de leurs mamans, où est-ce qu'ils iront ?

– Les filles, en Haute-Égypte, comme concubines chez des *nomarques* ou des *épistates*.

– Et les petits garçons ?

– Les garçons, on les vendra sur les marchés. Sous des nouveaux noms : Achille, Hermès, Périclès… Il ne faut pas qu'ils se souviennent.

– Même les bébés, on les vendra ? Alors, je veux qu'on me donne celui qui tète sa mère ! Il est tellement mignon ! Je le veux comme esclave ! Rien que pour moi ! »

L'archichambellan fit « les gros yeux » : derrière les longs éventails de plumes qu'agitaient leurs serviteurs, les enfants royaux se dissipaient. Nicolas de Damas traversa le cloître, se glissa dans la tribune et, osant poser la main sur l'épaule de la princesse : « Plus un mot, Séléné, ou je te fais fouetter dès que nous serons de retour au Palais ! »

La petite soupira ; elle détestait ce Nicolas, et tous les Grecs de la vieille Grèce, tous les Syriens, tous les Hellènes ;

elle préférait étudier avec Diotélès et apprendre la langue des autruches. Sur sa chaise basse, Ptolémée Philadelphe s'était endormi ; mais il dormait en prince : droit contre son dossier, sans vaciller. À son tour, Séléné, fatiguée de se taire, ferma les yeux : « De toute façon, j'aurai ce bébé ! »

Elle avait refusé de dîner. « Demain, disait Cypris, on cherchera ce bébé dès demain, je te le promets. Ou après-demain. Sitôt que les cérémonies seront finies. – Non, tout de suite ! Après, il sera vendu, mon bébé ! Je veux voir l'Imperator ! – Ton père est dans son palais. Mange, mon miel d'azur. Tu dois prendre des forces pour demain : tout le peuple te regardera. Tu vas être reine, ma colombe. – Je ne veux pas être reine. Et je ne mangerai que si le bébé est à côté de moi ! »

« Un caprice ! dit le précepteur à la nourrice. Peux-tu imaginer, un seul instant, la fille de la reine d'Égypte, la fiancée du Pharaon, élevant un fils d'Arménie ? Qu'elle s'occupe de ses poupées ! » Séléné repoussa toute nourriture, même le melon d'eau et les grenades ; puis elle se mit à réclamer plaintivement sa chambre, son singe et son Pygmée. À son tour, Ptolémée, enhardi, réclama ses chats ; et Alexandre regretta, avec des trémolos dans la voix, sa volière et ses petits soldats de bois. Il est vrai que, pour rapprocher les jeunes princes du centre-ville, on les avait tous transportés du Palais Bleu au Palais des Mille Colonnes, l'un des édifices « du Dedans », coincé entre deux obélisques, derrière le Pavillon des Archives Royales et la Résidence des Hôtes qu'avait habitée Jules César. À part Iotapa, qui s'accommodait de tout et n'était plus à un déménagement près, les autres faisaient grise mine. Cypris aussi : les chambres étaient trop vieilles, trop vides, trop sombres, et peintes, dans le goût indigène, de monstres à tête de vautour et cornes de bélier – une horreur ! En plus, on y marchait sur des mosaïques de galets, aussi démodées qu'inconfortables. « La Princesse est très sensible, expliquait la nourrice au précepteur, elle fait des caprices parce qu'elle a peur, ici…

– Dans deux jours, nous serons de retour au Palais Bleu. Et si elle ne veut pas manger, qu'elle dorme ! »

Elle ne dormit pas. Elle avait peur, en effet. Non des scènes de chasse et des étranges personnages représentés sur les murs – la veille, ils l'avaient effrayée, mais à présent elle n'y songeait même plus. Elle ne pensait qu'au bébé : « Si on l'a séparé de sa mère, dit-elle à Cypris, qui lui donnera du lait ? Il va mourir ! – Mais non, mon pigeon doré. On lui trouvera une nourrice. Comme pour toi. – Est-ce que les esclaves arméniens ont des nourrices ? – Bien sûr ! – Ah… Mais après-demain il aura déjà changé de nom ! J'ai peur : si on lui a changé son nom, le marchand ne le retrouvera pas ! – Oh, que si ! Les gardes de ta mère descendront au marché et diront à ces vendeurs de pois chiches : "Sous peine de mort, nous exigeons la restitution du nourrisson qu'a vu la princesse !" Après-demain, ils pourront même dire : "Ordre de la *reine de Crète et de Cyrénaïque.*" Car tu seras reine, mon poussin bleu ! Une reine, on lui obéit ! »

Puis, espérant calmer son « petit scarabée », Cypris lui chanta l'une de ses berceuses d'autrefois : « Dors, souhait-de-mon-cœur, petit enfant de la splendeur… Ah, dira le Roi ton fiancé, que ne suis-je le blanchisseur qui lave ses voiles parfumés, je connaîtrais l'odeur de son corps ! Que ne suis-je le fleuve où elle descend se baigner, je la caresserais de mes flots ! Dors, souhait-de-mon-cœur, petit enfant de la splendeur… »

Mais Séléné, dévorée d'angoisse, ne dormit pas. Au matin, les *ornatrices* durent forcer sur le maquillage : elle avait l'air terne et froissé d'un papillon de nuit surpris en plein jour.

DANS les litières qui les emmenaient vers le Grand Gymnase, les enfants, pour la première fois, virent la foule de près. La veille encore, dans l'enceinte du Sérapéum, ils n'avaient affronté que la Cour et le clergé : le public était resté dehors, à admirer les légions. Mais ce jour-là, tout au long des avenues, c'étaient les Alexandrins qui se pressaient sur leur passage, le bas peuple mal dégrisé des beuveries de la veille et la cohue des petits fonctionnaires.

Une foule en fête est aussi terrifiante qu'une foule en colère ; le bruit devint plus terrible encore quand on se rapprocha du Gymnase ; de loin, le fronton du Bouleutériôn, les colonnades et les promenoirs de l'Agora, les escaliers des temples, semblaient noirs de mouches : ils étaient couverts de spectateurs superposés, agrippés, suspendus partout. Il y avait des Grecs juchés sur les toitures des portiques, et des Hellènes d'Asie accrochés dans les palmiers ou montés sur les épaules de pierre des Hermès ; quant aux Juifs, aux Italiotes et aux indigènes, qu'on avait refoulés du Gymnase parce qu'ils n'étaient ni citoyens ni « assimilés », ils avaient escaladé la colline de Pan et, assis sur le bord escarpé du sentier, les jambes dans le vide, ils s'apprêtaient à regarder la cérémonie d'en haut. Et tous hurlaient, riaient, tonitruaient, soufflaient dans des conques ; on voyait circuler de main en main, et de bouche en bouche, des outres remplies du vin gratuit distribué sur les places.

Précédées de la garde celte – des Gaulois d'Anatolie, aux cheveux rouges –, les litières des princes s'arrêtèrent sur l'esplanade de la palestre, devant une longue estrade d'argent. En sortant de leurs boîtes fermées, les enfants furent éblouis par le reflet des parois dans la lumière de midi ; Séléné crut qu'on lui lançait au visage un essaim d'abeilles, elle mit les mains devant ses yeux, mais, déjà, son porteur bithynien l'avait prise dans ses bras pour la poser sur l'avant-dernière marche du podium, où l'on avait placé un trône d'or à sa taille.

En s'asseyant face au public, elle remarqua qu'il y avait, à sa droite et à sa gauche, d'autres trônes, de hauteurs diverses. Sur un trône jumeau du sien, Alexandre était en train de s'installer à son tour, gêné par la bizarrerie de son accoutrement : une longue robe étroite, qui embarrassait ses mouvements, et un bonnet en pointe, haut, raide et brodé de perles, qu'on appelait « tiare » – c'était la coiffure des souverains de Médie, d'autant plus encombrante qu'on y avait ajouté, pour se faire mieux comprendre des Grecs, le diadème traditionnel, flottant jusque sur la nuque. Alexandre avait beaucoup de mal à maintenir en place cet échafaudage qui, à tout moment, menaçait de s'écrouler ; une fois sur son trône, il n'osa plus remuer ; il gardait la tête aussi droite que s'il avait eu le cou bloqué par un torticolis, et il ne risqua même pas un regard vers sa sœur. Séléné, plus mobile, s'aperçut, en se tournant vers sa gauche, que Ptolémée Philadelphe venait d'occuper l'un des sièges restants et qu'on l'offrait, lui aussi, à l'admiration des foules ; ses pieds ne touchaient pas le sol et il transpirait sous un costume macédonien conçu pour des climats plus frais : une cape épaisse, comme en avaient porté ses aïeux, des bottines lacées, et un large chapeau de feutre qu'on avait entouré du diadème blanc. Bien que déguisée d'une tunique cyrénéenne à rubans qui lui déplaisait, et coiffée de boucles serrées qui avaient nécessité une éprouvante séance de frisage au petit fer, Séléné se dit qu'elle n'était pas la plus mal partagée.

C'est d'ailleurs ce que lui fit comprendre par gestes son demi-frère romain, Antyllus, debout au premier rang des spectateurs, à côté d'Iotapa (ils avaient de la chance, ces deux-là, ils n'étaient pas rois !). Antyllus, toujours prêt à rire, grimaçait pour amuser sa sœur et désignait du doigt leurs deux frères en secouant la tête et en pouffant. Son manège ne fut interrompu que par l'arrivée de Césarion, *roi de Haute et de Basse-Égypte*, *Fils d'Amon*, *Seigneur des Diadèmes*, *Aimé d'Isis et de Ptah*. La foule fit silence lorsqu'il vint, à droite d'Alexandre, occuper le quatrième trône. Son apparence avait toujours imposé le respect, c'était encore plus vrai maintenant qu'à treize ans il avait presque la taille d'un homme. Il était vêtu à l'égyptienne, avec un pagne plissé et un pectoral d'émail bleu, et il ne portait ni couronne ni diadème, juste le némès, cette coiffe de lin rayé qui descendait, comme un keffieh, jusqu'aux épaules.

Les trompettes sonnèrent, et un détachement militaire pénétra dans l'enceinte, précédant l'entrée de l'Imperator.

Sur la toiture des portiques, les spectateurs poussèrent un cri de joie ; en bas, la foule s'écarta : Marc Antoine traversait l'immense esplanade à pied, entouré de ses vingt-quatre licteurs et des plus beaux hommes de sa garde. Il ne semblait pas craindre la concurrence : sous son manteau de pourpre, sa tunique romaine lui découvrait les cuisses – qu'il avait la coquetterie de trouver bien faites –, et, entre tunique et manteau, la « cuirasse musclée » des parades lui faisait un torse avantageux. Au reste, il n'avait pas besoin de prouver quoi que ce fût : personne n'ignorait que, fort comme son aïeul Hercule, il pouvait broyer une noix entre le pouce et l'index et prendre un bœuf par les cornes pour le coucher par terre ; les Alexandrins qui le voyaient parfois s'entraîner dans le Gymnase savaient à quoi s'en tenir. Lui seul devinait parfois, dans les miroirs de bronze et d'argent, que ses tempes commençaient à blanchir. Mais comme il était très blond, à trois pas on n'en soupçonnait rien. Alors, de Rome, vous pensez bien ! De Rome, comment le challenger se serait-il douté que le tenant du titre vieillissait ?

Debout au pied de l'estrade d'argent, l'Imperator attendit la Reine. Qui fit une entrée hollywoodienne. Car ce sont bien les Anciens qui ont inventé Hollywood, encore qu'ils n'aient été ni des rois de l'effet spécial (ils aimaient mieux le *live*), ni des as de la technique : trop d'esclaves, en vérité, trop de main-d'œuvre gratuite pour que les grands esprits aient besoin de se pencher sur la vie pratique – *de minimis non curat praetor*... Mais le spectacle, ils ne le rangeaient pas dans les *minimis* ! Décor, costumes, trucages, figuration, là-dessus ils en savaient long. C'étaient sur des trappes à ouverture pneumatique, des dragons mus par des siphons, des oiseaux mécaniques et des ascenseurs pour fauves, que leurs ingénieurs planchaient – avec succès.

Alors qu'ils nous ont presque tout dit de ces Donations d'Alexandrie, la plus grande représentation jamais donnée par Marc Antoine, et qu'ils s'attardent volontiers sur les costumes folkloriques des enfants, les historiens antiques ne nous ont pas décrit la tenue choisie par la Reine. Mais on peut lui faire confiance, elle n'avait pas dû opter pour la discrétion. En actrice consciencieuse, elle savait ce qu'elle devait à son public et, en souveraine prudente, à ses dieux.

Supposons donc que, pour l'occasion, elle avait posé sur sa perruque tressée de perles les cornes d'or de la déesse Hathor, fille de Ptah, et les plumes, métalliques aussi, de la déesse-vautour, coiffure on ne peut plus « isiaque ». En tout cas, quand l'*Imperator Autocrator* et la reine d'Égypte, *Maîtresse des Deux Terres*, eurent, à leur tour, gravi les marches de l'estrade qui étincelait au soleil et qu'ils se furent assis tout en haut, sous le baldaquin rouge, un degré au-dessus des quatre enfants, afin que la foule pût les contempler côte à côte sur leur double trône d'or et d'ivoire, le cri d'admiration d'Alexandrie dut s'entendre jusqu'à Rome… Aussitôt, une pluie de roses tomba du ciel et les prêtres mirent de l'encens à brûler dans les cassolettes disposées au bas du podium comme au pied d'un autel. Ce jour-là, mais ce jour-là seulement, la « *Nouvelle Isis* » et le « *Nouveau Dionysos* » se prirent peut-être pour des dieux.

Et le dieu mâle prit la parole. Pour faire l'amour avec le peuple grec, avec la langue grecque, dont il épousait la musique jusqu'à l'ivresse. Séléné ne voyait pas l'Imperator, car il se tenait derrière elle ; elle ne voyait pas non plus les spectateurs, dont la séparaient à présent les fumées de l'encens. Mais elle entendit les claquements de langue approbateurs des citoyens et les applaudissements frénétiques des Juifs perchés à l'écart, sur la colline de Pan. Elle entendit le duo d'amour du dieu mâle et du peuple femelle. Roucoulement de la foule invisible, qui tantôt enfle et tantôt s'apaise, pendant que plane, puissante, la voix de l'orateur : on dirait qu'il chante, tant il sait moduler son discours, passant du martèlement à la caresse, de la sérénade à l'hymne guerrier. Et la foule se laisse prendre, joue les chœurs, l'accompagne, la foule est son instrument, cette foule qui encercle l'estrade, la surplombe, et qui menace à tout instant – croit l'enfant – de rompre ses digues et de submerger le fragile cordon des prêtres drapés de blanc.

Séléné ne comprend pas ce que dit son père, elle écoute l'air sans saisir les paroles, mais voilà qu'il accroche son attention en énumérant leurs noms par rang d'âge – Ptolémée Philadelphe, Cléopâtre-Séléné, Alexandre-Hélios, Ptolémée César –, et il les associe, ces noms, à d'étranges nations : à Philadelphe il octroie la Phénicie, la Syrie du nord et la Cilicie, à elle la Crète et la Cyrénaïque, à Alexandre l'Arménie, la Médie et l'empire parthe, à Césarion il confirme la possession de l'Égypte, de Chypre et de la Basse-Syrie. Puis, tout à coup, en artiste consommé, il brise cette longue psalmodie pour prononcer deux mots, qu'il lance très haut comme un contre-ut : « Basiléôn Basiléia ! » *Basiléôn Basiléia*, la Reine des rois, « mère-des-enfants-qui-sont-tous-rois », voici la plus grande reine de tous les temps, dit-il, Cléopâtre, *Hyperbasiléia* ! Alors la foule exulte, la foule explose, la foule jouit ; et le minuscule Philadelphe, effrayé, se met à pleurer ; et le corps de la petite fille se contracte… Prémonition ? Elle souffre de la terreur de son frère face à la foule hurlante, cette foule aveugle et sourde qui va les écraser, les dévorer.

Un charlatan, voilà comment certains historiens jugent aujourd'hui l'Antoine des « Donations ». Bonimenteur, bateleur de foire : n'a-t-il pas osé donner à ses enfants des pays qu'il n'avait pas conquis ?

Bien sûr, les Donations d'Alexandrie, c'est du poker menteur. Une opération de propagande. Pour séduire les Alexandrins en leur faisant miroiter la perspective d'une « grande Égypte », pour rassurer les autres Orientaux en leur parlant le seul langage qu'ils connaissent, celui des dynasties, et pour reconnaître, au nom de Rome, la filiation romaine de Césarion – histoire d'embarrasser Octave. Car la nouveauté dans cette affaire, ce n'était pas de confirmer les droits du garçon à monter sur le trône d'Égypte, la nouveauté, c'était qu'Antoine, représentant suprême de Rome en Orient, élu consul par le Sénat cette année-là, désignât officiellement le jeune prince comme « Ptolémée *César* ». Façon de rappeler qu'Octavien César, lui, n'était que le petit-neveu du demi-dieu : Romains, suivez mon regard… Et réponse du berger à la bergère : Octave ne venait-il pas de pousser le même Sénat à décerner des honneurs exceptionnels à sa sœur Octavie ? Pour l'unique raison, apparemment, qu'elle était cocue ! C'était bien la première fois dans l'Histoire que la patience d'une femme bafouée était reconnue comme une vertu civique... À cette dernière provocation s'ajoutait le fait que l'Imperator d'Occident n'envoyait toujours pas les vingt mille légionnaires qu'Antoine continuait de réclamer, et qu'il venait d'annexer l'Afrique du Nord qui, dans le partage du monde, ne lui était pas attribuée. Alors, en adressant à son « cher beau-frère », du haut de l'estrade d'argent, une menace à peine voilée, Marc Antoine n'était sans doute pas mécontent de son effet. Il avait tort.

À ce moment-là, il y a dix ans que César est mort, et Octave n'est plus, comme au début, un gamin que le hasard des parentés a fait héritier du Dictateur ; à Rome il est craint et respecté pour lui-même. Craint, surtout. Ses deux amis, Agrippa pour l'armée et Mécène pour la basse police, ont fait du bon travail : tout le monde tremble ! En tout cas, la moitié de l'aristocratie... Il est trop tard maintenant pour lui jeter dans les pattes le fils de l'Égyptienne. Du reste, aux yeux des Romains, cet enfant-là n'a jamais cessé d'être un métis.

Quant aux trois plus jeunes princes, d'aucuns diront plus tard que leur père aurait aussi bien pu les faire empereurs de Chine ou rois de la Lune – puisqu'il ne possédait pas les royaumes qu'il distribuait ! Certainement, le public d'Alexandrie, si fin, si politique, n'était pas dupe, il s'amusait, s'amusait du mari de la Reine et de ses galéjades. C'est ce que croira Cavafis, un Grec du XXe siècle. Dans ses poèmes, il assure que les Alexandrins se doutaient bien que « tout ça n'était que du théâtre», mais le temps était si doux, les petits rois si gracieux, la fête si réussie, qu'ils cédaient à l'enthousiasme, poussaient des acclamations «en grec, en égyptien, en hébreu, tout en sachant quels mots creux étaient ces royautés». Royautés bidons pour public sans illusions. Ultime représentation avant la chute…

Pourtant, quand Séléné devient *reine de Crète et de Cyrénaïque* – régions qui sont effectivement sous l'autorité de son père –, il reste trois ans avant la défaite d'Actium, quatre avant la chute de la ville. Ce n'est pas encore le commencement de la fin : l'échec n'est ni patent, ni même prévisible. Ou bien il faudrait faire commencer la fin dès qu'Antoine est battu par les Parthes ; ou plus tôt, quand il accepte de partager le monde avec Octave ; ou encore avant, quand il ne supprime pas discrètement le gringalet qui vient réclamer l'héritage de son grand-oncle…

Quand commence «le commencement de la fin» ?

La fin commence dès le début. Pour les Anciens, tout était écrit. Il fallait seulement savoir lire – dans les astres, les rêves, les entrailles des victimes, le vol des oiseaux, les flammes du feu et les menus incidents de la vie. Le médecin Glaucos, qui, comme tous les savants du Muséum, était présent au Grand Gymnase ce jour-là, le médecin Glaucos lisait maintenant à livre ouvert dans le destin de ses rois.

Il y avait eu d'abord cette scène prémonitoire des lamentations des *Perses* récitées par Antoine juste avant la campagne de Parthie ; puis le bris par Séléné de la statuette d'Isis ; ensuite, deux lauriers-roses plantés au Palais lors de la naissance des jumeaux avaient été arrachés par un orage ; plus tard, une esclave ayant oublié de refermer la porte d'une volière, on avait retrouvé un couple de colombes et ses cinq poussins massacrés par un cormoran… Mais les signes survenus pendant les Fêtes étaient de loin les plus inquiétants : chacun des jeunes princes portait un sceptre à sa taille ; or Philadelphe, qui tenait son sceptre dans sa main droite, l'avait très vite passé dans sa main gauche, ce qui n'était pas du meilleur augure ; puis, quand son père, dans une péroraison très applaudie, avait présenté Cléopâtre comme « la Reine des rois », le bambin, ému ou apeuré, avait laissé le sceptre lui échapper ! Horrible présage ! Ne parlons même pas de ce que les prêtres de Sérapis avaient, paraît-il, observé la veille : le chien des Enfers sculpté par Bryaxis avait remué aux pieds du dieu.

Glaucos, en fait de prodiges, n'était guère crédule. Esprit éclairé, il ne se croyait même pas superstitieux. Ne fréquentait aucune sorcière, honorait posément les dieux. Il n'empêche qu'il y avait maintenant de quoi se sentir troublé : la fin de la dynastie était dans tous les signes… Mais qui pouvait dire combien de mois ou d'années encore ces rois condamnés vivraient comme des dieux ? Ce soir, à la Cour, ils s'apprêtaient à donner un grand banquet…

La fin est dans le commencement. Cachée au cœur du commencement. Comme une malédiction génétique, la mort croît avec la vie. Combien de temps avant que le mal paraisse et devienne irréfutable ? Irrémédiable, il l'est déjà. Depuis le début.

Dans l'île d'Antirhodos, le Palais Neuf brille de tous ses feux ; la Reine ne lésine pas sur l'huile de lampe – et rien que de l'huile d'olive. D'importation, évidemment. Cléopâtre a construit une part de sa réputation sur la somptuosité inégalée de ses éclairages. Partout, des lustres, des lampadaires, des girandoles, des pyramides de flammèches, qui dévorent l'excédent budgétaire : « Mon royaume part en fumée », dit-elle en plaisantant. Seuls les prêtres ne rient pas : pour éblouir les roitelets d'Asie, acheter leurs conseillers et financer les campagnes d'Antoine, il lui faut toujours plus d'argent – elle vient d'ordonner un inventaire général des richesses des temples. Déjà, elle a fait recenser par ses fonctionnaires les biens des marchands d'Alexandrie et confisqué l'« excédent » au profit du Trésor Royal. « Mais voyons, il n'est pas question de priver les dieux de quoi que ce soit ! a-t-elle expliqué au clergé de Ptah, venu de Memphis en délégation pour exprimer ses inquiétudes. Simplement, les temps sont incertains. Qui sait ce que nous réservent les Parthes ? Je vous propose de mettre vos plus belles pièces en sécurité dans mon Trésor, sous la garde de mon armée. »

Ce soir, au sable répandu dans les cours du Palais, elle a fait mêler de la poussière d'or ; à la lueur lointaine du Phare, les porte-lanternes qui attendent, assis par terre, la sortie des dîneurs tamisent le sable en espérant attraper quelques paillettes ; mais, comme l'eau qui coule et les nuages qui fuient, l'or glisse entre leurs doigts.

Tandis qu'on décoiffe la Reine après le dîner, qu'une esclave ôte les épingles et qu'une autre dénoue les tresses, Antoine entre dans la chambre royale, encore vêtu de sa robe de banquet. Il découvre avec agacement Cléopâtre entourée de servantes et d'enfants : Ptolémée Philadelphe dort en suçant son pouce, couché nu comme Cupidon sur le lit de sa mère, ses bottines aux pieds ; Iotapa est allongée sur un tapis, les bras en croix ; et Alexandre, engoncé dans ses habits d'apparat, somnole dans un fauteuil, épuisé par l'effort qu'il vient de fournir en récitant aux convives quelques vers de l'*Iliade*. Nicolas, son précepteur, avait choisi un texte « en situation », les bénédictions d'Hector adressées à son jeune fils. Derrière le petit roi aux titres pompeux – « Seigneur suprême de Médie, Divin Monarque d'Arménie, Frère du soleil de Ctésiphon et de la lune d'Ecbatane » –, le Syrien, accroupi, jouait les souffleurs : « *L'illustre Hector, en riant, ôta le casque de sa tête et le posa, tout brillant, sur le sol. Puis, quand il eut embrassé l'enfant, il dit : "Zeus, accorde à mon fils de se distinguer parmi les Troyens ! Et que l'on dise un jour, à son retour d'une bataille : Celui-ci vaut encore mieux que son père !"* »

Alexandre avait buté sur deux ou trois mots, mais l'intention était touchante, l'allusion, flatteuse. Nicolas de Damas se révélait habile courtisan – et bon précepteur puisque, au vif soulagement de l'Imperator, les princes commencent enfin à réciter de l'Homère : il n'est que temps ! Ce poème venu du fond des âges que les écoliers apprennent à scander en mesure, ce poème qui leur entre dans le corps avant de leur entrer dans l'esprit, c'est la Torah des Anciens, leur Coran, leur catéchisme.

Antoine passe la main dans les boucles du garçon qu'on a enfin débarrassé de sa tiare. « Tu as bien déclamé, mon fils... Puisses-tu être un jour aussi célèbre qu'Hector ! Maintenant il est temps d'aller te coucher. Fais porter les princes jusqu'à leur bateau, dit-il en se tournant vers Charmion, première femme de chambre de la Reine.

– C'est que... le bateau des princes ramène à terre les ambassadeurs de Bithynie. Les délégués étrangers se sont fait accompagner de suites plus nombreuses que prévu, et nous avons dû...

– Alors, les enfants sont retenus ici ? C'est odieux ! Je ne veux plus vivre dans ce palais. Tout y est trop compliqué. Forcément, une île ! "Oh, mais c'est charmant, une île, disent les imbéciles, quelle belle idée ! C'est tellement joli..."

– C'est tellement sûr, dit Cléopâtre sans élever la voix.

– Sûr ? Pourquoi ?

– On voit bien que tu ne t'es jamais trouvé assiégé dans le Quartier-Royal par la populace d'Alexandrie. César et moi, si. »

Antoine a trop bu. Il se sent las. Il n'est pas d'humeur à supporter que celle dont il vient de faire une « Reine des rois » évoque, une fois de plus, le souvenir de César. Pas plus qu'il n'a goûté, tout à l'heure, avant le banquet, ses reproches en aparté : « Ton discours était superbe, Imperator. Mais Césarion se demande pourquoi tu as proclamé Alexandre roi des Parthes. Roi d'Arménie, d'accord : nous venons de montrer Artavasdès enchaîné. Pour la Médie aussi, le titre allait de soi, puisque Iotapa était là, au premier rang. Mais l'empire des Parthes, c'est très exagéré. Je sais, je sais bien que tu es censé avoir infligé à ces Barbares de terribles pertes, mais de là à prétendre que tu les as soumis ! Césarion craint que les partisans d'Octave ne tournent cette affaire en ridicule, qu'on ne te reproche de te payer de mots… »

Césarion, encore Césarion ! Il ne va tout de même pas s'abaisser, lui, vainqueur de Philippes, *Autocrator* des Grecs, Imperator d'Orient, à discuter les opinions d'un gamin de treize ans ! D'un gamin qui lui doit tout, d'ailleurs : que serait l'Égypte sans la protection des légions qu'il y laisse en garnison ? une colonie parthe ? une province romaine ? Et le mouflet – qui a déjà sa cour, bien entendu, tout le monde rampe chez ces sacrés monarques, ces foutus despotes –, le mouflet ose le juger ! Lui donner des conseils, peut-être ? Vive la République !

Mieux vaut se taire, il en dirait trop. De toute façon, il a mal à la tête. Déteste l'odeur lourde des chandelles et des lampes. Il marche jusqu'à la fenêtre ouverte sur la cour des Trois-Citernes. Presque l'aube déjà : en bas, de fortes servantes vont et viennent pour remplir les cruches, des vieillards accroupis lissent à la balayette le sable d'or où se sont imprimés les pas. L'air du matin sent la résine et la mer ; il préfère cet air-là aux nards trop capiteux dont on a enduit hier le chambranle des portes et les montants des lits. Ce vent frais lui fait du bien. Il a trop bu, c'est sûr, mais pas au point de perdre la tête. Quand il est saoul, il n'est jamais violent. Porté par l'ivresse, il est d'abord joyeux, généreux, bavard ; il se croit le meilleur, il tutoie les dieux ; puis, très vite, il retombe dans des abîmes de tristesse. Ce matin, il a envie de pleurer : depuis longtemps, il a compris qu'il ne sera jamais le premier dans l'esprit de la Reine ; avant lui, il y a Césarion…

Allons, il ne va pas être jaloux d'un mâle impubère, quand même ! Et d'un beau-fils, qui plus est ! Il n'empêche qu'il se demande parfois si Cléopâtre, en s'offrant à lui, ne voulait pas d'abord sauver Césarion. Pour préserver la vie et l'héritage de son fils, elle traverserait les Enfers, elle se donnerait à Hadès, elle baiserait le chien Cerbère et lécherait Seth-le-Roux, l'assassin d'Osiris ! Drôle d'Isis !… Mais l'enfant, Antoine n'arrive pas à lui en vouloir, bien qu'il le trouve imbu de son personnage : par son père, le gamin descend des Julii, et, dans cette famille-là, ce sont tous des donneurs de leçons ! Même le plus grand d'entre eux, César, en son temps : « Antoine, tu ne devrais pas banqueter jusqu'au matin », « Laisse tomber tes danseuses, Marc, largue ta Cythéris ! », « Tu parles trop, Marc Antoine, et pas toujours à propos… »

Oui, bon, « l'empire des Parthes »… Eh bien quoi, l'empire des Parthes ? Faut-il expliquer à tous ces pisse-froid qu'un discours, c'est de l'art ? Et Dionysos *le donneur de joies* l'a prouvé : l'art et l'amour charnel ne font qu'un. Tout à l'heure, au Gymnase, lui, l'Imperator, a fait l'amour avec la foule – on ne contrôle pas ce qu'on dit quand on jouit ! Dans les moments d'extase, il traite bien Cléopâtre de « chienne », elle ne prend pas le mot au pied de la lettre. Au contraire. Qu'il s'égare, qu'il blasphème, qu'il *lèse* sa *majesté*, elle adore ça… Alors, le peuple d'Alexandrie (« la populace », comme dit la reine d'Égypte avec mépris), ce peuple gai, subtil, fraternel, a parfaitement compris que la Parthie arrivait là pour la rime et sur la lancée ; qu'ensemble, peuple et orateur, ils avaient depuis longtemps effacé les frontières, dépassé les limites ; le dieu les possédait, ils rêvaient d'Alexandre, rêvaient le rêve dionysiaque d'Alexandre, ils étaient ailleurs, ils étaient heureux.

La Reine a poussé un grand cri : « Ne touche pas à mes épingles à cheveux, Séléné ! Pas celles-là ! Jamais ! » Séléné, seule de tous les enfants à ne pas somnoler, venait d'ouvrir, sur la table de toilette de sa mère, un petit coffret où étaient rangées des épingles à tête d'émeraude et de grenat, semblables à celles qu'elle s'amusait autrefois à regarder en transparence. Et voilà que sa mère a hurlé et lui a donné un coup sec de cuillère à fard sur les doigts. La petite, terrifiée d'avoir déplu, s'enfuit en sanglotant... et s'empêtre dans les jambes et la robe de son père.

« Allons, allons... il ne faut pas pleurer comme ça, les larmes te rendent laide ! » Elle a les joues barbouillées de khôl. « La Reine n'est pas fâchée, mon pauvre ânon, elle est seulement fatiguée » (il pense : que cache-t-elle dans ces épingles ? De quoi a-t-elle eu peur en voyant l'enfant y toucher ?). « Nous sommes tous très fatigués. Que puis-je donner à ma fille chérie pour qu'elle me sourie ? Une nouvelle poupée ? »

Séléné secoue la tête. Elle ne veut rien. Rien de possible : ne pas se faire gronder et ne plus être reine. Depuis qu'elle a entendu tous ces inconnus hurler et applaudir sur son passage, qu'elle les a sentis se presser contre sa litière, qu'elle a vu toutes ces bouches ouvertes, des milliers de bouches ouvertes, des milliers de langues qui claquent, elle a peur. Il lui semble qu'elle est salie, qu'elle n'est plus une enfant normale. Elle vient de comprendre que toutes les petites filles ne sont pas reines, elle est différente. Elle a peur, comme lorsqu'elle a la fièvre. Honte, comme si un pus jaune sortait de ses yeux. Elle est impure, malade…

« Que veut ma fille bien-aimée ? Une chèvre blanche pour atteler à sa carriole ? un nouveau perroquet ? une mangouste ? »

Tout à coup, elle repense au bébé d'Arménie. « Je veux un esclave, dit-elle.

– Mais tu en as des centaines ! Tous les serviteurs du palais…

– Je veux un esclave à moi !

– Ah, parce que tu es reine, c'est ça ? Il te faut des serviteurs personnels ? C'est juste, je te chercherai une gentille esclave crétoise. Ou un beau nomade de Cyrénaïque…

– Je veux un esclave d'Arménie !

– Mais non, ma chérie, l'Arménie n'est pas à toi, elle est à ton frère… »

Alors, elle explique ce qu'elle a vu la veille, au Sérapéum : le bébé dans le défilé des captifs, la mère et le bébé. « Voyons, Séléné, dit Antoine en riant, quel service te rendrait un bébé ? Que peut-on demander à un bébé ? » Mais elle insiste, s'entête. Quelle enfant difficile ! Exaspéré, l'Imperator coupe court : « De toute façon, à l'heure qu'il est, les prisonniers sont tous morts ou vendus. C'est la loi de la guerre. L'enfant d'hier n'existe plus. »

SOUVENIR DE LECTURE

Palais de Cléopâtre. Beaucoup de couleurs : colonnes de porphyre vert, lambris plaqués d'or, consoles de jaspe rouge. Luxe de milliardaire. Plus originales, les portes des appartements : en écaille de tortue des Indes incrustée d'émeraudes.

Non moins étonnante, la décoration de la cour des Nymphes : les galeries y étaient, paraît-il, « en ivoire » – parements sur les murs ? pilastres ? colonnettes ? ou juste les caissons du plafond ?

L'ivoire, de toute façon, les rois-pharaons en raffolaient ; ils faisaient importer des défenses d'éléphant depuis Ptolémaïs-des-Chasses, leur port africain.

Quant à l'ameublement, il est tout sauf dépouillé. Des candélabres « dionysiaques » de deux mètres de haut aux pieds en pattes de panthère, des lustres d'argent débordant de grappes, et d'énormes cratères de marbre disposés en enfilade dans des pièces déjà encombrées de bibelots, tapis, vases, statues : c'est l'encaisse-or de l'État. Plus belle et plus utile que nos dollars : Cléopâtre mange habituellement dans sa réserve de change – de la vaisselle d'or. « Ma poterie », dit-elle avec simplicité…

Mais de tout cela, Séléné se souviendra moins bien que les écrivains d'autrefois, Diodore, Strabon, Lucain. Combien de temps a-t-elle passé à Antirhodos, combien de fois y a-t-elle vu ses parents ?

ILS sont partis. Ils repartaient toujours. Quelques réceptions à Antirhodos, quelques parties de chasse, quelques audiences solennelles, et ils repartaient.

Marc Antoine, le premier : il a embarqué juste après les Donations, avant que la mer ne soit fermée. Une fois encore, il prendra ses quartiers d'hiver à Antioche, capitale de la Syrie, car il prépare une nouvelle expédition en Arménie – pour desserrer l'étau parthe. Il poursuit un rêve têtu : rouvrir la route des Indes, celle de Dionysos et d'Alexandre. Un rêve dont Cléopâtre ne le laisse pas s'éveiller.

Sa femme égyptienne… Elle l'a rejoint après avoir ramassé l'or des temples et lancé un nouveau programme de construction. Pour son Imperator, elle veut maintenant un petit palais *continental*, un pavillon isolé au bout d'une jetée, près du temple de Poséidon – « quelque chose de simple, a-t-il lui-même précisé, une hutte, la tente d'un soldat » –, mais la Reine n'imagine pas une hutte sans un peu de porphyre et un soupçon d'ivoire… Pour elle, elle a commandé, dans le Quartier-Royal, en lisière du « Précieux Corps », un mausolée digne de sa célébrité ; étroit, certes, car l'enceinte est bondée, mais plus haut que celui de ses ancêtres : une tour-pylône qui dominera la « Cité interdite », le Sôma d'Alexandre et le temple d'Isis Lokhias. Enfin, pour les jumeaux, elle fait entreprendre la rénovation complète d'un vieux palais, celui des Mille Colonnes : les enfants ne retourneront pas au Palais Bleu, trop éloigné du Muséum et de la Bibliothèque ; sous la direction de Nicolas, leurs études vont prendre un tour sérieux.

La Reine est partie après avoir approuvé les maquettes des architectes et les projets du précepteur. Césarion, aidé des bureaucrates qui administrent l'État, l'épistolographe, les hypodioïcètes, antigraphes, épistratèges et autres chronographes, veillera à la bonne exécution des ordres. *Horus d'or*, *Fils d'Amon-Râ*, *Maître des deux déesses*, il signera les décrets de justice et les ordonnances du Conseil du Roi. « De toute façon, je serai de retour avant l'hiver. D'ici là, pour t'amuser, nous te laissons Antyllus. Il est si drôle, si taquin, vous n'allez pas vous ennuyer ! Et peut-être, l'an prochain, pourrons-nous faire venir aussi son cadet, Iullus, l'autre fils de Fulvia ? »

Cléopâtre espère toujours une rupture complète entre Marc et Octavie. Espère qu'il va reprendre tous ses enfants et son palais romain des Carènes. Il lui suffit, en tant qu'époux, d'écrire trois mots : « Fais tes paquets », c'est la formule consacrée, celle par laquelle, à Rome, on répudie une femme. Mais ces mots, il ne les écrit pas. Bien qu'Octave, de son côté, soit en train de durcir ses positions : contrairement à l'usage, il refuse de donner des terres en Italie aux retraités de l'armée d'Orient. « Établis-les plutôt en Arménie, a-t-il répondu à son beau-frère. En Arménie, en Médie, ou chez les Parthes. Puisque tu as, paraît-il, conquis ces territoires immenses que tu ne partages pas avec moi… »

Octavie et Cléopâtre. La route de Rome, la route des Indes. Il faut choisir entre les deux. Antoine ne peut pas. La tentation du repos ? Trente ans qu'il se bat ! La tentation d'Octavie… La Reine d'Égypte l'a compris et ne le quitte plus d'un pouce. Elle l'a suivi en Arménie, où il a remis de l'ordre en quelques semaines. Il savait que ce serait possible, inutile mais possible. À Séléné qui pleurait au moment de son départ parce qu'elle ne voulait pas habiter le Palais des Mille Colonnes et réclamait un bébé arménien, il a dit : « Je serai de retour dans moins d'un an. Et je te rapporterai d'Arménie des présents autrement précieux qu'un nourrisson morveux. Dix mois, Séléné, tu verras, c'est vite passé. »

À leurs enfants, ils ont dit « quelques mois » car ils le croyaient ; seuls les dieux, dans leur empyrée, savent qu'ils sont partis pour trois années. Car la route des Indes passe par Rome désormais. Par la destruction de Rome. Comme Cléopâtre ne cesse de l'affirmer. La destruction de Rome – donc, pour commencer, la destruction d'Octavie…

Marc Antoine n'aime pas faire du mal à ceux qui lui ont fait du bien. C'est sa faiblesse. On a beau le statufier en dieu vainqueur, il n'a pas un cœur de pierre. Certes, il cite volontiers un poème d'Archiloque de Paros, « Il y a une chose que j'accomplis à la perfection : pour celui qui m'a nui, ma vengeance est terrible ». Fanfaronnade. La clémence d'Antoine est déjà autrement célèbre que sa cruauté… N'empêche qu'il a été fichtrement content, autrefois, de faire tuer Cicéron, ce faisan qui jouait les moralistes ! Un faux cul, oui, qui avait poussé à l'assassinat de César sans y tremper les mains, un délateur qui, jour après jour (quatorze discours !), demandait au Sénat la tête d'Antoine et de sa femme Fulvia. À cause de ce pilonnage, Fulvia et Antyllus avaient été obligés de fuir, de se cacher... Ah, le fumier ! Quelle joie quand Octave le lui avait enfin abandonné ! On avait rapporté à Rome la tête et les mains de l'orateur égorgé, ces mains si soignées, aux ongles bien polis, ces belles mains d'écrivain qui n'avaient jamais tenu une épée : voilà comment il faut traiter les pisse-copie ! Les « trois pièces », tête et mains, étaient restées exposées sur le Forum, on les y avait laissées pourrir. Certains prétendent que Fulvia avait réussi à sortir la langue du cadavre pour la transpercer d'une de ses épingles à cheveux. On exagère : Fulvia n'était pas une tendre, mais la tête, quand elle leur avait été livrée à Rome, était déjà trop putréfiée pour qu'on pût attraper la langue.

De toute façon, Antoine n'aime guère qu'on s'amuse avec les têtes. Et, sauf pour Cicéron et « deux ou trois pékins du même tonneau », comme il dit, il est, la plupart du temps, l'indulgence même. Ce guerrier déteste faire de la peine. Ses amis en abusent, ses femmes aussi. Il aime trop à être aimé. Alors, pensez, Octavie ! Octavie, son amoureuse... « Fais tes paquets » ? Il tergiverse. Pourtant, après la *pacification* de l'Arménie, il serait sage de se préparer à un affrontement à l'ouest. Cléopâtre a écrit en Égypte pour qu'on hâte les opérations de construction navale : huit cents navires, la moitié pour le transport de troupes, l'autre moitié pour le combat.

Car, tôt ou tard, il va falloir se battre en Méditerranée. Et pour la Méditerranée... Cet hiver, ils ne rentreront pas à Alexandrie.

Les deux premières années, les enfants vécurent dans le bruit des marteaux : on aurait dit que toute la ville travaillait pour les arsenaux. Le rivage de l'île du Phare se couvrait de carènes de voiliers et de coques de galères, on entassait les rames en fagots sur les quais du Kibotos, et ceux du port militaire disparaissaient sous les longs éperons de bronze des trirèmes. Partout, comme des insectes géants qu'on aurait mis en pièces, des bateaux démembrés sur les grèves : carapaces noires, luisantes sous le soleil; abdomens pointus, paires de pattes, dards de métal.

Mais les princes ne voyaient rien de cet étalage inquiétant, leur nouvelle « maison » ne donnait pas sur la mer. Elle avait, en revanche, l'agrément des eaux douces et des arbres : grâce à la proximité du Maiandros – le canal qui alimentait le Quartier-Royal –, le Palais des Mille Colonnes disposait de quatre *paradis*, des jardins clos à la manière perse, autour de grands bassins tranquilles qui se couvraient, à la saison, de nénuphars et de lotus. Marc Antoine, qui regardait volontiers par-dessus l'épaule de Cléopâtre quand elle écrivait aux précepteurs, avait suggéré de placer ces jardins – et leurs jeunes occupants – sous la protection de Dionysos, son « saint patron ». Aussi s'était-on empressé d'ajouter, entre les sycomores et les grenadiers, quelques touffes de lierre, des faunes de marbre importés d'Athènes, une panthère de granit, et une « Ariane endormie » toute dorée que l'Imperator avait lui-même expédiée d'Éphèse, le grand port d'Asie Mineure, où, pour l'heure, il tenait sa cour.

Nicolas de Damas invita chacun des nouveaux pensionnaires du Palais à choisir le jardin qui serait sa salle d'étude. Alexandre voulut la panthère, Ptolémée les petits faunes, et Séléné, ravie, obtint le *paradis* d'Ariane endormie, une belle dame couchée sur un lit de feuillage, la tête au creux de son bras. Le bassin rectangulaire au bord duquel reposait la statue enfermait une eau si sombre que les arbres, en s'y reflétant, semblaient s'y dédoubler. « J'ai deux jardins, se vantait la fillette, un sur terre et un sous l'eau ! »

Installée avec ses rouleaux de papyrus dans le pavillon de son grand *paradis*, elle paraissait avoir oublié le départ de son père, la disparition du bébé arménien et la perte du Palais Bleu. Il faut dire aussi qu'elle était « brodée ». Depuis qu'elle était reine de Cyrénaïque, chaque soir après le bain les servantes lui coloraient la paume des mains et la plante des pieds au henné de Chypre. Du coup, elle se croyait belle... Le précepteur considérait parfois avec étonnement cette petite noiraude aux bras maigres et au visage étroit : d'où tenait-elle ce physique-là, alors que son père, dès son jeune âge, avait été célèbre pour sa beauté, et que sa mère, sans être d'une beauté régulière, passait pour la plus gracieuse des reines ?

Peu importait, la jeune souveraine montrait déjà des dispositions intellectuelles dignes de ses parents. Ou, à tout le moins, comparables à celles de ses demi-frères, Antyllus et Césarion. Ce qui n'était pas le cas des deux autres garçons, ni de la princesse de Médie, pour lesquels précepteur et répétiteurs (toute une armée !) devaient sans cesse inventer de nouvelles stimulations. Pour apprendre l'alphabet à Ptolémée et à Iotapa, Nicolas avait fait réaliser, par le boulanger du Palais, des majuscules en pâte badigeonnée de miel : les jeunes élèves avaient le droit de manger les lettres qu'ils reconnaissaient. Ptolémée se jetait avec gourmandise sur le bêta, où il croyait voir les tétons de sa nourrice, et Iotapa consentait à identifier l'oméga, avec sa double bedaine de mie.

Autre jeu : des *secoueurs d'éventails* ou des *préposés aux moustiquaires*, porteurs chacun d'une lettre peinte sur un bouclier, formaient des mots entre les parterres des jardins. Dans la domesticité du palais, on trouvait toujours de quoi représenter les vingt-quatre lettres de l'alphabet grec, et même les huit cents signes du démotique égyptien, car chacun des enfants-rois disposait d'un personnel surabondant : *nomenclateurs* chargés de rappeler aux jeunes monarques les noms des courtisans ; *goûteurs* qui testaient chaque mets avant eux ; *conservateurs de manteaux* pour prendre soin de leurs vêtements ; *souleveurs de rideaux* pour les précéder dans la maison ; et, pour tous, garçons et filles, des *pédagogues* et des *grammairiens*. Heureusement, à l'exception de ces derniers et d'un ou deux astrologues, tous les serviteurs étaient transparents – les enfants étaient habitués à en changer aussi souvent que de meubles, de titres et de palais.

De sa petite enfance, Séléné n'avait gardé que Cypris, sa nourrice, et Diotélès, son Pygmée. Le précepteur se serait bien débarrassé du Pygmée, mais il s'était vite aperçu que le vieil acrobate avait l'art d'apprivoiser la fillette, d'un naturel sauvage. Du reste, ce minuscule extravagant ne manquait pas de culture, même si, ne tenant ses goûts que de lui-même, au hasard des lectures faites à la Bibliothèque, il lui arrivait, selon Nicolas, de manquer de jugement. N'avait-il pas un jour osé soutenir, contre le précepteur et quelques bons esprits du siècle, que les tragédies de Sophocle étaient meilleures que celles de Lykophron de Khalkis ? « Dis-nous tout de suite, avait plaisanté Nicolas, que tu places le vieil Eschyle au-dessus de notre Sosithéos ! – Je le dis », avait rétorqué le Pygmée sous les rires de l'assistance. Un monstre d'audace, ce nabot, et, pour ce qui était de l'aplomb, un géant ! Mais les savants du Muséum l'aimaient bien, il savait tant d'histoires drôles sur la Cour… De plus, le médecin de la Reine, Olympos (enfin débarrassé de Glaucos, qui avait suivi Cléopâtre à Éphèse), continuait à protéger son ancien « assistant ». Tout cela conduisait le précepteur à le ménager.

Mieux, lorsque sa dernière autruche, percluse et déplumée, passa de vie à trépas, l'esclave Diotélès fut nommé *pédagogue* de Séléné sur proposition de Nicolas. Dans son palais d'Antirhodos, Césarion hésita avant d'envoyer le décret aux *mnématographes* de la Cour : « Mon précepteur Euphronios m'assure que ton Éthiopien est dangereux pour les petites filles, qu'il les poursuit de ses assiduités, qu'il a des gestes, enfin…

– Uniquement avec les esclaves, précisa Nicolas. Ce sont des histoires entre esclaves, Fils d'Amon, les maîtres peuvent choisir de les ignorer. Pour ma part, je crois le vieux fou trop raisonnable pour s'attaquer aux filles libres, il tient à sa peau, quoiqu'elle soit très sombre…

– Mais Euphronios s'étonne qu'il s'en prenne à des vierges

si jeunes, sept, huit ans, à ce qu'on lui a rapporté. Des garçons de cet âge, passe : tous mes ministres, même les eunuques, ont leurs *enfants délicieux*… Mais des filles de sept ans !

– Il les prend à sa taille, voilà sa réponse. Et il ajoute qu'avec des filles impubères il ne risque pas de laisser une preuve certaine de son passage : "Si j'attendais qu'elles aient treize ans, et qu'une de ces gamines meure ensuite en accouchant d'un enfant noir et blanc, c'est pour le coup qu'on me donnerait le fouet !" Ce bonhomme n'a rien d'un sot, Seigneur. De toute façon, ta sœur en est entichée, elle ne nous pardonnerait pas de l'en séparer. Elle le regarde comme un jouet, il la respecte comme une déesse. Ou – si j'ose avancer pareille incongruité – il considère la princesse comme sa propre enfant : à deux reprises, par ses conseils, il lui a sauvé la vie.

– Nommons-le, soupira Césarion. Mais cherche parmi les esclaves une petite fille comme il les aime et ordonne-lui de s'en tenir à celle-là… Taous, la nourrice indigène d'Alexandre, n'a-t-elle pas une fille ?

– Une fille, en effet, Thonis, qui est la sœur de lait de ton frère.

– Si elle est jolie, donne-la-lui. Et qu'il ne s'avise jamais de toucher à la reine de Cyrénaïque, même du bout des cils ! »

Séléné était moins amoureuse de son grand frère qu'elle l'avait été. Elle n'avait, à huit ans, ni les mêmes jeux ni les mêmes joies que lui. Pourtant, à la moindre incartade, il suffisait de la menacer de se plaindre à Césarion pour obtenir d'elle une obéissance empressée : fils d'Amon, son frère serait pharaon, et elle serait sa femme ; elle se soumettait avec fierté à la volonté divine. Du reste, si elle n'aimait plus autant l'odeur de son fiancé (quand il s'arrêtait au Palais des Mille Colonnes en rentrant de la palestre, il sentait maintenant la sueur amère), si elle n'aimait plus sa voix, qui devenait instable et rugueuse, si elle n'aimait plus sa peau, qui s'assombrissait au-dessus de sa lèvre en lui donnant un air sévère, elle aimait encore l'intensité de son regard, l'amertume de son sourire et la beauté de ses mains lorsque, en lui parlant, il flattait machinalement le pelage d'or des longs sphinx. Ces mains, elle avait toujours envie de les toucher. Quelle était donc cette berceuse que chantait sa nourrice ? « Ah, que ne suis-je l'esclave qui verse l'eau sur tes doigts… » Césarion, je suis la grenade qui mûrit au fond du jardin : un jour viendra où je te désaltérerai.

Césarion, quatorze ans, quinze ans. Si seul.

Antyllus, demi-frère de ses demi-frères, l'amuse un peu quelquefois, mais ce nouveau compagnon, sur lequel comptait sa mère, est trop jeune pour lui, trop insouciant et, par ailleurs, ignorant des réalités du gouvernement. Ils peuvent, de temps en temps, disputer ensemble une partie de dés et admirer une course de chars dans l'Hippodrome, chevaucher côte à côte le long du lac ou regarder des lutteurs rouler dans le sable du Stade, mais Antyllus poursuit ensuite sa journée d'écolier tandis que Césarion, en tenue de pharaon, préside aux jugements, reçoit des fonctionnaires, fait des discours, scelle des courriers. Si seul. Il n'a même plus le temps, pour se distraire, de faire des exercices de géométrie sur sa table de sable, ni d'interroger les savants du Muséum sur la place des étoiles. Parfois, le soir, avant de s'endormir, il voudrait redevenir petit enfant, voudrait que sa mère revienne, rentre pour toujours à Alexandrie, et que leur vie recommence comme autrefois, avant Antoine, avant les autres enfants, avant la menace.

Il essaie d'imaginer ce que serait leur bonheur à deux si son beau-père venait à disparaître dans une bataille. Mais il ne pousse jamais ce rêve très loin : c'est un cauchemar, il le sait bien, il n'y a pas de vie pour lui après Antoine. Soit les Ptolémées régneront sur Rome, soit ils perdront tout, même l'Égypte. Césarion, qui voit les choses par les yeux de sa mère, l'a bien compris, et il a peur. Peur de la défaite – que la Reine, elle, ne semble pas redouter. Mais, plus étrange, peur de la victoire : il ne se voit pas gouverner l'Italie, un peuple dont il ignore la langue et dont les dieux sommaires, les manières rudes, ne l'attirent pas : il est grec et se sent presque égyptien ; romain, non. D'ailleurs, il n'aurait sans doute pas à gouverner longtemps ces lointaines contrées. Antoine, il le parie, s'en chargerait personnellement, et la dynastie qu'il mettrait sur le trône serait tôt ou tard celle des Antonii. N'a-t-il pas déjà amorcé le processus avec ses Donations ? Un de ces jours, lui, Césarion, apprenti pharaon, mourra d'un mauvais rhume. Mourra jeune, en tout cas. Fils de César, il n'est qu'un instrument entre les mains de son beau-père ; quand il ne lui sera plus utile, c'est Alexandre-Hélios qui régnera sur le monde ! Comment la Reine ne devine-t-elle pas la manœuvre ? À moins qu'elle n'y prête la main : après tout, les petits princes des palais « du Dedans » sont aussi ses enfants ; et leur père à eux est vivant, leur père partage sa couche et son lit de table. « Ivresse », c'est la bague que son mari lui a donnée. Contre l'Ivresse et la Joie, que peut un fils ?

Voilà pourquoi il est triste. Et las de se défier de tous depuis qu'il est né. Combien de temps lui reste-t-il à vivre ? Deux ou trois ans si l'Occident écrase l'Orient. Six à sept dans le cas contraire. Est-ce assez pour apprendre à mourir et à tuer ?

Cette nuit, il a encore rêvé de sa tante Arsinoé. Qu'il n'a pas connue, mais dont les indiscrétions d'un serviteur lui ont révélé le sort. Elle était jeune, paraît-il, Arsinoé – seize ans ? vingt ans ? –, et, sans doute, avide de pouvoir ; une petite peste, comme souvent les filles des Ptolémées ; elle avait pris les armes contre Cléopâtre, son aînée. À Rome, César, pour son triomphe, l'a exhibée enchaînée ; il avait prévu de la faire exécuter à l'issue de la cérémonie, mais le peuple romain, touché par la beauté de la princesse, a demandé sa grâce. Il a fallu accorder la vie sauve à la captive – à condition qu'elle se fît prêtresse. Elle s'est réfugiée à Éphèse, dans le sanctuaire de Diane-Artémis : le grand prêtre s'était engagé à la surveiller. Elle y a survécu quatre années. Puis Antoine est entré dans Éphèse et dans la vie de Cléopâtre. Après les folles nuits de Tarse et les jours « inimitables » d'Alexandrie, le Romain pouvait-il s'opposer aux caprices de sa nouvelle maîtresse ? La Reine avait envie qu'on tue sa sœur. Marc Antoine est un galant homme : après avoir offert la tête de Cicéron à Fulvia, comment refuser à Cléopâtre celle d'Arsinoé ? Obligeamment, il a fait exécuter la jeune prêtresse au crâne rasé.

Pour assassiner un civil, les soldats romains procèdent toujours de la même manière : ils percent la carotide de la pointe de leur glaive ; il suffit, auparavant, de s'assurer qu'on a bien écarté le col de la tunique et les plis du manteau. La mort est presque instantanée ; mais très sanglante, malheureusement, très salissante pour l'exécutant. Même quand le tueur connaît son métier, il ne peut empêcher le sang de rejaillir sur lui, de l'empoisser de la tête aux pieds. Rapidité ou propreté, il faut choisir, hélas !

Bien sûr, quand Césarion repense à la triste fin d'Arsinoé, il ne doute pas que la rebelle ait mérité le traitement qu'elle a reçu de son aînée ; la Reine a eu deux frères et deux sœurs, et son règne ne fut paisible que du jour où elle les eut tous éliminés. « Un cadavre ne mord pas », dit-elle ; simplement, son fils se demande s'il aurait la force de l'imiter…

Il voudrait que sa mère le rassure, le console, le berce, il voudrait lui parler, mais ne peut que lui écrire ; or il sait déjà que rien, jamais, ne doit être écrit qui ne puisse être lu par un ennemi. Dans sa prochaine lettre, il se bornera donc à décrire l'état d'avancement des travaux dans la future maison d'Antoine, au bout de la jetée ; il dira aussi où en sont la construction du Mausolée et la rénovation du Palais des Mille Colonnes, s'attardera sur l'état de santé des petits rois (celui de Ptolémée, toujours inquiétant) et racontera une ou deux anecdotes comiques où Antyllus aura le beau rôle… Quand reviendra-t-elle, quand ?

EN MÉMOIRE DE LUI

Césarion… En grec, on dit Kaïsariôn – un nom de roi, dur et tendre à la fois, que Séléné devait prendre plaisir à prononcer, à répéter. Kaïsariôn, le doux Kaïsariôn assassiné a laissé peu de traces dans la pierre : un bas-relief sur le mur d'un temple à Dendera – on l'y voit, vêtu à l'égyptienne, offrant un sacrifice aux dieux en compagnie de sa mère. Une représentation si conventionnelle que les Romains ne l'ont pas remarquée, ils ont oublié de la marteler…

Rien d'autre pendant vingt siècles. Puis, tout à coup, tirée de la mer, une tête colossale en granit gris : un bel enfant d'une douzaine d'années, mi-Romain, mi-Égyptien ; il porte la coiffe de lin pharaonique, mais, sur le front, ses cheveux épais et souples forment une frange typiquement romaine. Portrait métissé d'un roi « métis ». Beauté poignante d'un être entre deux mondes, entre deux âges : les rondeurs de l'enfance (joues pleines, bouche charnue), et la gravité du monarque (regard triste, mâchoires serrées). Le visage, aux traits réguliers, ne sourit pas, mais sa chair sourit pour lui. Quand on l'a exposé à Paris, j'ai eu tout de suite envie de le toucher. Si je n'avais craint de déclencher les alarmes du musée, j'aurais suivi du doigt le contour des lèvres boudeuses, glissé ma paume contre la tempe pour épouser la courbure de la joue – le granit appelait les caresses comme une peau.

Moi qui ne crois guère aux portraits tardivement identifiés, aux suppositions homologuées, je reconnaissais ce buste-là au besoin que j'avais de l'effleurer, de le frôler, de l'étreindre. « Kaïsariôn, murmurerait un jour Séléné dans la solitude de son "Jardin de cendres", Kaïsariôn, jamais je n'ai cessé de t'aimer. »

DIX-HUIT mois maintenant que leurs parents sont partis. Dans le Caucase et sur l'Euphrate, Antoine est parvenu à stabiliser le front ; à Pergame, il a fait frapper à son effigie plus de monnaie d'argent qu'on n'en avait jamais vu en Orient ; et à Éphèse, où il a fait poser les premières pierres d'un nouveau temple à Dionysos et convoqué, pour ses généraux réunis, les plus grands acteurs du monde, il a encore une fois ébloui les populations par sa prestance, son éloquence et sa prodigalité – son charisme, en un mot. Mais, à Rome, où ses amis agissent pour lui, il n'a pas réussi à faire ratifier ses Donations par le Sénat. À Rome, son charme n'opère plus. Ses légions sont trop loin. Les nouveaux consuls avaient beau lui être favorables, Octave a tenu l'assemblée sous la menace de ses propres soldats et empêché le vote. Dans cette République mafieuse, livrée aux bandes armées, le jeune truand au regard sec ose pour la première fois défier le « parrain » flamboyant.

Après ce coup d'État, les deux consuls, Domitius et Sosius, ont fui avec trois cents sénateurs pour gagner la Grèce, l'Égypte, l'Asie. Rome a peur – d'Octave, d'Agrippa, de Mécène, de leurs sbires omniprésents, mais d'Antoine aussi, d'Antoine absent. Absent depuis si longtemps qu'on finit par croire tout ce qu'Octave en raconte – qu'il se prosterne devant l'Égyptienne, l'appelle « Maîtresse », porte au côté un sabre recourbé et suit la litière de la Reine à pied, avec les eunuques. Rome a peur. Des maléfices de l'Orient et du retour des guerres civiles. Peur qu'une fois de plus on se batte sur son sol, qu'on s'entr'assassine en famille. Rome est malade, malade de peur, Rome se purge, se purge d'Antoine et vomit ses amis.

Mais l'époux de Cléopâtre, que son beau-frère veut mettre hors la loi, ne divorce toujours pas d'Octavie.

La Reine ne comprend pas. À son fils aîné elle écrit : « Je ne comprends pas. » Elle écrit : « Je ne peux pas rentrer. Je ne veux pas le quitter. L'autre accourrait. » Neuf ans bientôt qu'elle est sa maîtresse, cinq ans qu'ils sont mariés, et il continue d'hésiter, ne parvient pas à dire à l'autre femme « Fais tes paquets ». Césarion non plus ne comprend pas, ne comprend pas sa mère ; un jour que, devant lui, Antoine parlait d'Hérode et de la Judée, « ce pays ami », la Reine l'a coupé : « Un État n'a pas d'amis, un roi n'a pas de frères. » Très juste : dans ce cas, pourquoi l'Égypte a-t-elle un mari ?

Chaque semaine, le jeune pharaon voit partir des bateaux de guerre tout neufs, chargés d'armes ; ils montent vers le nord : Antoine a pris ses nouveaux quartiers à Samos, une petite île au large de l'Asie Mineure. Les roses y fleurissent déjà, à ce qu'on dit.

L'un après l'autre, dans le port aux maisons blanches où Cléopâtre et l'Imperator tiennent conseil, débarquent les rois d'Orient, les rois « clients ». Ils admirent les longues galères noires qui mouillent en face, le long des côtes lydiennes, depuis Éphèse jusqu'à Milet. « Et vous n'avez encore rien vu, dit Antoine, mes premières "forteresses navales" arriveront le mois prochain : des navires de sept étages, si bien cuirassés de métal qu'on ne pourra pas les éperonner et si hauts sur la mer qu'ils seront inabordables !

– Crois-tu qu'en plus ils flotteront ? plaisante Arkhélaos, le roi de Cappadoce.

– Est-ce bien nécessaire ? demande Antoine en riant. Une bataille navale n'est jamais qu'une suite de sièges : avec mes bateaux, j'aurai, si nécessaire, les remparts les plus élevés, les tours les plus solides et les meilleures catapultes ! »

Si, jusque-là, on connaissait les trirèmes, à trois rangs de rameurs, et même les quadrirèmes, les ingénieurs égyptiens, toujours à la pointe de la technologie, viennent d'imaginer des galères à dix rangs de rames. Douze mètres de hauteur à la poupe, mille rameurs, cinq cents combattants, du jamais vu ! Des monstres marins ! Le seul problème, mais Antoine garde ce souci pour lui, c'est que l'armée romaine d'Orient ne dispose pas des équipages nécessaires pour garnir ces vaisseaux géants. Il faudra du temps, encore du temps, pour recruter des hommes, les former… Or Sosius et Domitius, les deux consuls en fuite, le pressent maintenant d'attaquer, de débarquer à Brindisi. Ils disent que le Sénat amputé n'a plus de légitimité et qu'Octave est impopulaire dans les campagnes – il a encore augmenté les impôts, il rançonne les grands, pressure le peuple.

Il est vrai que le maître de Rome n'a pas les richesses de l'Égypte pour financer ses armées. Mais, ce qui vaut mieux que tous les trésors, il dispose avec l'Italie d'une réserve inépuisable de légionnaires romains. Des vrais soldats, Antoine le sait bien, autre chose que ces auxiliaires incertains fournis par les *rois amis* qui rejoignent maintenant l'état-major à Samos, où les fêtes succèdent aux fêtes. Cléopâtre a fait venir de Crète des flûtistes, de Cyrène des joueurs de lyre, de Cilicie des nains habiles au pugilat, et d'Éthiopie des danseuses nues. Tous les jours, on offre un bœuf à Dionysos-Osiris, divinité protectrice du couple royal, et chaque semaine, des béliers aux dieux guerriers et une truie pleine à la sainte patronne locale, cette étrange Artémis aux colliers de tétons postiches. Sans oublier, bien sûr, les offrandes propitiatoires aux supérieurs hiérarchiques de toutes ces déités : Zeus-Jupiter et Sérapis. Ce qui fait beaucoup de monde, et bien des cérémonies. Mais il ne faut pas regarder à la dépense quand l'enjeu est d'importance. Avec les dieux c'est donnant donnant, et les soldats, qui savent combien l'Apollon d'Octave est puissant, sont reconnaissants à l'Imperator de mettre le prix pour faire pencher la balance de l'autre côté, leur côté – enfin, le côté où ils vont se trouver et qu'ils n'ont pas choisi.

À Samos, d'un autel à l'autre, Antoine s'attarde. Soudain pieux jusqu'au scrupule. Formaliste. Et même légaliste : la guerre, dit-il, n'est pas déclarée, et il ne veut pas en prendre l'initiative – Romain, il n'appellera pas aux armes contre Rome. Domitius « Barberousse », l'ex-consul, se fâche : « Avec César ou Pompée, ça n'aurait pas traîné, je te le garantis ! Tu n'as pas besoin de forteresses flottantes pour débarquer. Ni de prétexte pour attaquer, Octave t'en a fourni des paquets ! C'est tout de suite qu'il faut se battre. Prendre ton beau-frère de vitesse. Secoue-toi ! »

Ils marchent sur le rivage, précédés d'un seul flambeau. Le soleil n'est pas encore levé ; à peine si, vers l'est, les étoiles pâlissent, loin, très loin derrière les montagnes de Lydie. Ils sortent du banquet offert par leur ami Mithridate, le roi de Commagène. Ils en sont partis ensemble, avec la permission de l'amphytrion, juste avant les toasts de la beuverie finale, quand les esclaves ôtaient les tables et que les charmeurs de serpents remballaient leur matériel ; au vestiaire, tandis qu'ils quittaient leur robe de banquet et remettaient leur toge, leurs bagues et leurs chaussures, ils ont croisé des danseuses de Cadix avec leurs castagnettes : Mithridate fait bien les choses.

Dès le troisième service, celui des pâtés, Domitius avait passé un billet à l'Imperator pour demander à lui parler. Seul à seul. « Encore un qui n'aime pas ma femme ! » a pensé Antoine.

En vérité, ils ne sont pas nombreux, parmi ses amis romains, ceux qui aiment la Reine : la propagande d'Octave est passée par là – magicienne, ivrognesse, courtisane. « Elle se fait branler par ses esclaves, si, si, astiquer le bonbon par ses Nubiens, tout le monde le sait ! », du moins tout le monde le dit, enfin, tout le monde à Rome. Surtout les matrones. Ce soir, avant de quitter la salle, il l'a regardée, la pauvrette : accoudée aux coussins de leur lit de table, elle s'endormait à moitié – seule femme parmi tous ces hommes. Mithridate l'avait bien placée : à la meilleure table, au centre de la banquette de milieu, « en dessous » de l'Imperator mais « au-dessus » des rois, des consuls, des sénateurs, des généraux. Voilà ce qu'ils ne lui pardonnent pas. Sa prééminence. Et, sans vouloir en convenir, sa supériorité. Une femme ! Bien des fois, déjà, Titius, Geminius, Dellius, et même Munatius Plancus, lui ont demandé de renvoyer la reine en Égypte. Oui, même Plancus, un « inimitable » de la première heure pourtant, qui n'avait pas hésité, dans une pantomime au Palais, à figurer (lui, un ancien consul !) en *Vieux de la mer* – nu, peint en bleu et affublé d'une queue de poisson – pour ramper aux pieds d'*Ariane*-Cléopâtre et du *Nouveau Dionysos*... Grands soldats ou grands bouffons, tous insistent : « Vire ta reine de l'état-major. Par pitié !

– Pourquoi ? s'est étonné Marc Antoine. Ne gouverne-t-elle pas un grand royaume depuis quinze ans ? Est-ce qu'elle ne commande pas aussi une flotte dont nous avons besoin ? En quoi serait-elle moins à sa place ici que... que toi, par exemple, Marcus Titius ? » avait-il ajouté en se tournant vers le neveu de Plancus.

C'était une maladresse. Certes, Titius n'est qu'un jeune sénateur opportuniste, mais il s'est montré exemplaire pendant la retraite de Parthie, portant lui-même les étendards et relevant les blessés... On ne gagne rien à humilier un homme de cette trempe, Marc Antoine en est conscient, il a tout de suite regretté ses paroles, mais il était excédé, écœuré des histoires de préséances, des ambitions des uns, des rancunes des autres, et de leurs longues figures à tous ! Et puis, pourquoi l'humiliaient-ils sans cesse, lui, dans l'estime qu'il portait à la Reine ?

Le soir de cette dispute au Conseil, il avait dicté une lettre ouverte à Octave – la seule qui échappera à la destruction et traversera les siècles : « Qu'est-ce qui te prend, Thurinus ? » Maintenant, par moquerie, il l'appelle *Thurinus*, histoire de rappeler à tous de quel patelin paumé, Thurium, et de quel bourbier infect sont sortis les Octavii. Ses arrière-grands-pères ? Un esclave affranchi et un usurier ; quant au bisaïeul maternel, un Africain tombé dans la farine ! Pas de la grande noblesse, ça non ! « Qu'est-ce que tu ne digères pas, Thurinus ? Que je baise une reine ? Mais il y a neuf ans que ça dure, et elle est ma femme ! *Uxor mea est.* Et toi, est-ce qu'au moins tu te contentes de ta Livie ? Je serais bougrement surpris si au moment où tu me liras tu ne t'es pas déjà tapé Terentilla, l'épouse du cher Mécène, ou Tertulla, Rusilla, Salvia Titisenia, et toutes les autres ! Qu'est-ce que ça peut me foutre, à moi, où et pour qui tu bandes ? »

La lettre, écrite dans cette langue vulgaire, militaire, qu'Octave, si convenable, ne supporte pas, la lettre l'avait soulagé. Mais, dès le lendemain, il se demandait s'il n'avait pas eu tort de l'envoyer : Cléopâtre jugeait inopportun de montrer que ces bassesses les atteignaient. « Mais elles m'atteignent, moi ! Elles m'atteignent ! Elles te discréditent, elles empoisonnent l'esprit de mes amis ; Rome n'est pas Alexandrie : au Sénat, on vote encore, figure-toi ! Et dans le temps, la noblesse, le peuple et même les affranchis des autres m'aimaient. Maintenant... »

Maintenant, il doit subir, en prime, le sermon de Domitius « Barberousse », qui le trouve trop lent, trop prudent. En un mot : timoré. Et à cause de qui ? De Cléopâtre, bien sûr ! Mauvaise influence de la Reine qui préfère – c'est naturel chez une femme – les fêtes et les parfums au rude labeur de la guerre. « Les banquets succèdent aux banquets, poursuit le rouquin, drapé dans sa dignité de vieux républicain. Tes généraux s'épuisent à boire, s'épuisent à manger, et tes soldats s'encroûtent dans l'oisiveté. Au programme, dîner chez Sadalas, roi de Thrace. Puis dîner chez Déjotaros, roi de Paphlagonie. Dîner chez Bogud, de Maurétanie. Chez Amyntas, de Galatie. Chez Arkhélaos, de Cappadoce. Chez Tarcondimon, de Haute-Cilicie... Et le mois prochain, ce sera qui ? Polémon, du Pont ? Hérode, de Judée ?

– Hérode ne viendra pas.

– Pourquoi ?

– Les Arabes de Pétra lui sont tombés sur le poil. Mais il m'envoie un contingent. Les Arabes aussi, d'ailleurs...

– Tu règnes sur des rois, d'accord, c'est amusant : rien que des diadèmes et des tiares autour de la table ! Mais, à l'heure de vérité, crois-tu que c'est sur cette bande de flagorneurs que tu pourras compter ? Marc, il est encore temps, ressaisis-toi ! Secoue ta toge, débarrasse-toi de ces parasites, et fonce ! Où est-il, ce jeune général qui me disait à la veille d'une bataille incertaine : "Quand j'ai un doute, j'attaque !" ? Marc, où est-il, cet homme-là ? Qu'en as-tu fait ? »

Le vent souffle ; le « jeune général » est un Imperator fatigué, et qui a froid. Un Imperator qui grelotte sous la toge sénatoriale – quand on vieillit, rien ne vaut une bonne pèlerine gauloise ! Ses sandales de soldat s'enfoncent dans le sable mouillé. Il a froid. Le jour ne se lève pas. Un « jeune général »... Dans l'armée romaine, les vétérans, usés par les campagnes, prennent leur retraite après vingt ans de service. Lui aura cinquante ans à l'automne. Il se bat depuis plus longtemps que les plus vieux de ses vétérans.

Et Samos, « l'île aux roses de mars » ! Tu parles d'un bobard, on se les gèle ! À propos... « Barberousse, crie-t-il à Domitius qui marche à près de dix pas devant lui comme si le vent les éloignait l'un de l'autre, Barberousse, attends-moi. Est-ce que tu te souviens aussi du premier conseil qu'il donnait à ses amis, "le jeune général" ? Il disait : "Toujours pisser avant la bataille ! Quand les trompettes sonnent l'attaque, il est trop tard pour y songer..." Eh bien, ce conseil que je te donnais, je m'en vais le suivre : j'ai la vessie pleine comme une outre, il faut que je me soulage ! Allez, viens avec moi, Domitius ! Ça nous fera une première étape sur le chemin de la victoire : on pisse d'abord, et puis on se bat ! »

Il aimerait pisser vers l'ouest, en direction de l'armée d'Octave, pisser sur Mécène, Agrippa et Messala ; mais, avec une brise pareille, l'arroseur serait arrosé. Il pisse donc dos au vent, tourné vers cette côte de l'est où se rassemblent ses légions : foutu présage !

Pendant qu'il se soulage longuement, posément, il poursuit, toujours en criant, à cause des rafales : « Quand je pense que le plumitif d'Octave, Messala, ce scorpion, cette fin de race, publie dans Rome que, depuis que je vis avec la Reine, je pisse dans des pots de chambre en or... Tu le vois, dis, mon pot de chambre ? Un creux de rocher ! Tu pourras au moins témoigner que, là-dessus, le fouille-merde a menti, hein ? Rends-moi ce service, si jamais tu repasses de l'autre côté… »

S'il avait les mains libres, Marc Antoine s'applaudirait : quel acteur ! Il vient de servir à Barberousse le numéro le plus susceptible de le rassurer. L'autre s'inquiète, le croit changé, diminué ? Alors, il lui joue l'Antoine éternel – un peu éméché, rigolard, cynique, et léger. L'Antoine vainqueur… Pour le reste, il n'a pas d'illusions : un jour ou l'autre, Domitius le trahira.

Maintenant, ils marchent le long de la plage en plaisantant. Plus de sermon. De la gaudriole. Ça réchauffe… La nuit grisaille, les dernières étoiles s'éteignent, le vent est tombé, ils arrivent au bout de la baie – bientôt le petit chemin, les premiers factionnaires, les *aigles*, les faisceaux, la grande tente, les rideaux pourpres, les braseros, le lit bien chaud.

Tout à coup, Antoine renifle, presse le pas : « Tu sens cette odeur ? Cette odeur infecte qui me court derrière ? » Non, Barberousse et le porte-flambeau ne sentent rien. « Vous avez le nez bouché, ma parole ! Une puanteur pareille…

– Ça sent quoi ? interroge Domitius. Le poisson pourri ? La charogne ? »

La charogne, sûrement pas – ça, Marc Antoine connaît. Comme tous les généraux victorieux. Si les fuyards et les vaincus ont peu d'occasions d'arpenter le champ de bataille après la fin des combats, les vainqueurs, eux, ont d'excellents motifs pour le faire : il faut identifier les cadavres des chefs adverses, dépouiller les morts, récupérer les armes et ramasser les étendards de l'ennemi qu'on érigera en trophées. À

Alésia, à Pharsale, à Philippes, Marc Antoine a connu l'odeur violente des chevaux crevés qui mûrissent au soleil, celle des hommes éventrés pourrissant sous une cuirasse de mouches. Viande avariée : le parfum même de la victoire... Tandis que là, il s'agit d'autre chose. Une odeur aqueuse. Ni chair ni poisson. Une odeur fade de cave et de vomissure.

Antoine arrache la torche des mains du porte-flambeau et s'enfonce seul dans les rochers, cherchant l'eau qui stagne, la fange, le cloaque... Et, brusquement, il se souvient : il avait quatre ou cinq ans, il courait dans le jardin de leur villa de Campanie ; l'odeur l'avait arrêté net au bord d'un petit bassin – dans l'eau verdâtre, contre la margelle, une tache grise. Il s'était penché : c'était un ventre. Celui d'un gros crapaud qui flottait, mort, entre deux eaux – son ventre avait tellement gonflé qu'on ne lui voyait plus les pattes. L'enfant avait ramassé un bâton et appuyé sur cette peau si tendue qu'elle en devenait presque transparente ; dans le mouvement, la tête du batracien avait émergé, une tête informe dont on ne distinguait plus que les yeux, énormes et sanglants. Du bout de son bâton, le petit avait réussi à remonter le crapaud sur la bordure de pierre, mais sans pouvoir le retourner, ni le faire rouler plus loin – ses gestes étaient trop maladroits, la peau trop glissante : toujours, devant lui, le ventre blanc distendu, ce ventre obscène, et ces yeux rouges qui sortaient de la tête broyée... L'odeur, exaltée par l'air et le soleil, l'avait attaqué soudain avec tant de puissance qu'il voulut tout rejeter à l'eau ; mais, aussitôt, le crapaud lui avait éclaté sur les pieds, l'éclaboussant de son jus. Il avait hurlé, couru vers la maison, s'était plongé les mains, la tête, dans la fontaine. Mais la puanteur du crapaud mort s'accrochait à lui ; elle l'avait poursuivi si longtemps que, des années après, il faisait encore un détour pour éviter le bassin...

Ce soir, c'est cette odeur qui lui lève le cœur : à la lueur tremblante de sa torche, il aperçoit, entre les rochers, le corps à moitié immergé d'un noyé. L'homme est couché sur le dos, et l'on ne voit d'abord que son ventre gonflé. Un ventre de femme enceinte. De grenouille indécente. Un ventre nu : la mer lui a arraché ses vêtements ; de sa tunique ne restent que des lambeaux, qui flottent comme des algues. Mais il a encore ses sandales aux pieds ; et à leurs semelles cloutées – ces semelles qui laissent l'empreinte de Rome sur tous les chemins de la terre –, Antoine reconnaît l'un de ses soldats. Le visage est si labouré par le ressac qu'on ne sait pas si le mort était jeune ou vieux. Il suppose – à cause de la peau très blanche dans l'eau noire – qu'il s'agit d'un auxiliaire gaulois ou d'un de ces gamins encore tendres qu'on enlève sur les plages pour compléter les équipages. Sans doute le soldat est-il tombé à la mer par accident : ces nouvelles recrues ne savent pas se tenir sur un navire – même un navire à l'ancre !

Il voudrait pouvoir dire à Domitius qu'il n'a pas la moitié des marins qu'il lui faut pour livrer bataille, et, sur terre, plus une légion complète : « Aucune des vingt n'aura ses six mille bonshommes, j'en suis à constituer des centuries de quarante ! Je réengage des vétérans, recrute des Éthiopiens et des Orientaux, même des esclaves, à qui je promets la liberté. Je prends tout, Domitius, tout ! Jusqu'à des troufions qui ne savent pas un mot de latin. Seulement, ce coup-ci, je suis dans la main des dieux ! » Voilà ce qu'il aimerait pouvoir dire, mais il n'y a qu'un seul être au monde auquel il puisse confier ses angoisses, Cléopâtre. Pour elle aussi, il a peur. Et honte d'avoir peur.

La bile lui remonte dans la gorge : c'est l'odeur du cadavre. Bouche amère. Estomac contracté. Ne pas vomir, surtout : les autres diraient encore qu'il était saoul ! Il ravale sa bile, sa honte, sa peur, et revient lentement, toge immaculée, vers ses compagnons, en s'efforçant de ne pas respirer…

Pauvre Antoine ! Jamais il n'a livré de bataille navale ; c'est un « biffin », qui ne connaît pas la puanteur liquide du soldat noyé de frais – pourvu que Domitius ne la sente pas sur lui, cette odeur, ne renifle pas sur son vêtement le relent visqueux de la défaite !

« C'était quoi ? » demande l'ex-consul du fond de la nuit.

Dans la lumière de la torche, la silhouette de l'Imperator se détache, magnifique, sur l'obscurité des rochers. « Oh, rien, dit-il. Un crapaud mort. »

ALORS, il fait la fête. Du vin, des filles, des musiciens ! Pour s'étourdir ? Peut-être. Mais surtout pour gagner du temps. Et donner le change. Cléopâtre, femme futile, et Antoine, viveur exténué ? Bravo ! Il faut s'en tenir aux clichés.

C'est pourquoi elle vient d'écrire, avec l'aide de Glaucos, un petit *Traité des Cosmétiques*, qui connaît, même à Rome, beaucoup de succès ; et lui, le noceur, fait distribuer partout, en réponse aux calomnies d'Octave sur son ivrognerie, un pamphlet plein d'esprit, qu'il a intitulé *Sur son ébriété*. Parfums et bons vins, fines plaisanteries, délices de Samos : un écran parfait pour masquer qu'il manque près de cinquante mille « vrais soldats » à son armée.

Le compte est vite fait : les vingt mille légionnaires qu'Octave, en violation de leurs accords, ne lui a jamais envoyés, et les trente mille bonshommes aguerris qu'il a perdus contre les Parthes. Depuis, il n'a jamais pu « se refaire ». Ou juste à la marge : en ramassant dans toute l'Asie des Italiotes expatriés pour en faire des légionnaires, et en transformant des valets d'armes en auxiliaires... Or des soldats, il en perd sans cesse ; l'Arménie, la riche Arménie, il ne la tient qu'au prix d'une lente hémorragie – minuscule saignement, certes, mais continu. Et si la guerre était déclarée (il ne veut pas encore raisonner au futur, il pense au conditionnel), il faudrait bien qu'il les ramène vers la côte, ses légions d'Arménie. Leur général, Canidius, est déjà là, dans l'île, pour prendre le commandement en chef de l'infanterie ; sitôt qu'ils feront voile ensemble vers la Grèce, l'Arménie retombera du côté des Parthes. Où elle penche depuis longtemps...

Verrouillée, la route des Indes. Balayé, le rêve dionysiaque. Le dieu de joie, le *Rayonnant*, commencerait-il à l'abandonner ?

Il frappe dans ses mains : « Falerne pour tout le monde ! Savez-vous, mes amis, que dans ses libelles de merde, *Thurinus* prétend que j'ai l'esprit “embrumé par les fumées du vin maréotique” – maréotique ? Pour qui me prend-il ? Moi, boire du vin égyptien ? Cette piquette ! Pauvre Octave ! Infoutu de distinguer un vin de la Narbonnaise d'un vin de Chio ! Qu'on nous serve du vieux falerne, du nectar de la belle Italie, “pure et joyeuse liqueur sortie d'une vigne antique”... Et qu'on appelle mes joueuses de flûte ! Amenez-nous les plus débauchées, Briséis la suceuse et Cynthia l'amazone ! Et des mignons ? Il nous faut aussi des mignons, des *enfants délicieux* pour Marcus Titius ! Tenez, je vais vous montrer ma dernière acquisition, une paire de jumeaux sublimes, dignes des dieux ! Fais-les entrer, Mardion. »

On pousse dans le *triclinium* de la grande tente deux garçons de quatre ou cinq ans, aux boucles noires et aux grands yeux bleus ; leurs pommettes, leurs lèvres ont été teintées d'un rose léger, ils portent des couronnes de pâquerettes et des tuniques de soie mauve, qui blousent si haut dans la ceinture qu'elles laissent voir leurs derrières nus ; ils avancent en se tenant par la main et se prosternent – innocemment – devant la Reine. « Vision céleste ! s'écrie Plancus, l'œil fixé sur les petites fesses rebondies.

– Plancus, tiens-toi bien ! Je n'ai pas encore réceptionné la marchandise ! Approche, jeune Héphaistion, n'aie pas peur. Et toi aussi, mon Patrocle… Regardez, ne sont-ils pas semblables en tout ? Mettez-vous dos à dos, mes enfants : pas un pouce d'écart dans leur taille. Admirez la blancheur de leur peau – on voudrait la lécher comme du lait, donne-moi ton bras, petit Patrocle, que je le goûte : oh, le “doux lait blanc d'une vache que le joug n'a point souillée”… Et leur chevelure ? Même douceur sur ces deux têtes, même souplesse – allez-y, touchez, vous n'avez jamais rien caressé de pareil à leur fourrure. Et soupesez les boucles : lourdes comme les grappes d'une vigne ! Deux Cupidons ! Nés d'une même Vénus ! Évidemment, ils m'ont coûté très cher, deux cent mille sesterces ! Mais aucun roi au monde ne peut présenter d'esclaves jumeaux de cette qualité, n'est-ce pas ? »

Déjotaros, roi de Paphlagonie, acquiesce servilement. Tarcondimon, roi de Haute-Cilicie, tâte cette chair fraîche et s'extasie. Bogud, roi de Maurétanie, applaudit.

« Eh bien, détrompez-vous, dit Antoine, heureux par avance de l'effet qu'il va produire. J'ai été roulé, mes amis, volé comme au coin d'un bois. J'ai acheté pour des jumeaux deux enfants dont l'un est syrien et l'autre, helvète ! » On se récrie, on n'en revient pas, puis on s'indigne. « Fais entrer le marchand, mon bon Mardion. » Sur un signe du vieil eunuque, les gardes de Cléopâtre poussent sous la tente un vieillard à la barbe blanche et aux mains liées. « Alors, vendeur de culs, tu croyais pouvoir tromper l'Imperator ? Non seulement tu fais un sale métier, mais tu le fais comme un cochon ! Tu vends sans garantie d'origine, hein ? Tu n'avais pas pensé que je pouvais faire ma petite enquête, mais c'est qu'à ce prix-là, mon coco, moi je prends des renseignements ! Héphaistion, le petit Syrien, tu l'élevais depuis quatre ans à Apamée, j'ignore à qui tu l'avais enlevé ; ton Patrocle, lui, tu l'as trouvé il y a dix mois sur le marché de Smyrne, c'est un marchand de Corinthe qui te l'a cédé après l'avoir acheté à un proxénète gaulois. Pour toi, canaille, l'occasion inespérée ! Il y a longtemps, pas vrai, que de marché en marché tu cherchais à l'assortir, ton Héphaistion – vendre des *enfants délicieux* par paire, c'est plus juteux que de les débiter à l'unité ! Tu les coiffes de la même manière, tu les dresses à s'imiter l'un l'autre, tu les chapitres de toutes les façons, il ne te reste plus qu'à découvrir le bon pigeon… Maintenant, fripouille, rends-moi l'argent !

– Tue-le, Marc ! hurlent les rois. Ne te contente pas de l'argent, crient les militaires, mets cette crapule en croix, fais-le battre à mort ! Les verges, les verges ! »

Les enfants aux grands yeux prennent peur, ils se blottissent l'un contre l'autre – comme deux frères. Du bras, Marc Antoine les attire contre son lit de table : « Ne craignez rien, mes jolis. L'Imperator vous protège. Personne ne vous touchera. Votre méchant maître va seulement me rendre mes deniers…

– Certes, Imperator, tu es en droit de réclamer l'annulation de cette vente, dit le vieux barbu que ce tumulte n'a guère troublé. Les enfants ne sont pas nés de la même mère, il y a tromperie sur la marchandise, bon, bon… Tu me rends les gosses, je te rends la monnaie, nous sommes quittes. Inutile de me faire fouetter, surtout à mon âge ! Tu n'es pas cruel, tout le monde le sait… Avant d'exiger ton dû, réfléchis bien cependant : n'est-il pas plus banal, Seigneur, de produire des jumeaux certifiés que de trouver deux enfants aussi semblables dans deux pays si différents ? Outre que ces petits sont beaux, vierges, et bien dressés, leur étonnante ressemblance – étonnante précisément parce qu'elle est fortuite – t'assurerait un vrai prestige à Rome… *Autocrator*, écoute l'humble conseil d'un indigne vieillard : rien au monde ne donne plus de plaisir que la beauté (et il ose, ce salopard, glisser vers Cléopâtre un regard émoustillé !), garde mes deux merveilles et laisse tes vils deniers salir les mains de l'abject commerçant que je suis… »

Antoine part d'un grand rire : « Ah, trafiqueur de culs, tu ne manques pas de toupet !

– Tue-le, Marc, répètent les rois, les généraux, les sénateurs. Oser t'escroquer, toi ! Te tromper ! Il n'implore même pas ta pitié, tue-le. »

D'un geste l'Imperator leur impose silence : il sait que, s'ils en ont l'occasion, demain ou après-demain, tous ceux qui réclament aujourd'hui la mort du trompeur le tromperont. Il regarde seulement Cléopâtre. Sous sa couronne de roses, elle sourit ; la scène l'amuse ; il aime l'amuser. « J'ai bien suivi ton raisonnement, dit-il au marchand, tu n'as aucune morale, mais tu n'es pas dénué d'esprit. Dis-moi seulement : au fil des ans, il est probable que la ressemblance entre ces enfants – saisissante, en effet – s'estompera. Je ne jouirai pas longtemps de la surprise et de l'admiration de mes amis. Avant que ces gamins soient en âge de jouer les échansons et de nous servir du vin avec leurs baisers, ils seront aussi différents l'un de l'autre que je le suis moi-même du gros Plancus ! Que vaudra mon bien ?

– Je conviens, Seigneur, que l'éventualité d'une telle dépréciation n'est pas à écarter... Mais songe à quel point des jumeaux authentiques, sortis le même jour d'un même ventre, peuvent quelquefois, en grandissant, se différencier l'un de l'autre. Sommes-nous sûrs qu'on confondrait un vieux Castor avec un vieux Pollux ? Et Diane ressemble-t-elle à Apollon ? »

Marc Antoine revoit soudain ses propres jumeaux, si mal assortis en effet : Soleil et Lune. Alexandre, si beau, si gai, et la sombre Séléné, presque laide avec son petit visage triangulaire, Séléné dont le souvenir, pourtant, le submerge de tendresse. Il lui avait promis de revenir vite, elle doit l'attendre... Il voudrait savoir, là, tout de suite, si elle se porte bien, si elle grandit, si elle peut déjà chanter *La Colère d'Achille* en s'accompagnant de la lyre. De ses autres filles, Prima et Antonia, l'Imperator n'a aucune nouvelle ; Octavie ne lui écrit plus... Pensif, il regarde Cléopâtre ; sur le sens de cette interrogation, elle se méprend, sourit encore et, de la tête, fait un signe d'acquiescement en direction du bonhomme ligoté que ses gardes ont forcé à s'agenouiller.

« C'est bon, vieux filou, lance Antoine, va-t'en ! Je te laisse l'argent : pas pour ta camelote, mais pour ton bagout ! Va et proclame par toute l'Asie que je suis moins sot que tu ne croyais, et plus généreux encore qu'on ne le disait ! » Aux enfants, serrés l'un contre l'autre comme des oiseaux, il dit : « Vous, les moineaux, vous restez dans ma maison. Mais il est temps d'aller dormir. Filez ! » Et, pour se faire mieux comprendre, il donne une tape affectueuse sur les fesses nues d'Héphaistion. « Moi aussi, mes amis, je vais me coucher. Avec la permission de notre *président de banquet*. Je me sens las, continuez à boire sans moi. Et usez de mes musiciennes comme il vous plaira ! »

Il n'a pas besoin de dormir, il a besoin de parler. De parler avec la Reine. De leurs enfants, peut-être ? Parler en tout cas, pour chasser cette phrase qui lui tourne dans la tête depuis le début de la soirée, ces vers des *Perses* qui lui sont revenus en mémoire l'autre jour, après avoir vu le marin mort : « Tel un grand vol d'oiseaux vêtus de sombre azur, les nefs les ont emmenés, hélas ! Hélas, les nefs les ont perdus ! »

Quand il lui récite ces mots, plus tard, dans la chambre, en se chauffant les mains au brasero, elle se moque de lui : « Tu révises tes classiques ? Alors je te chanterai les modernes. Ils sont plus gais, et quelquefois même ils sont latins ! » Elle jette ses sandales, la joyeuse, s'étend sur le grand lit : « Écoute, j'ai appris ces vers-là pour toi, dans ta langue de Barbare : *"Tu peux maintenant venir, jeune marié, ton épouse est pour toi au lit, et…"* Ne ris pas ! »

Il rit parce que dans cette langue – l'une des rares qu'elle ne parle pas – elle a un terrible accent grec : elle met des *h* aspirés devant toutes les voyelles, *hépouse*, *il hest*… « Te voilà déjà *hau* lit, grande Reine ?

– Tais-toi, Marc, laisse-moi finir ! Je reprends tout, parce que je ne comprends rien. Foutu latin ! Ne me trouble pas. *"Tu peux maintenant venir, jeune marié, ton épouse est pour toi au lit, son visage a l'éclat d'une fleur, telle la blanche camomille…"* »

Et, renversée sur les coussins, soudain grave et apeurée comme une fiancée, elle ferme les yeux… puis, en riant, lui ouvre les bras. Mais un instant, dans la comédie qu'elle jouait, il a vu passer sur son visage quelque chose de Séléné – un jour leur fille, livrée au Minotaure, ressemblera à cette « blanche camomille » qu'on froisse et qu'on meurtrit… Il s'allonge sur son « épousée » (elle est reine, mais c'est ma femme, *Thurinus* !), il lui saisit violemment les poignets, qu'elle a si minces, si fragiles, si faciles à briser, il mord son épaule, ses lèvres, son oreille minuscule que les perles alourdissent, mord jusqu'à la faire crier. Alors, entre deux baisers, il murmure en grec le chant sacré du mariage dionysiaque : « Donne-moi ton jardin profond, la fleur noire et la grotte très féconde. »

MAGASIN DE SOUVENIRS

Catalogue, archéologie, vente aux enchères publiques, Paris, Drouot-Montaigne :

… 37. Plaque ex-voto représentant Dionysos debout, nu, une épaule et le torse recouverts d'une peau de chèvre. Les cheveux sont ornés de pampres dont certaines feuilles sont argentées ainsi que la pupille des yeux. Bronze et argent. Oxydation verte et noire. Égypte, époque ptolémaïque.

H. : 15 cm. L. : 9 cm. 4 000/4 200

… 55. Figurine du dieu-enfant Horus portant son index à sa bouche. Faïence émaillée à glaçure bleu intense. Cassure visible au niveau du cou. Socle brisé. Plusieurs manques. Égypte, époque ptolémaïque.

H. : 14,8 cm. 1 200/1 300

SÉLÉNÉ venait de sauver son frère, Ptolémée Philadelphe, son « petit Horus » à elle, en allant rêver à Canope dans le sanctuaire de Sérapis. Pour guérir le dernier-né de la Reine, qui souffrait d'un abcès à la gorge et qu'Hadès semblait encore une fois attirer dans ses ténèbres, le médecin Olympos avait jugé qu'il fallait prendre les grands moyens : une *incubation*, et à Canope. En matière de guérisons, le dieu de Canope était plus puissant que celui d'Alexandrie. Mais impossible d'envoyer rêver chez lui un quelconque serviteur : seul un proche du patient – et un proche « de qualité » – pouvait l'amadouer. Séléné se proposa.

Pour son « bébé », comme elle aimait l'appeler, elle était prête à affronter ce qu'elle craignait le plus au monde : le dehors. Sortir du *paradis*, quitter l'ombre douce du Palais, entrer dans la lumière ; franchir l'enceinte protectrice du Quartier-Royal, traverser la ville, les cris, la foule ; voyager, au vu de tous, sur les routes et les canaux ; et dormir dans la cour du temple, au milieu des dévots qui viendraient la regarder sous le nez : « Une princesse ! » Ce que cette fille de la nuit redoutait le plus – le soleil et les inconnus –, ce qu'elle appréhendait par-dessus tout – être vue –, elle l'affronterait pour tirer son frère des griffes de Seth le Mauvais.

Quand elle monta dans la felouque d'or qui l'attendait sur le Maiandros, c'était la première fois depuis son retour de Syrie, cinq ans plus tôt, que Séléné franchissait les remparts de la ville et revoyait le lac, les touffes de papyrus, les jeunes sycomores que rebrousse le vent, et ces îlots d'herbes sauvages entre lesquels glissaient des barques aux silhouettes d'oiseaux. Voguant vers le dieu sauveur, elle voguait aussi vers l'Orient – le canal du Bon Génie, le Nil, le vert, la vie…

Des hommes attablés sous une tonnelle, apercevant sur le canal la felouque au baldaquin pourpre, s'attroupèrent le long de la berge en poussant des cris de joie : ils croyaient que c'était la Reine, rentrée victorieuse de ses voyages, qui venait visiter ses peuples. Bientôt, toutes les guinguettes – le canal en était bordé – déversèrent sur la rive leur clientèle avinée. Séléné, assise sous le dais comme une déesse, prit les ovations pour elle ; elle demanda à ses chasse-mouches de la cacher derrière leurs grands éventails de plumes : elle ne voulait pas être regardée. Mais bientôt, poussée par la curiosité, elle passa la main entre deux éventails pour écarter un peu les plumes : ici et là, pour quelques sous, on faisait griller en plein air des épis d'orge et des rougets que dévoraient à belles dents des marins crétois ou narbonnais ; accoudées aux balcons des lupanars, des filles plus pâles que la lune, maquillées à la céruse, apostrophaient le chaland ; d'autres, les cheveux dénoués, marchaient à l'ombre des dattiers, la tunique relevée jusqu'à la taille pour prouver qu'elles étaient complètement épilées.

La felouque royale glissait en silence, croisant de hautes

barges où des marchands aux gros ventres enveloppés de lin rose banquetaient au son de la flûte phrygienne. Beaux comme le petit Horus des temples, des enfants nus fouillaient la boue du canal à la recherche de la monnaie que les voyageurs étrangers lançaient aux acrobates qui paradaient sur la berge. De vieilles esclaves accroupies sur les pontons des auberges tressaient, pour les dîneurs, des guirlandes de crocus et de roses. D'Éleusis jusqu'à Canope, le canal était « le lieu de tous les plaisirs », le symbole délicieux de la débauche – on y venait du monde entier pour mener, un seul jour ou toute une semaine, *la vie canopique*...

Ce spectacle bariolé parut à Séléné si réjouissant, l'odeur de la bière d'orge et du poisson frit, si nouvelle, qu'elle quitta l'abri de son dais à pompons pour rejoindre Diotélès, son *pédagogue*, assis en scribe à la proue du bateau. Mais quand l'embarcation parvint en vue du Nil, à Skhédia, et qu'on longea les treillages ajourés derrière lesquels des groupes d'hommes et de femmes, encouragés de loin par les bateliers, se livraient à toutes sortes d'ébats, Diotélès rappela les porteurs d'éventails, qui se postèrent autour de la princesse. « C'est à moi de décider si je veux être vue ! s'écria-t-elle, fâchée. En plus, ces idiots me gênent, avec leurs dos : je ne vois rien du tout !

– Justement. Ils ne te protègent pas des regards, ils protègent tes regards... »

La petite devina, vexée, qu'il était question de pudeur. Elle se sentit, en même temps, coupable et outragée. Rentrant sous son dais, elle ferma les yeux et ne cessa plus, jusqu'à l'arrivée, de se demander en quoi la vision de ces gens en grappes aurait pu la blesser. Quel crime commettaient-ils ces gens-là ? Et de quoi s'était-elle rendue complice ?

Certes, dans une époque et un pays rien moins que pudibonds, une enfant de son âge, élevée dans un palais, avait eu mille occasions de voir – en peinture ou dans le marbre – des couples d'amants enlacés, des dieux virils au sexe dressé, des hermaphrodites attendrissants, des satyres violeurs, des Priape exaltés, sans parler de ces phallus géants que des fidèles promenaient en procession dans les rues pour honorer Dionysos et Osiris. Mais, si familiers que lui fussent ces objets d'art et ces instruments du culte, Séléné n'avait jamais pensé qu'ils renvoyaient à une quelconque réalité. D'autant que la réalité qu'elle connaissait – celle des eunuques et des enfants du Palais – ne lui suggérait aucun rapprochement de cet ordre. À huit ou neuf ans, la fille de Cléopâtre et de Marc Antoine était aussi innocente qu'un Caton l'aurait souhaité. Innocente à la manière de ces petits paysans qui, habitués à voir le bouc faire « ça » avec la chèvre, n'imaginent pas un instant que leurs parents pourraient « s'emboîter » aussi… Pourtant, des images confuses lui revenaient soudain à l'esprit : cette danse où l'on se couche l'un sur l'autre, elle l'avait vue autrefois, mais où ? Dans un banquet peut-être ? Des gens qui se dévoraient, renversaient les lampes… Déjà, elle n'aurait pas dû être là : pour s'effacer, elle avait fermé les yeux.

Le cliquetis cadencé des sistres mit fin à son angoisse : le pilote venait d'amarrer la felouque d'or au débarcadère du Grand Temple, où une délégation de prêtres au crâne rasé attendait la suite royale en secouant ces « hochets » métalliques.

Le dieu de Canope était moins impressionnant que celui d'Alexandrie. Plus petit, plus clair, et sans chien des Enfers. Un visage bienveillant, avec une barbe bouclée. Et, surtout, une garde-robe éblouissante : pendant les trois jours que Séléné passa dans le sanctuaire, Sérapis, devant son temple, changea trois fois de tenue. Bien sûr, la Reine sa mère portait aussi de jolies choses, mais le dieu semblait plus accessible : on pouvait, en touchant ses genoux, caresser son manteau, embrasser la précieuse étoffe en l'implorant ! Il le permettait. Ne repoussait personne – ni les mendiants, ni les repris de justice qui cherchaient asile dans ses murs : il avait l'air d'un si bon vieillard…

Le premier jour, elle remit à Sérapis-Osiris les cadeaux précieux qu'elle avait apportés et fit une libation d'eau du Nil sur les autels dédiés aux proches du dieu : Isis, sa sœur-épouse ; leur fils, l'enfant Horus ; et le chien Anubis « qui-ouvre-les-chemins »… En libations, elle se jugeait excellente. Libations « mineures », puisque aucune femme ne pouvait verser le sang ni le vin. Mais les autres liqueurs aimées des dieux, elle se trouvait aussi habile à les répandre qu'à dérouler des papyrus ou à faire des additions sur son boulier : jamais elle ne laissait tomber la moindre goutte ; elle pouvait verser le lait de la mamelle d'or dans la patère consacrée, puis retourner la patère sur l'autel sans tacher sa tunique ; ou plonger la louche à long manche dans le vase de parfum et la soulever jusqu'à l'officiant sans se salir les mains. Quand on est assez adroit pour aider à une libation d'huile de rose, on ne craint pas d'offrir de l'eau bénite ! Aussi le fit-elle à Canope, en présence des diacres *porteurs de vases* qui la félicitèrent. Elle fut si fière de leurs compliments qu'elle ne remarqua pas, sur le parvis, les bossus, les manchots, les idiots, les paralytiques que leurs familles traînaient, et tous ces visages déformés par les tumeurs, toutes ces plaies puantes, toutes ces civières, toutes ces béquilles, tous ces linges noirs de mouches, qui souillaient le sanctuaire du dieu guérisseur.

Un sacristain *porteur de corbeille* lui amena le scribe chargé d'interpréter les rêves que le dieu lui enverrait. Ce « traducteur » vivait à l'écart des autels, dans un oratoire ouvert sur la troisième cour. C'est là, couchée sur un lit de camp, que Séléné passa sa première nuit. D'autres fidèles s'étaient installés dans la petite cour pour faire décrypter leurs songes par l'équipe renommée qui officiait à l'abri du dernier portique ; même si le moment des prières était depuis longtemps passé et qu'on avait refermé sur le dieu les rideaux du saint des saints, ici la foule des malades allongés continuait à chuchoter, gémir, ronfler... Séléné ne put s'endormir qu'au matin, et quand son *déchiffreur* la réveilla, elle ne se souvenait d'aucun rêve : le dieu ne l'avait pas visitée.

Il fallut rester à Canope. En plein soleil. La femme de chambre qui remplaçait Cypris (interdite de bateau) ne songea même pas à déployer une ombrelle pour protéger sa princesse : elle baguenaudait en admirant les statues des dieux-pharaons dont la pierre était humide de parfums, et les pieds, usés par les caresses des suppliants. L'astrologue, de son côté, suivait dévotement les prostituées qui racolaient derrière les chapelles. Quant à Diotélès, il déversait, sans ménagement, ses réflexions théologiques dans les oreilles d'un inconnu, un cul-de-jatte qui n'avait aucun moyen de s'enfuir : « Tu vas me dire que les Juifs ont le droit d'avoir un dieu à eux… D'accord, mais ils le cachent ! Encore, si c'était un Apollon, un Ganymède, un Adonis, bref une merveille, on comprendrait, mais pas du tout : ses prêtres ne connaissent pas son visage ! Personne n'a vu de lui la moindre image. Un Tout-Puissant qui n'est même pas capable de faire savoir à ses fidèles s'il est jeune ou vieux, barbu ou imberbe, laisse-moi rire… »

Livrée à elle-même, Séléné se joignit aux processions, puis tenta d'apprivoiser les chats sacrés, longs « abyssins » tigrés qui circulaient, l'air dédaigneux, au milieu des pèlerins. Elle aimait les chats, surtout leurs yeux jaunes, car un jour, en la taquinant, Antyllus lui avait lancé : « Oh toi, coquine, avec tes yeux de chat ! » Prenant la plaisanterie pour un compliment, elle s'était persuadée qu'elle embellissait : non seulement elle était brodée, mais elle avait des yeux de chat… Elle courut d'un autel à l'autre derrière ceux qu'elle appelait, comme tous les indigènes, des « myéous », ni les Grecs ni les Romains n'ayant de mot pour désigner cette espèce exotique : le chat domestiqué. Assise au soleil, entourée d'une demi-douzaine de matous bien gras (les prêtres d'Isis-et-Sérapis, célibataires austères et végétariens, leur donnaient à manger les tripes grillées dont ils débarrassaient les autels), elle passa des heures délicieuses.

Elle fit ensuite plusieurs fois, en plein midi, le tour de la grande cour, regardant attentivement les ex-voto de plomb ou d'argent cloués aux murs : un bras, un torse, un œil

– des *incubants* avaient remercié le dieu en lui dédiant la partie du corps qu'il avait guérie. D'autres avaient déposé, dans des corbeilles, d'affreuses figurines qui reproduisaient exactement leurs mutilations et leurs difformités afin que le dieu vît mieux où agir et comment opérer.

Elle, Séléné, que dédierait-elle à Sérapis si son petit frère ne mourait pas de l'abcès au cou qui l'empêchait de manger ? Et s'il mourait malgré tout, combien pèserait son âme ? Combien pesait l'âme de Ptolémée ? Sous la colonnade, elle vit, accrochées par centaines, les barques votives offertes au nom des défunts – barques de la nuit éternelle qui étincelaient au soleil. Elle se sentit un peu triste. La fumée des autels et des réchauds lui piquait les yeux. Il faisait chaud. La peau de la nuque et des bras lui cuisait ; un chat sacré vint se caresser à ses mollets, elle ne chercha même pas à l'attraper.

À sa servante, elle se plaignit de ses paupières, qui la démangeaient. Elle se frottait les yeux. Elle demanda à se coucher. Le scribe de l'oratoire proposa de la réveiller pendant la nuit pour l'aider à se rappeler les visites du dieu. À deux reprises, elle se souvint de ses rêves, en effet. La première fois, elle parla d'une boîte où elle se trouvait enfermée avec Alexandre et Ptolémée, elle avait peur, elle étouffait, il lui semblait que Ptolémée allait mourir quand, brusquement, un couteau avait ouvert la paroi de leur prison. « Et après ? interrogea le "traducteur de rêves".

– Après ? Rien. Tu m'as réveillée au moment où j'avais peur. Peur du couteau… »

Tandis qu'elle se rendormait, le scribe prit des notes sur ses tablettes. Quelques heures plus tard, la voyant s'agiter dans son sommeil, il la réveilla de nouveau. « Je rêvais que j'avais très chaud. Devant moi, sur une charrette, je voyais mon petit frère qui avait trop chaud, lui aussi. Ses cheveux collaient à son front, il ne bougeait plus. Il était trempé de sueur. Les cheveux, surtout. Je criais "Vous ne voyez pas qu'il va mourir !". Il y avait des gens autour de nous, mais personne n'entendait... J'avais tellement peur qu'il meure !

– Parfait ! dit le traducteur en repliant ses tablettes. Réjouis-toi, le dieu t'a exaucée ! » Il souriait : il la tenait enfin, son ordonnance !

Au matin, il livra son interprétation. Le placard, la boîte fermée dont la princesse avait rêvé, représentait le corps de son frère ; quant au couteau qui traversait la paroi, c'était le scalpel du médecin : le dieu conseillait clairement de délivrer le malade en incisant l'abcès qui lui rongeait la gorge. Le deuxième rêve était aussi limpide que le premier : la fièvre du prince était augmentée par l'excès de vêtements et de cheveux ; il convenait de le laisser nu et surtout, surtout, de lui raser la tête, comme à un enfant indigène. Que le coiffeur ait soin, toutefois, de lui laisser, sur le côté droit du crâne, la longue « mèche de l'enfance », cette *boucle d'Horus* qui protège les jeunes garçons.

En recevant la précieuse ordonnance, Séléné fit remarquer à Diotélès, d'une petite voix plaintive, qu'elle souffrait beaucoup ; et elle montra ses bras nus, qui avaient pris la couleur de la brique. De la brique cuite. « *Oïe !* fit Diotélès. *Oïoïoïe !* » Ce Pygmée était plus grec que les Grecs. C'est pourquoi il ajouta « *Otototoï !* », et il se précipita sur le coffret à onguents qu'il faisait suivre partout. Avant de remonter dans la felouque, il enduisit d'huile d'amande douce les bras et le visage de l'enfant, que la femme de chambre entortilla des pieds à la tête dans un grand châle. On aurait cru une momie. « Mes yeux aussi me brûlent, dit Séléné en rabattant un coin du châle sur son visage, je vais sûrement devenir aveugle… – *Otototototoï !*, hurla la femme de chambre. – Non, dit Diotélès après avoir soulevé le voile, tu as les yeux rougis parce que tu les as frottés, tu ne seras pas aveugle pour si peu ! » Mais, de nouveau, Séléné cacha son visage avec le châle, et on dut la porter jusqu'au bateau. Installée sous le dais, elle exigea, pour se protéger du soleil, un double rang d'éventails. « Voyons, Séléné, le soleil ne pénètre pas sous ton dais ! – Je ne veux plus rien voir, répliqua la princesse, j'ai trop mal. » Elle gardait les yeux fermés, écoutant les bruits de la rive sans vouloir les entendre.

De l'autre côté des éventails, Diotélès bavardait ; pour la femme de chambre, qui n'en pouvait mais, il dissertait sur les nombres à la façon de Pythagore, louant la perfection du chiffre trois et vantant la beauté du sept, qui symbolise Athéna, la déesse sans enfants et sans mère : le sept n'est-il pas le seul nombre qui n'engendre aucun nombre de la décade et n'est engendré par aucun ? « Tais-toi, Diotélès, tu m'ennuies », cria soudain Séléné de derrière ses éventails – elle n'aimait pas qu'il fît profiter les autres de sa science universelle, elle le voulait rien qu'à elle, comme un jouet. « Fais-moi des guilis !

– Non.

– Tu fais des guilis à toutes les petites filles sauf moi. Tu joues avec elles, tu ris avec elles ! Pas avec moi… Je veux des guilis ! Tout de suite !

– Non. »

Elle n'était plus brodée, ses beaux yeux de chat devenaient rouges, elle était sale comme une vieille statue huileuse. Le châle qui cachait son front, elle le tira jusqu'au menton ; et comme on chantait sur la berge, où des hommes et des femmes se poursuivaient en riant, elle se boucha les oreilles.

Par hasard, Ptolémée Philadelphe – le crâne dûment rasé – survécut à l'incision. L'abcès se vida, l'enfant guérit lentement. On invita Séléné à remercier Sérapis chez Isis Lokhias, dont le temple était tout près du Palais.

Depuis son expédition à Canope, la petite fille restait souffrante : ses bras avaient pelé, à la grande fureur d'Olympos qui fit raser la tête et tatouer le crâne de la femme de chambre et confisqua à Diotélès sa dépouille d'ancienne vedette – la vieille peau de lion dont il aimait encore s'envelopper. À cause de leur négligence à tous deux, les yeux de la princesse avaient recommencé à suppurer. Dans son *paradis*, elle portait maintenant en permanence un voile sur la figure pour éviter la brûlure du soleil, un voile brun épais qui ne laissait passer qu'une faible lumière. Elle marchait à pas comptés, par peur de tomber. Ne pouvait plus lire ni écrire. Pas même « dérouler ». Elle passait ses journées assise auprès du grand bassin de son jardin, avec ses musiciennes. La nourrice et les servantes s'empressaient – la petite reine n'avait-elle pas sacrifié sa santé pour sauver son frère ? Un tel dévouement méritait récompense : on prévenait ses moindres désirs, on la gavait de pistaches, de dattes fourrées, de flans au miel, de tortillons à la poêle. Ses demi-frères lui rendaient visite comme à une blessée. On en avait presque oublié que le moribond, c'était Ptolémée.

Antyllus, qui passait voir sa sœur chaque fois qu'il se rendait au Muséum, lui criait, d'aussi loin qu'il l'apercevait : « Ah, voilà la Fortune aux yeux bandés ! Garde ta maladie pour toi, Fortune, et cède-moi ta chance ! Fortuna, Fortunata, mon roseau de fer, n'essaie pas de m'apitoyer, tu vivras plus vieille que nous ! », et aussitôt, en vrai Romain, il « faisait la figue » pour conjurer le sort. Après quoi, il jouait aux osselets en la laissant gagner – à travers sa coiffe de veuve elle ne pouvait pas compter les points : « Ah, par Pollux, je perds encore ! Tous sur la même face : le *coup du chien* ! Ma petite taupe aux yeux d'ombre, tu as de la chance au jeu, tu seras chanceuse en tout ! »

Césarion, qu'Olympos et l'oculiste rassuraient sur les progrès du traitement, tentait de persuader sa sœur de retirer ses voiles de cendre, au moins dans son appartement : « Tu vas beaucoup mieux. Et dans ta chambre tu n'as rien à craindre, puisqu'on a fermé le volet. Cesse de te cacher ! Tu dois te réhabituer à la clarté, oser regarder… Notre chambellan a fait rouvrir les grandes salles de ton palais, les travaux sont terminés. Plus de galets par terre, ni de mosaïque sombre : une marqueterie d'onyx, rose et verte, lisse aux pieds et au regard – tu seras contente. Et, sur les parois, des jardins pleins d'oiseaux, des barques, des palmiers : les peintres ont ouvert tes murs sur le Nil ! Tu vas adorer ce que verront tes yeux. Seulement, il faut les ouvrir… » Quelquefois, désespérant de la convaincre, il se bornait à vérifier que ses études ne souffraient pas de sa réclusion. « Je n'ai pas besoin de lire, protestait-elle, j'ai une lectrice.

– Oui, mais, d'après Nicolas, tu aurais grand besoin d'écrire !

– Pourquoi ? Je dicte, et Diotélès écrit pour moi.

– Où en es-tu avec Homère ? Voyons ça. Quels étaient les devins du roi Priam ?

– Facile ! Cassandre et Hélénos, deux de ses enfants.

– Bien. Et ses conseillers ?

– Hector.

– Non, Hector était son général. J'ai dit "les conseillers"...

– Idaïos ! Euh, non. Agénor peut-être ? Ou un autre, mais je ne sais plus qui.

– C'est Polydamas. Tu ne récites pas tes listes assez souvent, Séléné. Philadelphe, lui, malgré tous ses ennuis, sait déjà par cœur les syllabes de deux lettres, et Iotapa connaît l'alphabet, même à l'envers. De l'oméga jusqu'à l'alpha, sans une erreur ! Ils finiront par en savoir plus que toi... Il faut travailler davantage, et quitter tes voiles de pleureuse ! Notre mère serait fâchée de voir sa fille attifée comme une Cassandre !

– Ça m'étonnerait ! À l'heure qu'il est, notre mère a d'autres choses en tête ! Oh pardon, Fils d'Amon, je ne voulais pas être insolente, ne me fais pas fouetter... »

Séléné venait d'apprendre par Diotélès, qui courait la ville pendant qu'elle dormait, que ses parents avaient quitté Samos avec toute la flotte. Maintenant, ils étaient à Athènes. Ils y donnaient de grandes fêtes en attendant l'arrivée des légions d'Arménie qui, par Byzance, la Thrace et la Macédoine, rejoignaient la Grèce à marches forcées : Rome avait déclaré la guerre à l'Égypte.

« Est-ce que les Romains vont nous envahir ? demanda-t-elle à son *pédagogue*.

– Bien sûr que non ! C'est en Grèce que ton père va se battre contre le chef des Romains.

– Mais mon père est romain…

– Eh bien, les Romains ne sont pas d'accord entre eux, c'est le problème.

– Mais l'Égypte ? L'Égypte est d'accord entre elle ? Oui ? Alors, mes parents vont gagner ! »

Si Sérapis avait guéri Ptolémée, ce fut Isis qui guérit Séléné, Isis Lokhias, celle qui « habitait » le grand temple du Quartier-Royal – un édifice ancien, qui n'était plus très fréquenté. Depuis que la reine avait déplacé sa Cour à Antirhodos où l'on avait construit, pour la déesse, un sanctuaire tout neuf, le temple d'Isis Lokhias n'accueillait plus que quelques servantes assidues à l'office du matin ou des scribes employés dans les bureaux « du Dedans ». On avait même condamné la porte qui, depuis le Palais des Mille Colonnes, menait directement à l'arrière du temple. Quand, exceptionnellement, on la rouvrit pour permettre à la reine de Cyrénaïque d'aller remercier Sérapis, Séléné découvrit l'existence d'un verger en friche situé juste derrière son *paradis*, puis, au bout de ce verger, une ruelle aveugle qui débouchait par une porte basse sur l'une des cours intérieures de l'Iséum.

Est-ce ce côté labyrinthique qui plut à l'enfant ? la douceur des recluses aux robes blanches ? ou la possibilité d'un retrait plus radical encore que ceux qu'elle expérimentait sous son voile et dans son jardin clos ? En tout cas, la « malade » ayant souhaité que la communication entre son *paradis* et le vieux temple fût rétablie, personne n'osa la contrarier. Surtout pas Cypris et Taous qui, depuis l'affaire de la statuette brisée, craignaient que Séléné ne fût en mauvais termes avec la déesse : si, au moins, elles pouvaient se rabibocher ! La fillette prit l'habitude d'échapper à la Cour et aux contraintes en empruntant à tout moment la porte dérobée, la ruelle obscure entre les murs, l'étroit corridor du passé.

Par la suite, quand sa vie aura basculé, quand les souvenirs d'Alexandrie se seront effilochés, il lui semblera qu'à cette époque elle consacrait beaucoup de temps à la déesse. Mais de ces soirées occupées à trier des roses dans les corbeilles ou à régler les baguettes des sistres, ne lui resteront que des impressions confuses.

Impression de fraîcheur, surtout. Les cours étaient si petites ici, et leurs murs, si hauts, qu'elles se remplissaient d'ombre et d'oubli dès qu'on avait passé l'heure de midi. Peut-être même y eut-elle un peu froid quand elle eut consenti à ôter ses voiles ? Sans doute les vieilles recluses lui avaient-elles expliqué qu'Isis, *Maîtresse des étoiles, Lumière des lumières*, n'aimait pas la voir ainsi accoutrée : « À l'automne, au mois d'Athyr, lorsque nous célébrerons la mort d'Osiris et son démembrement, nous serons nous-mêmes enveloppées de nuit : tu pourras porter le deuil universel. Mais, le reste de l'année, nous vivons dans la joie. Joie d'Isis-l'épouse, qui ressuscite le frère aimé, et joie d'Isis-la mère, quand elle met au monde l'enfant Horus qui triomphera du Mauvais. »

Ces paroles, Séléné mettrait longtemps à les retrouver… ou à les imaginer. En y resongeant bien, elle croirait plutôt que les servantes d'Isis lui avaient proposé un marché : si elle quittait sa défroque de veuve, les habilleuses lui montreraient la garde-robe de la déesse. Un fait est sûr : cette garde-robe, elle l'avait vue – des dizaines de tuniques multicolores, des capes brodées, des perruques « en vrais cheveux », des peignes d'ivoire, des pendants d'émeraude et, même, luxe plus que royal, des petites perles à accrocher aux sandales ! Un soir, pour « la Navigation d'Isis », quand la déesse doit porter le grand manteau noir semé d'étoiles, elle avait aidé l'ornatrice en chef à choisir ces perles ; et, le lendemain, la déesse reconnaissante lui avait souri, tout comme elle lui avait parlé autrefois pour l'inviter à goûter la douceur du vent sur ses lèvres, « Croque la vie, Séléné, elle est sucrée. »

« Quelquefois, la déesse me dit des mots…

– C'est possible, convinrent les vieilles, mais elle te parlerait davantage si tu étais *initiée*.

– Je veux être initiée.

– Tu es trop jeune, il faut attendre que la déesse t'appelle.

– Comment saurai-je qu'elle m'appelle ?

– Elle te préviendra par un rêve et avertira en même temps notre grand-prêtre. Prends patience, un jour tu connaîtras le secret du monde. »

Confiante, elle s'abandonnait, se laissant engourdir par les longues prières, le goutte-à-goutte des clepsydres et l'odeur enivrante des coffres en bois de cèdre où l'on rangeait les livres saints. Quand elle avait passé deux heures avec les recluses (à cause des offices quotidiens, on savait toujours l'heure chez Isis), sa tristesse tombait au fond, comme une pierre. Elle se sentait légère : l'air pétillait au-dessus d'elle et parfois, lorsqu'elle rentrait au Palais, elle se surprenait à sautiller.

Dès qu'elle arrivait à l'angle du verger abandonné d'où l'on apercevait, à gauche, le mur d'enceinte du Quartier-Royal et les tombeaux du Sôma, elle redevenait reine de Cyrénaïque, se calmait, et jetait un coup d'œil vers le Mausolée de sa mère : il s'élevait peu à peu entre le temple et le rempart, plus haut que les palais ; mais le chantier avait pris du retard et les échafaudages laissaient mal deviner la forme qu'il aurait.

« Heureusement que la Reine n'est pas près de rentrer ! cria Diotélès, venu à la rencontre de son élève à travers les herbes folles. Parce que si elle était là, l'architecte ferait bien de s'acheter une peau de rechange ! Par chance pour lui, elle n'est encore qu'à Patras, où ton père a pris ses quartiers d'hiver. Mais cette fois, toute l'armée y est rassemblée ! Il est venu des troupes du fond de l'Asie, cent mille légionnaires, à ce qu'on dit, et tout un paquet d'auxiliaires, sans parler des troupes alliées ! Ça va chauffer !

– Où est-ce, Patras ?

– En Grèce, toujours. Mais dans le Péloponnèse. À l'entrée du golfe de Corinthe. Face à l'Italie.

– Et les ennemis ?

– Les ennemis ont franchi la mer. Ils occupent la côte dalmate. Et l'île de Corfou. Pas très malin de leur part : ils s'éloignent de leurs bases… Nous n'en ferons qu'une bouchée !

– *Nous ?* Tu vas te battre ?

– Hé, tu veux ma mort ? Je ne suis pas plus haut que ton frère Alexandre ! Et puis, regarde, je suis vieux, j'ai le poil blanc d'un mouton.

– C'est vrai ! Laisse-moi toucher tes cheveux : c'est très doux… Bon, maintenant, pose-moi des questions sur Homère, pour voir si j'ai bien appris mes leçons. »

Que serait devenue cette enfant sans « la catastrophe » ? On l'imagine finissant chez Isis : ombre assurée, cloître rassurant. Mais un choix pareil, les règles de la monarchie ne l'auraient pas permis. Donc, on l'aurait mariée, nantie du bagage nécessaire à une corégente accomplie : une bonne connaissance des mathématiques, de la musique, et des poètes grecs ; une science certaine du maquillage ; une parfaite intelligence du protocole ; des idées simples sur le gouvernement ; et une ignorance totale du monde. On l'aurait mariée à un jeune homme apparemment sérieux, affectueux même puisque c'est son frère, et un frère aimant ; seulement elle le connaît depuis si longtemps qu'il ne lui aurait pas appris grand-chose. Le « jeu de la bête à deux dos » ? Bien sûr… Mais sans passion. Puis, tout en lui conservant une amitié fraternelle, son pharaon l'aurait bientôt délaissée pour les concubines royales, ces *hétaïres* sans lesquelles un roi grec n'était pas vraiment un roi.

Introvertie, craintive, et farouchement sensuelle, la petite reine serait vite retombée dans la dévotion. Multipliant les belles cérémonies avec parfums et lumières, elle aurait ajouté au Quartier-Royal une « grotte de la nativité » pour le dieu, et deux ou trois chapelles pour la *Reine du ciel*.

Le mariage, en tout cas, n'aurait même pas été pour elle l'occasion de découvrir un horizon nouveau. De l'*Oïkoumèné*, elle n'aurait connu que l'Égypte, de l'Égypte qu'Alexandrie, et d'Alexandrie que le Palais des Mille Colonnes et l'île rose d'Antirhodos. Une fois ou deux peut-être, elle serait sortie des palais pour aller entendre au Théâtre (acte pieux) une vieille tragédie en l'honneur de Dionysos ; ou bien, sur les conseils de son médecin, elle aurait poussé – en litière fermée – jusqu'à la Ville des Morts ou l'Hippodrome : une aventure ! Voilà, « si tout se passe bien », la vie sans surprises, sans malheurs et sans joies qui attend Cléopâtre-Séléné, reine in partibus de Crète et de Cyrénaïque, Grande Épouse Royale de Ptolémée César…

Les calamités sont des opportunités. Pour les survivants, s'entend. Humainement (mettez l'adverbe entre guillemets), cette enfant va s'enrichir dans l'épreuve, connaître la peur et la haine, apprendre la méfiance, le mensonge et la duplicité, faire l'expérience du danger et celle de la vengeance, découvrir l'imprévu, l'inconnu et même, quand elle ne l'attendra plus et parce qu'elle ne l'attend plus, le plaisir. Bref, se conformer, se déformer, se tordre et se redresser : s'adapter – à tout et à tous. D'une petite fille mélancolique et tranquille qui grandit loin du bruit, la « mondialisation » romaine fera une déracinée lucide et désespérée, une femme intrépide, ouverte à tous les vents, citoyenne de trois continents : un fétu de paille qui flotte au gré des courants et rêve, au milieu des mers, de retrouver son champ de blé.

SOUVENIR PIEUX

Une amulette d'or à porter en pendentif. Un Horus à tête de faucon. Minuscule : deux centimètres de haut. Le seul de ses bijoux que Séléné, après le Grand Malheur, pourra garder de son enfance. On négligera de le lui ôter : il ne vaut rien.

Les recluses le lui avaient offert il y a longtemps, un soir de printemps, pour l'anniversaire du fils d'Isis, « la fête de l'enfance ». Plus tard, loin d'Alexandrie, elle continuera à le porter autour du cou, sans y songer et au risque de choquer ; puis en y songeant, et pour choquer : « Quelle horreur ! s'écriaient les Romaines. Adorer un dieu à tête d'oiseau ! C'est ridicule, et bien égyptien ! » Aucune ne semblait comprendre que l'animal n'était pas le dieu, mais le symbole du dieu : ce faucon représentait l'enfant Horus au moment où son regard perçant – « l'œil d'Horus » – lui permet d'apercevoir et de détruire le serpent, allié de Seth-le-Mauvais.

Un jour, de toute façon, Séléné n'eut plus à expliquer : elle avait perdu l'amulette – la bélière trop mince s'était usée, le pendentif, décroché. Désormais, elle était nue.

CINQ septembre. Bientôt, les tempêtes d'équinoxe et la mer « fermée ». La houle devient forte. Tantôt l'étrave plonge dans les flots, tantôt elle se dresse vers le ciel. Le navire amiral chevauche les vagues ; il tangue si fort, parfois, que son éperon d'airain accroche les nuages. Mais on ne peut pas réduire la voilure : il faut profiter du vent du nord pour éloigner l'*Antonia* de ses ennemis. Cap au sud. Toujours plus au sud.

L'Imperator a froid. Trois jours qu'il ne mange pas, dort à peine – même la nuit il se tient sur le pont, là, à la proue, enveloppé dans son manteau rouge. Plusieurs fois, la Reine lui a fait demander de la rejoindre dans sa chambre : a-t-il vraiment besoin de veiller la nuit, quand le vent faiblit et que les rameurs prennent le relais ? Il ne répond pas.

Au début, c'est à la poupe qu'il était. À la poupe de sa propre galère de commandement. Sur la dunette, avec le pilote. Il scrutait la mer pour voir combien de ses navires l'avaient suivi, combien s'étaient sortis de la nasse où, depuis des semaines, Octave les piégeait. Derrière, à l'horizon, tout était rouge en même temps : le soleil couchant et les vaisseaux qui brûlaient.

Quand, du regard, il avait commencé à faire l'inventaire autour de lui, il avait vu de tout : des « forteresses » à huit rangs de rames qui avaient jeté par-dessus bord leurs tours de bois et tous leurs engins de guerre ; une dizaine de quinquérèmes, dont l'une portait encore, fiché dans son flanc, juste au-dessus de la ligne de flottaison, l'éperon et la préceinte d'une petite galère octavienne ; des trirèmes, les unes comme neuves, d'autres, les rames brisées ; et, par hasard, au milieu des cuirassés, plusieurs bateaux de transport, lents et ventrus. Quarante navires sauvés, quarante au plus sur deux cent cinquante ! Loin devant eux, filant comme une volée de sauterelles, l'escadre égyptienne que Cléopâtre avait réussi à préserver – l'*Antonia* aux voiles pourpres et soixante navires de combat. Son escadre, sa précieuse escadre à laquelle elle tenait comme à la prunelle de ses yeux et qu'elle avait obtenu de ne pas engager… Le reste, les navires à dix rangs de rames qu'on n'avait pu armer faute de rameurs, il avait dû, la veille, donner l'ordre de les saborder au fond du golfe d'Actium.

Rapidement, les galères d'Octave avaient renoncé à donner la chasse aux fugitifs : elles n'avaient pas emporté leurs voiles – c'est là-dessus qu'Antoine avait compté quand, juste avant la bataille, il avait obligé sa flotte à charger les siennes. Seuls des pirates ralliés aux octaviens, et toujours prêts pour la course, eux, s'étaient entêtés à poursuivre les navires échappés, réussissant à couler une quadrirème attardée, puis à prendre à l'abordage le gros transport où l'on avait entassé sa vaisselle d'argent : vaincu, l'Imperator, et, en plus, ridiculisé ! En se faufilant, ces brigands s'étaient même approchés de sa galère de commandement ! Il avait dû défendre son propre pont au javelot, aux côtés de ses matelots. C'est alors qu'il avait envoyé aux Égyptiens un signal de détresse : l'*Antonia* avait ralenti l'allure et il était monté à son bord. « La Reine te prie de l'excuser, avait susurré un esclave emplumé, elle se repose dans ses appartements. » Parfait ! Elle ne voulait pas le voir ? Lui non plus ! Pas avant longtemps !

Une dernière fois, il avait regardé la mer depuis l'arrière du trois-mâts : espérait-il, après deux heures de voile, apercevoir au loin les « citadelles flottantes » de Sosius, Sosius qui, le matin encore, commandait son aile gauche, Sosius l'ami de toujours ? Mais derrière l'*Antonia*, il n'y avait plus rien à voir, que le long sillage du bateau, qui blanchissait comme un sentier.

Quand il a compris que tout espoir était perdu, il est passé à la proue. Il guette. Depuis deux jours, il guette – ou fait semblant de guetter. À l'avant, ce ne sont pas les écueils qu'il craint, mais l'attaque d'un de ces détachements légers – des petites birèmes à peine pontées – qu'Agrippa, l'amiral d'Octave, a placés en embuscade tout au long de la côte grecque, de Leucade jusqu'à Méthoné, ces birèmes qui, depuis le printemps, coulent les lourds convois de blé égyptien et affament ses troupes. « Prends du repos, Général, est venu lui dire le Syrien Alexas, nous sommes là, nous veillerons. » Mais il s'obstine, reste à la proue, immobile ; s'y tient jour et nuit. Comme s'il était encore bon à quelque chose ! Comme s'il y avait encore « quelque chose » à sauver…

Parfois, épuisé, il cesse de feindre, garde un moment la tête entre les mains. C'est dans cette position que l'ont surpris tout à l'heure Alexas et le capitaine égyptien : ils venaient lui demander le mot de passe pour la nuit. Ils parlaient en grec ; machinalement, Antoine a répondu en latin, et par un dicton romain : « Personne ne peut défaire le fil que les Destins ont filé. » Presque aussitôt, il s'est aperçu de sa bévue, mais n'a pas cherché à la rattraper. Après tout, ce mélange des langues et des nations, c'est ce dont il avait rêvé. Comme Alexandre… Alexandre auquel, maintenant, Octave oppose Romulus ! Romulus, soyons sérieux, Romulus dont tout l'empire tenait entre quatre sillons de charrue ! Et Apollon ? Apollon contre Dionysos ! Il en est à revendiquer des dieux « nationaux », cet étriqué du carafon ! Interdire Isis, chasser les mages et les Chaldéens, tout cela pour mieux remettre en selle Mars Vengeur et Jupiter Tonnant ! César serait bien étonné de voir son héritier si borné…

Il est vrai qu'il serait bien étonné aussi de voir son premier lieutenant pleurer à la proue d'un navire en fuite – puisque, maintenant qu'il a échoué, c'est comme un fuyard que les Mécène et les Messala vont le présenter… Entre ses larmes, entre les vagues, il croit voir se lever la grande ombre admirée : « Combien de fois t'ai-je dit, Marc Antoine, que tu n'étais pas un politique, ni un stratège ? Un excellent tacticien, oui, et le meilleur des orateurs, le plus brave des soldats. Mais stratège, non.

– Pourtant, César, à Alésia, qui t'a sauvé ?… Et à Pharsale ? À Pharsale, c'est ma cavalerie qui était en face de Pompée, moi qui supportais le choc !

– Vrai. Il n'empêche que j'étais là, derrière toi.

– Pas à Philippes, tout de même ! Quand j'ai vengé ta

mort… Brutus et Cassius, à Philippes, je les ai affrontés tout seul. L'issue du combat semblait si douteuse que ton petit-neveu s'était caché dans un fourré, il avait même jeté son bâton de commandement et son manteau – pour fuir plus vite… J'ai gagné tout seul, César. Sans lui, sans toi, et sans les dieux !

– Dans la *furia*, Antoine, tu as gagné dans la *furia*. C'est ton registre : l'impétuosité… Tu viens d'essayer la *furia* refroidie, permets-moi de constater que ce n'est pas un succès. La *furia*, cela ne se remet pas au lendemain ! Plus de dix-huit mois que tu as quitté Éphèse… Et un an depuis Athènes ! Plancus, Titius, Dellius, Silanus et Domitius "Barberousse", tous tes amis enfin, te l'ont dit et répété : tu tardais trop…

– Ils m'ont tous trahi ! Tous !

– On ne trahit que ceux qui vont perdre, Marc Antoine.

– Ah… Et Brutus ?

– Brutus m'a trahi parce que j'allais perdre, le peuple romain ne veut pas d'un roi. Je sais ce que tu vas me dire : ils ont tort, ils n'ont rien compris. Je sais aussi que tu as récupéré tous mes plans, tous mes dossiers, et que tu t'y conformes scrupuleusement – en "fils" fidèle… Mais, Antoine, réfléchis, ce sont des plans d'*avant* ma mort ! Comment peux-tu les appliquer à la lettre sans prendre en compte le fait, précisément, que je suis mort ? Assassiné en plein Sénat à cause de ces idées que tu suis bêtement : conquête de l'empire parthe, fusion de l'Orient et de l'Occident, monarchie à la mode grecque, divinités universelles… Vous poursuivez mes projets, elle et toi, comme si rien ne s'était passé entre hier, où je refaisais le monde avec quelques bons esprits, et aujourd'hui, treize ans après. Treize ans après mon *assassinat*... Braves cœurs, mes enfants, mais petites têtes !

– Mettons que je ne sois pas un grand politique, en effet. Mais comme stratège, je ne vois pas où sont mes fautes : je ne pouvais pas attaquer il y a deux ans, j'étais en sous-effectifs !

– Et ça ne s'est pas arrangé depuis, n'est-ce pas ? Résultat, tu as quand même fini par te battre, Marc Antoine, mais acculé, et à un contre deux ! Compte tenu de la situation, on peut dire qu'à Actium tu as fait de ton mieux, c'est avant, bien avant, que tu avais perdu la bataille ! La disproportion des forces ne se rattrape que par le mouvement, fainéant !... Allez, mon pauvre Antoine, cesse de geindre, le destin est une longue patience qui prépare de loin ses coups de dés : tu n'avais pas mérité de gagner... Maintenant, va la rejoindre : elle aussi, elle a honte. C'était sa première bataille, tu sais. Elle aussi, elle a pleuré. Pas trop longtemps, tu la connais – déjà, elle reprend espoir, tire des plans –, mais elle a besoin de toi, de ta parole, de ton souffle, de tes bras : elle n'arrête pas de t'envoyer des messagers... Et tout à l'heure, ce petit plateau de viandes séchées qu'elle t'a fait porter par une servante très déshabillée, c'était gentil, non ? Mais toi, d'un ton rogue : “Je n'ai pas faim !” À moins que tu n'aies l'intention de te laisser mourir d'inanition – ce qui n'a rien d'héroïque –, il faudra bien que tu te décides à manger. Autant que ce soit maintenant que demain ! D'ailleurs, tu es trempé comme une soupe – les embruns, les larmes... Un homme qui pleure ! Regarde-toi, Antoine, ton manteau d'Imperator dégouline, ta tunique te colle aux fesses – tu trouves que c'est une tenue, pour un général romain ? Dans un quart d'heure, elle tentera le tout pour le tout, t'enverra ses femmes de chambre, Iras et Charmion, les "inséparables"... Elles te proposeront de venir t'abriter un instant à l'arrière pour passer des vêtements secs – pour toi elles ont préparé une robe parfumée, ne refuse pas : elles te déshabilleront, t'essuieront, ce sont des jeunes femmes très expérimentées. Puis, quand tu seras réchauffé, elles te pousseront doucement vers la chambre : elle t'attend là, dans l'ombre, avec une coupe de vin grec... Baise-la, Marc Antoine, c'est la seule chose que tu fasses mieux que moi, ne l'en prive pas : baise-la. »

Ce fut peut-être leur plus belle nuit d'amour. Parce que désespérée : vierge de tout avenir, pure de tout calcul. La seule nuit d'amour que nous puissions précisément dater puisque, dans leur récit des évènements, des historiens antiques l'ont « isolée » : la bataille s'était déroulée au sud de Corfou le deux septembre ; à quatre heures de l'après-midi, Marc Antoine, dont Octave et Agrippa bloquaient la flotte, réussissait sa percée – ou ratait sa sortie. Un résultat, en tout cas, inférieur à ce qu'il espérait. Après quoi il passa trois jours, trois, à la proue de l'*Antonia*, en refusant de voir Cléopâtre, en refusant de parler et en refusant de manger. Il avait quand même fini par s'asseoir, mais il était assommé. Ivre de colère et de honte. Incapable d'imaginer une suite, et incapable d'en finir sur l'heure. Puis, alors qu'on approchait du cap Ténare, elle lui envoya ses suivantes, qui parvinrent à le persuader de dîner avec leur Reine et – nous dit la chronique – de rester près d'elle toute la nuit. Nuit du cinq au six septembre, en 31 avant Jésus-Christ, au large du cap Ténare, pointe sud-ouest du Péloponnèse.

« L'âme d'un amant vit dans le corps d'un autre » : cette nuit-là, Antoine reprit vie dans le corps de Cléopâtre.

Isis, une fois encore, ressuscitait Osiris. Tous les sortilèges de l'Égypte, pour effacer, ne fût-ce qu'un instant, les milliers de cadavres qui, là-bas, au nord, roulaient maintenant sur la plage, noyés, brûlés, achevés à coups de gaffe par les marins octaviens. « *Rivages, écueils, sont chargés de morts, et les vainqueurs frappent encore, comme s'il s'agissait de thons vidés du filet, et assomment avec des débris de rames et des fragments d'épaves* »...

Qu'il oublie ! Qu'il oublie les cris des mourants et les mots des poètes, ces vers des *Perses* que tous deux s'étaient bêtement récités au bord de l'Euphrate et la terrible arithmétique qui s'en est suivie : la moitié de sa grande armée perdue ! Qu'il oublie tout, voilà ce qu'elle veut maintenant. L'empêcher de regarder en arrière, ou de se porter vers l'avenir comme la proue d'un navire. L'obliger à s'enfermer dans une chambre, à se murer dans le présent. Elle pose la main sur ses yeux, « sois aveugle », pose les lèvres sur ses lèvres, « taistoi ». Elle veut qu'ensemble ils n'aient plus ni passé, ni lendemain, mais un éternel aujourd'hui. Aujourd'hui, Marc, nous sommes en vie...

Mais peut-être lui, jusque dans les moments d'égarement, continue-t-il à dialoguer avec César ? Cette femme qu'ils ont tous les deux possédée, Antoine, ce soir, prend plaisir à la contraindre, à l'humilier, à la plier : le corps de Cléopâtre est son seul empire désormais – trop petit pour être partagé ! Vaincu, il veut vaincre – obliger la Reine à avouer qu'avec César elle n'a jamais joui, qu'il baisait maigre, comme un prêtre végétarien, l'un de ces dévots d'Isis qui sentent le navet : « Et ça, il te le faisait, ton amant, dis ? Il savait, ton grand homme, que tu es une salope ? Une pute, qu'il faut baiser en pute ! » Le bateau craque de toutes ses membrures sous les paquets de mer. Les dieux interdisent de s'aimer sur un navire en marche, mais elle veut qu'il oublie. Et elle dit « mon maître », dit « encore », dit « seulement toi »...

Pour la sexualité, les Anciens sont « modernes ». Rien moins que puritains. La position du missionnaire, très peu pour eux ! Ce qui n'empêche pas qu'ils aient, comme un chacun, leurs dégoûts et leurs tabous. Différents des nôtres : rien de plus ordinaire à leurs yeux que la bisexualité, une notion qui n'a même pas de sens pour un Romain – « on baise, ou quoi ? » ; et rien de plus banal, de plus charmant, que la pédophilie : tous les partenaires sont permis pourvu qu'on garde un rôle « actif » ; mais pas question, entre amants convenables, de s'ébattre en pleine lumière (on éteint la lampe), ni de confondre le haut avec le bas – dans la gymnastique amoureuse, le haut ne communique qu'avec le haut, et le bas qu'avec le bas. Chez un « homme libre » et une femme respectable, la pureté des lèvres, la propreté de la langue sont sacrées. *Fellatio ? Cunnilinctus ?* C'est du latin, d'accord, comme *Irrumo* (« je t'en mets plein la bouche »), mais ce sont des insultes. Sauf quand on s'adresse à des esclaves. Ou à des courtisanes. Ou... à Cléopâtre ? Ce n'est pas dans un lit nuptial que cette femme-là a perdu sa virginité. Son époux la traite en maîtresse. Doit-elle s'en féliciter ? Ce soir, du moins, parce qu'il est triste et parce qu'elle est reine, elle est heureuse qu'il la prenne comme une prostituée – la dernière des catins du Vélabre.

Il s'est éveillé le premier, sans oser bouger : qu'elle dorme, son épouse aux longs cheveux ! Qu'elle voyage loin d'ici, et que nul, dans ses rêves, ne lui rappelle qu'ils ont perdu et sont perdus. Que jamais, dans son sommeil, elle ne revoie leurs « forteresses » à la dérive, criblées de flèches enflammées. Que jamais plus elle n'entende le hurlement inhumain des rameurs enfermés sous les ponts que l'incendie ravage…

Une ancre glisse le long de la coque : le Ténare, sans doute. Ils sont arrivés. Dans le seul port de toute cette côte que les siens tiennent encore – pour combien de temps ? Doucement, il caresse le bras nu de sa femme pour la sortir du sommeil. Elle ouvre les yeux, le voit penché au-dessus d'elle et, tout de suite, elle sait – sait où ils sont, où ils en sont, et poursuit naturellement une conversation qu'ils n'avaient pas entamée : « Après ton départ, Sosius aura certainement réussi à abriter le reste de ta flotte au fond du golfe. Et tant que ton infanterie en contrôle l'accès…

– Bien sûr, je pourrais même reprendre l'offensive, n'est-ce pas ? Et chasser Octave de son camp de base, pourquoi pas ? En somme, réussir *après* la défaite là où j'ai échoué *avant*… Invoque tes dieux, donne-leur ton or, promets-leur tes cheveux, et ne te mêle plus de rien ! »

Sur le quai, au pied du fortin, un groupe d'hommes en cotte de mailles : ceux de ses lieutenants, peu nombreux, qui, comme lui, ont réussi à s'échapper. Quelques-uns, sur des navires plus rapides, l'ont précédé alors qu'ils étaient partis bien après la flotte égyptienne. Ils l'attendent, avec le commandant de la garnison. Échangent des nouvelles : oui,

Sosius abandonné est parvenu à faire rentrer à l'intérieur de la baie les navires qui n'avaient pas été coulés. Mais pour quoi faire ? Les saborder ? Il a préféré négocier… Antoine, en posant le pied sur la terre ferme, apprend donc la trahison de son amiral, et, curieusement, il l'approuve : « Je suis heureux qu'un ami ait pu sauver sa vie. » Mais on lui dit que l'infanterie, elle, tient bon. Il se rappelle alors ce fantassin narbonnais, un vieux de la Cinquième Légion, celle des *Alouettes*, un décurion bariolé de cicatrices et qui l'apostrophait, il y a quelques semaines : « Faut qu'on se batte sur terre, Général ! Est-ce qu'elles valent plus rien, mes blessures ? Non ? Et nos épées, tu t'en fous, de nos épées ? Alors, pourquoi mettre tes espoirs dans des bouts de bois ? C'est rien que des planches pourries, cette putain de marine ! Bon sang de sort, laisse ces trous-du-cul d'Égyptiens combattre sur mer, et donne-nous la terre, où nous autres, tes légionnaires, on est les meilleurs ! »

Ce n'était pas si simple, malheureusement : le combat sur terre, la bataille rangée, où ses troupes excellent en effet, son adversaire s'y est toujours dérobé. Quant à déloger Octave de la colline sur laquelle son infanterie s'est retranchée, impossible : à deux reprises, Antoine en personne a conduit des charges de cavalerie contre ce monticule ; à deux reprises, il a été repoussé… Mais si Canidius et ses fantassins tiennent toujours, s'ils tiennent encore malgré la reddition de la flotte et la dysenterie qui ravage leur camp, il reste un espoir. Sur-le-champ, il charge des courriers de porter à Canidius l'ordre de se replier vers la Macédoine. Oh, il ne se fait pas trop d'illusions : maintenant que le problème de la flotte est résolu, ses pauvres pousse-cailloux auront toute l'armée d'Octave sur le poil ! Le foutriquet va les harceler…

Du moins avanceront-ils en pays ami, c'est ce qu'il explique à Lucilius, un jeune républicain, et à Alexas le Syrien, qui se sont installés à l'auberge avec lui et, avec lui, debout, en soldats, vident des coupes. Un pays ami, la Grèce, oui, car on y aime la Reine autant que lui, la Reine qui descend des compagnons d'Alexandre – pas de plus noble ascendance au monde ! Athènes n'a-t-elle pas décerné à Cléopâtre les plus grands honneurs l'an passé ? Jamais la Grèce ne les trahira, elle et lui, jamais ! Tous trois boivent à la Grèce éternelle. Il s'échauffe, s'épanche, échafaude : en Grèce, Canidius habitué à affronter les Caucasiens et à visser les Arméniens, Canidius trouvera la retraite facile, n'est-ce pas ? Un chemin de roses ! Autre chose que sa propre retraite de Parthie, avec la neige, la famine, les archers, et une population hostile, ou pas de population du tout ! En comparaison, faire retraite à travers la Grèce tiendra de la promenade de santé. Presque un plaisir ! En septembre, par-dessus le marché, la saison des vendanges… Il boit : « Je n'ai pas raison, Lucilius ? Dis, je n'ai pas raison ? La Grèce ne me trahira jamais !

– La Grèce, non. Mais les Grecs ? »

Et voilà ! Voilà comment on gâche une journée bien commencée… Il se tait. Chaque fois qu'il tente de s'étourdir, dans l'amour ou dans le vin, on le ramène à la réalité… Que les Grecs le trahiront, il le sait bien. Les Romains ne disent-ils pas « faux comme un Grec » ? Il aime une Grèce qui n'est plus, et des Grecs morts depuis longtemps… D'ailleurs, ils auront des excuses, les Grecs de ce siècle, car il a dû, pour son armée coupée de l'Égypte, tout réquisitionner – le blé, l'argent, les esclaves, les bêtes de somme, et même les hommes, des citoyens que l'intendance fait marcher à coups de fouet pour porter les charges jusqu'aux camps. Un demi-million de bouches à nourrir : cent mille légionnaires, autant d'auxiliaires, et une flopée de troupes alliées, sans parler de la valetaille… Pire qu'une nuée de sauterelles ! La Grèce, un jour, maudira sa mémoire. Il a honte. Devrait se tuer. Maintenant. Sauf si. Si Canidius…

La réponse au message envoyé à l'infanterie est arrivée plus vite que prévu ; le courrier d'Antoine, qui remontait, avait rencontré un courrier de Canidius, qui descendait : l'armée de terre s'était rendue. Après avoir attendu cinq jours le retour du chef qu'elle aimait – « L'Imperator ne s'est pas enfui, pas lui ! On nous ment ! » –, après avoir attendu vainement, les soldats s'étaient ralliés aux octaviens. Sans combat. Lâché par ses troupes, Canidius avait dû fuir, il rejoindrait Chypre dès qu'il pourrait. Octave commençait à faire exécuter ses prisonniers : on venait, paraît-il, de décapiter Scribonius Curion, vingt ans, un fils de Fulvia, beau-fils d'Antoine et demi-frère d'Antyllus…

Sur la petite jetée de bois, l'Imperator s'éloigne de quelques pas – comme s'il cherchait à distinguer, vers l'Orient, les rocs bleu-noir du cap Malée. « Qui voit le cap Malée dit adieu à son foyer », assure un proverbe grec. « Qui voit le cap Malée… » Mais Antoine ne le voit pas, il a les yeux pleins de larmes. Et ce n'est plus sur lui qu'il pleure, il pleure sur tous ceux qu'il va entraîner dans la mort. Il est, au bout de la

Grèce et au bout de la jetée, comme il était à la proue de l'*Antonia* : seul au-dessus du vide.

Par pudeur, ses officiers sont restés en arrière. Même sa garde personnelle – des hommes du mont Liban – se tient à l'écart. Quant à la Reine, elle ne se montre pas, n'a pas osé quitter son bateau depuis qu'ils sont au Ténare. On dirait que tous ceux qui l'aiment veulent lui faciliter le dernier geste… Mais voilà Mardion, le vieil eunuque, qui accourt à grand fracas sur les planches disjointes, il lui tend un éclat de verre – est-ce pour qu'il s'ouvre les veines ? Non. « Un message de la Reine, Seigneur, lis ! »

Un message, sur ce bout de flacon ? Et soudain, malgré son chagrin, Antoine sourit : cette femme est folle, vraiment ! Du fond du gouffre, elle se moque encore de l'adversaire. Octave ayant répandu dans Rome le bruit qu'elle n'écrivait à son amant que sur des tablettes de cristal – comme si c'était plus facile que sur du papyrus égyptien de première qualité ! –, elle prend sa légende au pied de la lettre : elle a gravé au poinçon quelques mots sur un tesson. Et qu'a-t-elle écrit, cette insensée ? Il a du mal à déchiffrer les caractères, doit faire jouer le petit morceau de verre dans la lumière. Il distingue enfin le mot « toi » – et le reste vient d'un coup : « Malgré toi, avec toi. » Aussitôt, il se détourne pour cacher ses larmes. Cette fois, ce sont des pleurs de joie. « Malgré toi, avec toi » : jamais elle ne l'abandonnera, jamais il ne la laissera, ils partiront ensemble. « Malgré toi, avec toi », c'est comme le chant d'une nourrice un soir de fièvre. Il aspire à ne plus souffrir, bercé entre ses bras… Bougre, il devient émotif comme une pucelle depuis qu'il a perdu dix-neuf légions ! Peu à peu, il se reprend, se compose un visage et, à pas lents, revient vers ses partisans. Pour quelques heures encore, il sera celui qu'il fut : l'homme qui, pendant dix ans, a fait et défait les monarchies d'Asie et dirigé, du Caucase jusqu'à l'Éthiopie et de la Grèce jusqu'à l'Euphrate, le plus vaste empire d'Orient depuis Alexandre le Grand...

Calmement, il donne l'ordre d'approcher à l'un des bateaux qui portent son trésor de guerre – à Actium, sa flotte a au moins réussi cette manœuvre-là : sauver le trésor. Octave, vainqueur, ne trouvera pas une seule pièce de monnaie – pourra-t-il continuer à payer ses soldats de promesses ?

Malgré leurs protestations, l'Imperator organise la fuite de ses officiers. Sort du trésor des sacs d'or, remplit lui-même leur besace de bijoux et de deniers : « Prends encore cette intaille gravée, ce petit camée. Prends-les, je te dis ! C'est beaucoup d'argent sous un faible volume. Idéal quand on doit se cacher. Tu t'achèteras des passeurs... » Il leur remet des lettres de recommandation pour des amis grecs, pour son commissaire à Corinthe – si tant est qu'il lui reste un commissaire à Corinthe et qu'Octave n'ait pas déjà atteint la côte orientale de la péninsule ! Ils pleurent, et c'est lui maintenant qui les console. Une dernière fois, ils s'étreignent. Puis l'escadre égyptienne lève l'ancre.

MAGASIN DE SOUVENIRS

Catalogue, vente aux enchères publiques, Bijoux - argenterie, Drouot-Richelieu :

…66. Lot composé de trois paires de boucles d'oreilles en forme de pendentifs, ornées de perles naturelles, sphériques ou fusoïdales. Or, nacre, grenat. Art hellénistique.

H. : de 3,1 à 4,9 cm. *3 400/3 500*

… 67. Lot composé de quatre intailles gravées (jade, agate, et cornaline), représentant un sphinx, une Victoire ailée, un phénix et un sistre isiaque. Or. Oxydation rouge. Égypte, époque ptolémaïque.

4 000/4 200

CÉSARION était inquiet. Il y avait plusieurs semaines qu'il s'inquiétait. Quand il avait cessé de recevoir des courriers et compris que les convois de blé ne passaient plus : sur tous les navires marchands qui, depuis la « réouverture » de la mer, partaient chargés pour la Grèce, un quart au plus revenaient à Alexandrie – pas besoin d'être un grand mage pour deviner que les autres avaient coulé en chemin ! « Des tempêtes peut-être ? suggérait prudemment le *dioïcète*, chargé des finances et principal ministre. Les orages d'été drossent parfois les vaisseaux vers les écueils du Ténare ou du cap Malée... » Le jeune pharaon restait sceptique. Il espérait seulement que les bateaux qu'il envoyait n'étaient attaqués qu'au retour, après avoir livré leur cargaison. Sinon...

À dire vrai, les trahisons et les difficultés avaient commencé dès Samos. À l'époque, Césarion recevait encore deux courriers par semaine. C'est ainsi qu'il avait appris la défection d'un ancien proconsul, Plancus, et de son neveu Titius, qui s'étaient embarqués de nuit pour l'Italie. « Certes, écrivait la Reine, il est dur pour l'Imperator de perdre un vieux compagnon, mais, en ce qui me concerne, je ne suis pas fâchée. Munatius Plancus, ce flagorneur, ce gros histrion toujours prêt pour me flatter à faire le pitre dans nos banquets, avait cessé de m'amuser – depuis notre arrivée dans l'île, il montait Marc contre moi. Un soir, tout sénateur qu'il est, je lui ai dit publiquement qu'il avait une langue à nettoyer les godasses et à torcher les culs : il paraît qu'il n'a pas goûté ma plaisanterie... Bon vent ! » Césarion regretta qu'en vivant au milieu des soldats la Reine devînt si grossière ; pour le reste, il n'avait pas attaché d'importance à l'affaire : depuis l'enfance, il lisait les évènements avec les yeux de sa mère – si elle était contente, il était content. Ou tâchait de l'être...

Malheureusement, le départ de Plancus s'était révélé lourd de conséquences, car le transfuge avait appris à Octave l'existence d'un testament d'Antoine. C'était lui-même, le boute-en-train des « petits soupers », qui, trois ans plus tôt, à Rome, avait remis ce document à la garde des Vestales ; Antoine l'avait dicté juste avant sa deuxième campagne d'Arménie et, comme tout patricien romain, il avait fait déposer le rouleau scellé au temple de Vesta. Informé par Plancus le bouffon, Plancus le traître, Octave avait alors commis un acte sans précédent, illégal et sacrilège : menacer la Grande Vestale pour qu'elle lui remît le testament d'un homme vivant ! C'était, en ce temps-là, plus choquant que de violer une sépulture. Puis, ayant brisé les sceaux, il avait donné lecture au Sénat d'extraits choisis, en taisant la date du document. Un document qui répartissait les royaumes entre les enfants de Cléopâtre et confirmait la filiation de Césarion : ces Donations d'Alexandrie, qui n'avaient jamais été ratifiées par les sénateurs, Antoine semblait les réitérer pour défier le peuple romain. On alla jusqu'à prétendre que, père indigne, il déshéritait ses filles nées d'Octavie ! Bref, Octave fit beaucoup de tapage autour d'un testament qui ne contenait, en vérité, qu'une seule clause inhabituelle : s'il mourait en campagne, l'Imperator demandait qu'aussitôt ses funérailles célébrées sur le Forum on transportât son corps à Alexandrie. « En Égypte ? gronda le peuple. Auprès de la sorcière ? Il veut faire d'Alexandrie la nouvelle capitale du monde ? Il nous trahit ! Mort à l'Égyptienne ! »

La Reine confiait à son fils aîné qu'Antoine avait été très affecté par ce scandale : impossible pour lui de répliquer, de faire savoir qu'Octave postdatait des volontés déjà anciennes et déformait sa pensée. À Rome, il n'avait plus d'amis, plus de relais… Du reste, qu'aurait-il pu dire ? Hein, entre nous ? Même avec le recul, les historiens se demandent aujourd'hui comment Marc Antoine aurait pu justifier le besoin, si tôt exprimé, de rejoindre Cléopâtre dans la mort… Longtemps, il avait prétendu ménager la chèvre et le chou, maintenir la balance égale entre Rome et Alexandrie, Cléopâtre et Octavie ; mais c'était à sa manière un homme honnête, qui n'avait pas eu le cœur de tricher au-delà de la mort.

Plus question, donc, d'entretenir la fiction de son mariage romain – ni, pour Octavie, de continuer à le protéger. À la violation de son testament il avait répondu par la lettre que Cléopâtre espérait depuis neuf ans : « Fais tes paquets. » « Fais tes paquets », avait-il écrit à son épouse romaine, qui avait aussitôt quitté le palais des Carènes, suivie des six enfants qu'elle élevait.

Cléopâtre était satisfaite. Césarion le fut aussi. Pour

d'autres raisons : le testament lui révélait qu'Antoine ne cherchait pas à l'éliminer puisqu'il envisageait de mourir avant lui et tenait, dans cette hypothèse, à le confirmer dans la possession de l'Égypte et dans ses droits à gouverner Rome. Le mari de sa mère ne lui préférait donc pas sa propre vie ? ni celle de ses enfants ?

Le garçon en fut surpris ; puis soulagé ; puis surpris d'être soulagé : serait-ce qu'il aimait mieux ne pas avoir à tuer ses frères ? Il alla rendre visite aux trois « petits », et ce fut ce jour-là qu'il tâcha de persuader Séléné de rouvrir les yeux sur les beautés du monde qui l'entourait.

« Sérieusement, lui demanda Antyllus au dîner, tu ne comptes pas épouser ma sœur ?

– Sérieusement, répondit Césarion, sérieusement je l'épouserai.

– Remarque, dans son genre elle est drôle. Pas sotte, bien qu'un peu toquée. Comme reine, passe... Mais comme femme ! » Antyllus, à quatorze ans, se vantait d'avoir déjà couché avec deux femmes de chambre. C'était bien possible. Césarion, lui, quoique aîné, n'avait pas « couché ». Et même, quand on parlait de ces choses-là, il lui arrivait de rougir, ce qui le rendait furieux pendant deux jours. Il coupa court : « C'est une gamine, évidemment. Mais je ne l'épouserai pas avant cinq ou six ans... Si je vis encore à ce moment-là !

– Pourquoi ? Tu as l'intention de te suicider ?

– Antyllus, ne te fais pas plus bête que tu ne l'es : cette histoire de testament, le divorce de ton père, les derniers discours d'Octave, c'est la guerre ! Pas des escarmouches en Arménie. La guerre avec Rome !

– Et alors ? Tu ne crois pas mon père capable de la gagner ? Un homme qui commande à toute l'Asie ! »

« Testament ou pas, la guerre était inévitable, avait assuré Cléopâtre dans sa dernière lettre de Samos. Nous n'avons que trop temporisé. » Sur ces entrefaites, Rome avait, en effet, déclaré la guerre, mais à la Reine d'Égypte, pas à Antoine. « Il ne s'agit nullement d'une guerre civile, déclarait Octave au Sénat. Comme vous, Romains, j'ai en horreur ces luttes fratricides qui ont détruit tant de nos familles ! Il s'agit ici d'un ultime combat contre les monarchies ! »

« Faux cul jusqu'au bout ! » concluait la Reine, de plus en plus militaire dans son vocabulaire. C'est alors que les troupes d'Orient avaient quitté Samos pour Athènes, puis Athènes pour Patras, et Patras pour Actium, là-haut, près des Balkans.

Au début, Césarion avait été informé régulièrement. Par les bateaux de ravitaillement qui faisaient la navette entre l'Égypte et la Grèce, sa mère lui expédiait des messagers qui lui racontaient tout. Excellentes nouvelles, le plus souvent. Mais nouvelles « officielles » : ces hommes récitaient leur leçon… Comme il est plus facile, cependant, de tirer les vers du nez à un messager que de lire entre les lignes, Césarion parvenait à se faire une certaine idée de la situation.

Pour ne pas éveiller l'attention, il interrogeait les envoyés de sa mère sur la santé des uns, la santé des autres, au hasard, comme en passant : « Et Untel, comment va-t-il ? – Très bien, Seigneur, il a donné aux *éphèbes* athéniens un grand banquet. – Et tel autre ? – En ce moment, il ne participe plus aux réunions d'état-major. Il est souffrant... – Il y a donc des maladies dans l'armée ? – Oh oui, Seigneur ! Quelques fièvres. » Au fil des mois, en utilisant tous les noms qu'il se rappelait, il découvrait le ravage des épidémies dans les rangs et, pire, le fléau des défections : « Et Silanus ? – Il s'est enfui, Seigneur. Il est passé à l'ennemi, c'était un lâche ! – Et Geminius ? – Retourné à Rome. Il prétendait qu'autour de l'Imperator on buvait trop. Comme si un peu de vin pouvait faire tort à un bon soldat ! Surtout quand l'eau est aussi pourrie que dans ce coin-là ! »

Des Romains, nombreux, désertaient. Et, dès le printemps, Césarion voyait, comme s'il y était, les *rois alliés* lâcher prise l'un après l'autre – soit que, fidèles, ils fussent morts pour tenir des positions intenables, soit qu'infidèles ils eussent déjà changé de camp : « Bogud, le roi de Maurétanie, Bogud, comment se porte-t-il ? – Il ne se porte plus, Seigneur, il est mort. Bravement. En défendant la citadelle de Méthôné. Dont l'amiral ennemi a réussi à s'emparer. – Et Amyntas, le roi de Galatie ? – Ah, ne me parle pas de celui-là ! Il a profité d'un moment où l'Imperator attaquait les retranchements d'Octave pour filer avec ses archers ! En même temps que le roi de Paphlagonie ! Des gens qui devaient tout à notre Imperator, notre Imperator qui les avait faits rois ! Mais ils ne nous manqueront pas : ces Asiatiques sont tous de mauvais soldats... – Et notre bon Tarcondimon, dis-moi, le souverain de Haute-Cilicie ? – Tué au combat, Seigneur. Tué à la tête de sa cavalerie qui chargeait la cavalerie d'Octave. Et sais-tu qui les commande, maintenant, les cavaliers d'Octave ? Marcus Titius, un de nos transfuges, le neveu de ce salaud de Plancus ! »

C'était une drôle de guerre : des armées qui se faisaient face, qui fortifiaient leurs positions derrière des remparts ou au fond des golfes, et des engagements indécis, une attente interminable.

Seule certitude, les hommes souffraient. L'infanterie d'Antoine en tout cas, qui semblait stationnée près d'une lagune malsaine. Et, avec l'été, la situation risquait d'empirer. Le moral des troupes ? Pas fameux. On respirait, à l'état-major, un air pestilentiel, et la proximité de la lagune n'expliquait pas tout : « Jamblique ? Tu ne m'as pas donné de nouvelles du prince Jamblique, le dynaste d'Émèse ? – L'Imperator l'a fait décapiter. Il paraît qu'il trahissait… Il a été exécuté en même temps que le sénateur Quintus Postumius. Ils étaient de mèche, à ce qu'on dit. » Une autre fois, alors que bateaux et messagers se raréfiaient (comment les attaquait-on, et où ?), une autre fois : « Je voudrais bien savoir, mon ami, ce que devient le vieux Glaucos, le médecin de ma mère. – Mort, Seigneur. – Mort, lui ? Mais de quoi ? – Euh… mort d'exécution », avait fini par lâcher le soldat embarrassé. Césarion, en insistant, crut comprendre qu'il était question de complot : Glaucos aurait conseillé à des Romains de s'enfuir parce que sa maîtresse menaçait de les assassiner ; la Reine l'avait, disait-il, chargé de préparer des poisons pour tous ceux qui s'opposaient à ses volontés. Du coup, même Dellius, l'éternel légat d'Antoine et l'un des plus vieux amis du couple, s'était mis à refuser les dîners. « Alors ton illustre mère s'est fâchée, et elle a fait tuer le médecin félon. »

Le messager semblait croire à l'histoire qu'il racontait. Des extravagances, naturellement ! Mais, pour Césarion, ces extravagances en disaient long sur l'atmosphère qui régnait à Actium… Il était inquiet. D'abord, pour la santé de sa mère. « Elle mange, boit et dort comme à l'ordinaire, lui avait assuré le dernier messager qui ait réussi à passer, elle suit partout l'Imperator et elle t'informe, Seigneur, qu'elle s'est fait faire une moustiquaire. »

Une moustiquaire ? Ah, il la reconnaissait bien là ! Toujours pragmatique – et optimiste. Dommage qu'on ne pût mettre toute l'armée sous cloche ! Mais, même s'ils blessaient davantage de soldats que les flèches ennemies et nuisaient au moral de l'armée, les moustiques d'Actium n'étaient plus le premier souci du jeune pharaon : sa préoccupation, maintenant, c'était le ravitaillement. Les entrepôts d'Alexandrie croulaient sous le blé du Nil que, faute de navires, on ne pouvait plus expédier ; à l'évidence, l'armée d'Antoine ne contrôlait plus les liaisons maritimes. Qu'allaient devenir les troupes là-bas dans les montagnes d'Épire, au nord de la Grèce, quand les vivres commenceraient à manquer ? D'autant que dans un mois la mer serait « fermée » ! Comment des hommes malades, affamés, minés par l'ennui, tiendraient-ils une demi-année de plus dans une situation qui se détériorait ? Ils devaient attaquer ! Maintenant ! Sortir du bois. Tuer ou mourir. Mais en finir. Vite…

Une immense clameur monta soudain de Pharos, des quais de tous les ports, de la ville entière : « Les voilà ! Les voilà ! »

Césarion sortit du Palais Neuf en courant, se jeta sans manteau dans l'une des galères royales qui assuraient la navette entre Antirhodos et le continent : « Au Port des Rois, vite ! » Il se tenait debout dans la petite embarcation, scrutant la mer, mais il ne distinguait rien. Derrière lui, devant lui, les quais et la digue étaient noirs de monde ; des orchestres improvisés avaient commencé à jouer. Entre deux clameurs, « Vive la Reine ! », « Les nôtres ont vaincu ! », on entendait claquer des cymbales, mugir des conques. Un homme, sur la terrasse du Phare, sonnait du buccin : celui-là, sûrement, voyait la flotte. Dans la foule, on commençait à remarquer des taches rousses : les tuniques des légionnaires cantonnés près d'Alexandrie.

La petite galère de Césarion allait passer entre les tours de défense du Port des Rois quand le jeune homme aperçut le premier navire, une quinquérème dont le bordage et les filins avaient été enrubannés de guirlandes dorées ; de longues oriflammes couleur de feu pendaient aux manches des avirons. Quand le navire franchit à la rame la passe étroite entre l'îlot du Phare et les écueils du cap Lokhias, le peuple d'Alexandrie fit silence un instant et l'on entendit, sur la mer, les échos lointains d'un péan : à bord, les marins chantaient. D'autres mâts montaient maintenant à l'horizon, et chaque apparition soulevait une vague d'acclamations : aux « Antônios Autocrator ! », « Cléopâtre victorieuse ! », se mêlaient les « Évoé ! » dionysiaques, les claquements de langue, les sifflets, les youyous, et le roulement obsédant des tambours éthiopiens. Mais même en grimpant sur les toits, on ne voyait toujours pas l'*Antonia* de la Reine, son grand vaisseau aux voiles pourpres. Tant mieux, ce délai donnait le temps de se préparer ; au Port des Rois, Césarion se précipita sur la première sentinelle : « Qu'on aille chercher les princes !

– Ils sont prévenus, Fils du Soleil, ils arrivent. »

À mesure que les bateaux de l'escadre pénétraient dans le Grand Port, doublant le Palais Bleu, ils prenaient position de part et d'autre des fortifications du port privé, mais sans accoster, leurs avirons levés bien haut pour former une haie d'honneur au navire amiral. Quand enfin l'*Antonia* parut et vint à quai, les petits princes, sous le regard attentif de leur précepteur Nicolas, étaient sagement alignés au pied des remparts, par rang de taille. Une fanfare militaire, sur le pont du bateau, jouait un hymne guerrier, et tous les marins avaient les cheveux trempés de parfums. La Reine, résolument royale, double couronne sur la tête, cabochons d'émeraude autour du cou, descendit à pas lents derrière un détachement de sa garde. Césarion, quand elle lui fit face, s'inclina avec respect ; mais elle lui ouvrit les bras et lui donna l'accolade, comme s'ils étaient deux soldats. À l'oreille, elle lui murmurait : « Tu as encore grandi ! Et tellement changé ! Tu ressembles à ton père. Comme tu lui ressembles ! Tu m'as manqué… » Le *dioïcète*, à son tour, se prosterna, mais à peine eut-il mis le front dans la poussière que quatre gardes celtes se jetèrent sur lui et le traînèrent au bout du quai, malgré ses cris de cochon qu'on égorge. Du reste, à en juger par le gargouillis qui suivit, on l'égorgeait…

Diomède, le secrétaire de la Reine, s'approcha du général commandant les légions d'Égypte et lui tendit une tablette : « Tous ceux de cette liste… Exécution immédiate ! » Lâchant l'épaule de son fils, Cléopâtre se tourna à son tour vers l'officier : « Tue aussi les prisonniers que j'avais gardés, le roi d'Arménie et ses fils. Sauf Tigrane, le plus jeune, il peut encore servir… Pour les *nomarques* dont je suis mécontente, tu recevras une seconde liste avant la nuit », puis, tout sourire – son sourire de matin clair, de joie sincère –, elle dit à l'*épistratège* d'Alexandrie : « Fais distribuer du vin à mes sujets. Du meilleur, et sur toutes les places ! En l'honneur d'Antoine vainqueur… – Et pour les marins, Maîtresse ? risqua l'eunuque qui n'en menait pas large. – Mes soldats attendront l'arrivée de l'Imperator et de la flotte romaine, demain ou après-demain. Jusque-là, ils sont consignés à leur bord. »

Tout en parlant, elle passait devant les enfants, immobiles et muets, que les hurlements du *dioïcète* et la violence des gardes avaient terrifiés ; ils auraient voulu rentrer dans le mur contre lequel on les avait rangés. La brune Iotapa, blottie contre la brune Séléné – elles avaient maintenant la même taille –, tremblait de la tête aux pieds. Séléné, qui tenait une rose cueillie à la hâte dans son jardin (une idée de Diotélès : toutes les mères aiment les fleurs), Séléné, rassemblant ses forces, s'avança d'un pas, s'inclina et, les yeux baissés, tendit cette rose incongrue. Devant la fleur ramollie, la Reine s'arrêta, plus étonnée que si un escadron lui barrait le chemin. « Ah, fit-elle, oui… C'est gentil, oui, oui », puis, souriant poliment à l'enfant (son sourire pour ambassadeurs), elle prononça une longue phrase dont Séléné ne saisit rien : ce n'était pas du grec – était-ce du latin ? En croisant le regard d'Iotapa, elle comprit : la Reine venait de lui parler en mède ! À elle, sa fille ! La Reine l'avait prise pour la princesse étrangère…

COSMOPOLITES, polyglottes, adeptes de religions syncrétiques, Marc Antoine et Cléopâtre sont en avance sur leur temps. Ou très en retard. Ce qui à l'époque est mieux vu. Le passéisme est l'idéal du monde antique : enrayer le déclin et retrouver l'Âge d'or en imitant les Anciens qui, historiquement, touchent les dieux de plus près, voilà le Progrès. À l'heure où Rome, plus que jamais romaine, colonise ses voisins et les réduit à rien, les deux amants, passéo-progressistes, rêvent encore le rêve d'Alexandre : un empire ouvert, élargi jusqu'au mystérieux pays de la soie, un empire-monde où il s'agirait moins de soumettre que de mêler – les populations, les usages, les croyances –, moins d'annexer que de découvrir et de partager : « L'unique patrie, étranger, c'est le monde que nous habitons. » Le monde, l'*Oïkoumènè*, au sens propre « la maison commune »... Ce vieux rêve, Antoine commence à le faire entrer dans le droit. Au nom de cette puissance romaine qui ne sait que dévorer les pays conquis, il ose, lui, multiplier les protectorats, royaumes *amis et alliés* dont il choisit les princes à l'intérieur des grandes familles autochtones. Une supra-monarchie gréco-romaine aux rois lointains, divins, et, au-dessous, de petits États vassaux avec leur propre souverain, leur monnaie, leurs lois, et parfois même, il ne l'exclut pas, le commandement des légions romaines stationnées sur leur sol. La maison commune…

Depuis l'enfance ils ont tellement voyagé, la Reine et lui, que, s'ils n'imaginent pas d'autre langue universelle que le grec, ils tolèrent bien des façons de faire, bien des morales, s'en amusent et, même, ne dédaignent pas de s'en instruire. « Tiens, ce n'est pas ainsi que pratiquent les tribus belgiques », constate Antoine, qui s'est battu de l'Atlantique à la Caspienne et de la mer du Nord à la mer Rouge, ou bien : « J'ai vu tout le contraire chez des Barbares du Caucase. » Cléopâtre, s'appuyant sur les interprétations des premiers Ptolémées et du clergé isiaque, assure que tous les peuples révèrent, sous des noms divers, la même déesse, Mère féconde et salvatrice ; que les noms de Zeus, Sérapis, Mazda et Baal désignent une même puissance céleste ; et qu'Osiris, Adonis, Apis et Dionysos ne sont qu'un seul dieu, le Vivant, toujours triomphant de la Mort.

Et ces deux-là seraient battus par un homme qui n'est jamais sorti de son trou ? Un type qui, à part l'Italie, ne connaît que la Dalmatie – la côte d'en face ! Un rétréci du bonnet qui ne pense qu'en latin et prend le Tibre pour le plus grand fleuve du monde ! Lucilius en reste stupéfait : depuis que les rescapés de la flotte romaine ont quitté le cap Ténare et font route vers la Cyrénaïque, le jeune républicain, qui a embarqué sur le vaisseau d'Antoine, ne cesse de chercher aux évènements non pas une explication militaire (il la connaît), mais une justification théologique. Que veulent les dieux ?

C'est la question qu'il aimerait poser aux philosophes grecs dont, depuis la fuite des sénateurs romains, l'Imperator a fait sa compagnie ordinaire : Aristocratès et Philostrate. Mais Philostrate est rentré avec la Reine, et Aristocratès se trouve à l'arrière-garde.

« Que veulent les dieux ? » Lucilius a tout le temps de s'interroger pendant les longues heures qu'il passe dans la chambre de commandement du navire amiral, au chevet de l'Imperator malade et désespéré : le général a la fièvre et s'est persuadé que c'est l'eau stagnante, l'eau « tournée » du bord, qui la lui a donnée – du coup, il ne boit plus que du vin non coupé et passe sans cesse de la fièvre à l'ivresse, de la dépression à l'exaltation. « Ah, Lucilius, dit-il quand il s'éveille, tu ne m'as donc pas trahi ? Tu es toujours là, mon ami ? Non, "mon meilleur ennemi"... Hein, Lucilius ? Mon ennemi le plus cher ! »

C'est, depuis le jour où ils se sont rencontrés, une vieille plaisanterie entre eux. Une plaisanterie qui les renvoie aux circonstances si particulières de leur rencontre et aux premiers mots qu'Antoine avait prononcés en découvrant ce jeune prisonnier audacieux : « Soldats, en cherchant un ennemi, vous m'avez amené un ami ! » L'affaire remontait à la bataille de Philippes, dix ans plus tôt, que Marc Antoine avait gagnée dans les Balkans contre Brutus et Cassius, les républicains assassins de César – la plus grande bataille de l'Histoire, disait-on, puisqu'elle avait mis aux prises plus de deux cent mille soldats. Antoine était invincible en ce temps-là, et magnifique lorsqu'il chargeait à la tête de la cavalerie : Cassius s'était suicidé, Brutus avait fui.

Comme un détachement d'auxiliaires gaulois se jetait à la poursuite du fuyard, le jeune Lucilius, pour donner à son chef le temps de s'échapper, s'était avancé vers les cavaliers en disant qu'il était l'homme qu'ils cherchaient et qu'il se rendait. La cuirasse de Lucilius était très ornée, son manteau presque rouge, et les Gaulois n'avaient jamais vu de près les capitaines ennemis : ils avaient ramené leur prise au quartier général à grands sons de trompe. Antoine, averti, s'étonna que son adversaire se fût rendu – à des auxiliaires, qui plus est ! Puis, découvrant au premier regard la supercherie, il allait s'emporter quand Lucilius avait parlé : « Personne ne prendra Brutus vivant. Quant à moi, j'ai trompé tes soldats et je suis prêt à souffrir les derniers tourments. » Les Gaulois, furieux, forçaient déjà leur prisonnier à s'agenouiller pour le décapiter quand Marc Antoine les avait arrêtés : « Du calme, compagnons ! Je comprends votre colère. Mais vous ne pouviez faire une plus belle prise : en cherchant un ennemi, vous m'avez amené un ami. J'aurais tué Brutus, vous le savez. Mais des braves comme celui-ci, j'aimerais qu'ils vivent éternellement ! », et il embrassa Lucilius. De ce jour, Lucilius avait suivi Antoine comme un chien suit son maître ; sa vie ne lui appartenait plus : elle était à Antoine, qui l'avait épargnée.

Doucement, avec des précautions de nourrice, Lucilius soulève la tête de l'Imperator pour le faire boire. Ce voyage n'en finit plus ! Alors qu'il faudrait faire vite pour reprendre en main les légions de Cyrène, le vent est tombé. Aujourd'hui, sans les rameurs la flottille resterait en panne, c'est à l'aviron qu'on s'efforce de gagner la côte d'Afrique… Comment, dans ces conditions, espérer encore devancer les envoyés d'Octave pour expliquer aux troupes loyales la défaite d'Actium et prévenir leur défection ?

Deux jours plus tôt, tandis qu'un trop fort vent d'ouest les poussait sans cesse vers la Crète, l'Imperator faisait l'inventaire précis de ses réserves : « Onze légions. Pour sauver l'Égypte, je peux compter sur onze légions. Trois dans le Delta. Quatre en Syrie, que je fais redescendre vers la Judée : avec l'aide de mon ami Hérode, elles couvriront ma frontière orientale – c'est à Gaza, à Ascalon, que je défendrai les remparts de Péluse !… Du côté libyen, j'ai toujours mes quatre légions : je débarque en Cyrénaïque, je ramène les meilleurs éléments jusqu'aux avant-postes égyptiens, je resserre mon dispositif – pour le cas où il lui prendrait envie, au petit couillon, d'envoyer contre moi son armée d'Afrique ! Quant à la côte même, la flotte de la Reine suffira à la défendre : il ne s'agit que de protéger deux ports, Paraitoniôn et Alexandrie, le reste est inabordable… Ah, Octave, accroche-toi bien, mon lascar, je n'ai pas dit mon dernier mot ! »

Mais dès que la fièvre montait, le généralissime retombait dans l'abattement : « Lucilius, c'est au Ténare qu'il fallait me quitter. Comment vas-tu fuir désormais ? En Grèce, un Romain peut se faufiler. Mais en Égypte ! Tu ne passeras pas pour un indigène ! Et aucune issue : le désert de tous les côtés, et pas d'autres routes que celles qu'emprunteront les armées d'Octave – qui vont nous prendre en tenaille, mon pauvre ami. En tenaille… Écoute, je te donne une de mes trirèmes. Dès que nous toucherons la côte, tâche de rejoindre la Phénicie. Fuis-moi, Lucilius. C'est ta dernière chance. Tu es jeune, sauve ta vie !

– Je n'ai de vie, Général, que celle que tu m'as laissée. Grâce à ta bonté, j'ai volé dix ans au Destin, c'est assez… Garde tes forces, repose-toi. »

Lorsque Antoine, assommé par la fièvre et le vin, se rendormait, Lucilius revoyait le moment où, dix ans plus tôt, les vengeurs de César avaient enfin retrouvé le corps de Brutus. Battu à Philippes et contraint à la fuite, le républicain s'était jeté sur son épée ; on avait découvert son cadavre dans un petit bois escarpé, au bord d'une rivière ; plus rien d'un chef, ni même d'un patricien – un corps affreusement souillé, une tunique déchirée… Octave avait ordonné de couper la tête au mort pour l'exposer à Rome ; Marc Antoine, ému, sortit alors de ses propres bagages son plus beau manteau de pourpre pour en envelopper le reste de la dépouille et fit rendre au gendre de Caton les honneurs funèbres. « C'était un homme courageux, avait-il reconnu, son suicide efface ses crimes, même le meurtre de mon frère Gaius. » À l'égard des conjurés des ides de mars et de leurs partisans, l'Imperator d'Orient s'était souvent montré clément ; aussi les amis de Lucilius, lorsqu'ils défilaient, captifs, devant les chefs de la coalition césarienne, saluaient-ils Antoine militairement alors qu'ils crachaient aux pieds d'Octave – le neveu de César ne détestait pas, on le savait, les petits jeux cruels quand des adversaires lui tombaient entre les pattes ; avec ses proies, il s'amusait comme un chat d'Égypte.

La dernière preuve de sa magnanimité (ou de sa superbe ?), Antoine venait de la donner à Actium, la veille de la bataille. Comme on lui apprenait une trahison de plus, celle de son ami Domitius « Barberousse », l'ancien consul, qui était passé à l'ennemi in extremis, seul dans une barque, sans bagages : « Tiens, dit-il, il a oublié ses vêtements. Ses vêtements, ses couvertures, ses esclaves… Pauvre Domitius ! Mal portant comme il l'est, il aura de la peine à s'en passer : qu'on les lui envoie ! Ouvrez les lignes pour laisser passer son train d'équipage ! »

Oh, bien sûr, Lucilius avait parfois vu l'Imperator injuste ou irrité. Mais il ne le croyait pas capable d'une ruse froide, d'une vengeance méditée, ni d'ailleurs – c'était sa faiblesse – de calculs à long terme et de plans concertés. C'était un homme du premier mouvement, de l'instinct, de l'élan.

Le jeune républicain n'en aurait pas dit autant de la Reine. Peut-être parce que, par principe, il craignait les reines, toutes les reines, tous les rois… De là à imaginer, comme Dellius, qu'elle pourrait empoisonner les proches d'Antoine qui osaient la contredire, il y avait un abîme ! Ces derniers mois, Lucilius n'avait rien compris aux rumeurs d'empoisonnement que faisait courir le médecin Glaucos – quelle mouche avait piqué ce brave homme ? Admettons qu'il ait réellement étudié pour sa maîtresse les parfums et les poisons : pourquoi, par Zeus, la dénoncer maintenant ? À quelles fins politiques ? pour quel profit financier ? Il fallait imaginer un coup de folie ; et cette folie, par ricochet, discréditait les propos eux-mêmes.

De toute façon, le vieillard était devenu bizarre : toute la journée occupé à interroger les astres et à collectionner les signes. « Sais-tu, avait-il confié à Lucilius sous le sceau du secret, sais-tu ce que je viens d'apprendre ? Lorsque notre Imperator vivait à Rome, il élevait, comme son beau-frère, des coqs de combat – eh bien, les coqs d'Octave avaient toujours le dessus sur les siens ! Ce n'est pas un présage, ça ? » Ou : « Il y a six ans, au pont de Zeugma, l'Imperator et la Reine se sont chanté les *Perses* en riant, ils ont célébré les marins morts et bu à la santé des noyés de Salamine – et maintenant c'est sur la mer qu'ils veulent se battre ? Sur la mer ? Les insensés ! Les dieux vont les broyer... » Dans les mots des poètes, la forme des nuages, l'odeur d'un feu, les bruits de la nuit, Glaucos lisait la défaite de l'armée, la fin de la dynastie. En poussant des suspects à déserter, avait-il cru pouvoir empêcher ce qu'il craignait ? On rencontre souvent son destin par les chemins qu'on prend pour l'éviter... Une seule chose était certaine : le voyant n'avait pas vu sa mort.

Marc Antoine s'est réveillé. À moitié. Il s'agite, délire. Son corps est dans la chambre étroite d'un navire en panne, mais son esprit vagabonde dans les plaines noires de l'Hadès... Il parle d'une odeur affreuse, d'une puanteur insupportable. S'agit-il du Styx, là-bas, ou d'un rat crevé, ici ? Lucilius, qui ne sent rien, lui présente du vin, qu'il repousse ; dans son agitation, il renverse la coupe : « Vois ce sang, tout ce sang sur moi ! Tu es blessé ? Non ? Alors, ce sang qui coule, c'est le mien ? » Lucilius ordonne aux esclaves de changer la tunique tachée et tente de calmer le malade. Mais aussitôt après : « Va-t'en ! Je pue la merde ! Je me suis percé les intestins, fous le camp… Non, par pitié, étranger, ne t'en va pas ! Aide-moi, aide-moi à finir en Romain, ôte ce glaive de ma plaie et coupe-moi la tête ! »

Le jeune aide de camp fait frictionner l'Imperator de parfums ; il ordonne aux esclaves de fouiller la chambre à la recherche du rat. Sans résultat. Antoine continue à se plaindre de l'odeur. Sa fièvre remonte, son corps est brûlant. Et le falerne qu'il réclame maintenant nourrit cette fièvre : on n'a jamais vu éteindre un brasier en l'arrosant de vin… D'ailleurs, cette boisson qu'il demande, il ne la trouve même pas bonne ; il prétend qu'elle a un sale goût, une drôle d'odeur – odeur de vase, de cloaque, de grenouille même ! Non, pas de grenouille : il parle d'un crapaud, d'un crapaud mort, d'un jus de crapaud mort. « C'est insupportable, gémit-il, il y a du crapaud partout ! » Il rejette sa couverture, essaie d'ôter ses habits, oblige Lucilius à se pencher sur lui : « Tu sens ? Je pue le crapaud mort. On m'a empoisonné ! Regarde comme mon ventre est blanc, gonflé… » Puis, brusquement, il sombre dans le sommeil – sans un mot, comme on se noie.

Lucilius en profite pour faire encore une fois le tour de la chambre, si basse de plafond qu'il doit se tenir courbé. Il renifle. Renifle méthodiquement. Mais, sous les parfums, il ne perçoit rien qu'une ancienne odeur, devenue légère maintenant : celle de la fumée, des vaisseaux qui brûlent, de la chair grillée. Voilà la seule odeur dont Lucilius reste obsédé, et c'est l'odeur d'Actium…

Un personnage de théâtre : depuis que, par Séléné, j'ai découvert Marc Antoine, je le vois comme un héros shakespearien – Shakespeare n'a-t-il pas fait de lui le protagoniste de deux tragédies ? L'une où rayonne l'Antoine juvénile, orateur superbe et conquérant, force de la nature et soleil invaincu ; l'autre où s'éteint le vaincu d'Actium, l'homme humilié des dernières années dont le regard s'embue de tristesse et d'alcool. Personne, cependant, n'a la moindre idée du physique d'Antoine : Octave a détruit ses portraits... On sait juste qu'il fut d'une « éclatante beauté ». À vingt ans, pareille beauté vaut titres ; à quarante, la vie exige bien d'autres garanties pour consolider le crédit.

Si Antoine a quelque chose de shakespearien, c'est précisément cette peur de ne pouvoir rembourser, ce doute croissant sur sa légitimité : en père, ne fût-ce qu'en « père spirituel », César était écrasant. D'autant plus pesant qu'il était mort sans rien léguer au « fils » dévoué, mort sans l'avoir adoubé. D'où, dans la démarche politique de l'Imperator d'Orient, cette indécision, ce flottement, qui augmente à mesure qu'il approche de l'instant décisif. De là aussi, ce déchirement de plus en plus douloureux entre des aspirations contraires : le pouvoir ou le bonheur ? la guerre ou la paix ? la fermeté ou la fuite ? Il y a du Hamlet chez ce Falstaff. Il aime la vie, l'aimera jusqu'à la lie, son corps a tous les appétits, mais son esprit cherche la sortie. De plus en plus souvent, on le devine tenté de quitter le banquet.

Sitôt que la fièvre relâche sa prise et qu'il reconnaît Lucilius à ses côtés, Marc Antoine reprend le cours ordinaire de ses pensées, qui ne sont pas gaies. Pourtant, il n'a jamais entretenu d'illusions : la politique mange les hommes ; à Rome, avant de les manger, elle les saigne comme des poulets.

Dans les livres d'histoire que sa mère lui lisait, on parlait d'un âge d'or de la République, un temps où la vie des Romains n'était menacée que du dehors : les nobles patriciens, s'ils périssaient de mort violente, c'était au combat – contre les Albains, les Gaulois, les Carthaginois… Depuis un siècle, les mœurs ont changé : on s'extermine entre grandes familles, entre clans. Comme des brigands sardes. Sa lignée, rien que sa lignée, est un bon exemple du prix à payer pour gouverner : son grand-père paternel, un célèbre orateur, *le Démosthène latin*, a été décapité par les nervis de Marius ; et sa tête, exposée au Forum sur la *tribune aux harangues*. Son grand-père maternel, consul lui aussi, a lui aussi été assassiné. Son père n'a échappé au destin familial qu'en mourant jeune ; mais le second mari de sa mère, descendant des illustres Cornelii, un charmant sénateur qui l'avait élevé, a été, à son tour, éliminé. Sur l'ordre de Cicéron, qui jouait déjà les épurateurs… Les grands vivent bien, certes, mais ils vivent peu ! Sa jeunesse ? Une boucherie. Il regarde Lucilius, le fidèle ami, et, brusquement, interroge : « Où sont les enfants ? »

L'aide de camp est désemparé. Voilà que de nouveau, au moment où on l'espérait convalescent, le général délire. « Les enfants ? Mais ils sont à Alexandrie, où tu les as laissés, répond-il en tendant un gobelet d'eau. – Non, mes jumeaux… – Je te jure, Général, qu'ils sont avec leurs frères, en Égypte. – Mais je ne te parle pas d'Alexandre et de Séléné ! Je te demande où sont les jumeaux que j'ai achetés. Les pseudo-jumeaux, ces deux petits si délicieux… – Ah, les enfants de Samos ? On les avait embarqués avec ta vaisselle. Sur le navire que les pirates ont pris… »

L'Imperator se rembrunit : « Dommage. Ces brutes vont les abîmer ! Ils ne sauront même pas qu'ils valent deux cent mille sesterces. Du gâchis ! Ils étaient beaux, ces petits, n'est-ce pas ? Et si gentils, si bien élevés. Pas sots, d'ailleurs ! Pauvres moineaux ! Crois-tu qu'ils finiront par les tuer ? – Peut-être pas. Enfin, pas tout de suite, pas volontairement… – Prions pour qu'au moins ils ne les séparent pas. Dans la vie ou dans la mort. Qu'ils ne les séparent pas ! »

La Reine marchait de long en large, comme la panthère de la ménagerie : « Ce que les Romains ont pu répandre comme calomnies sur mon compte, tu n'imagines pas ! Une propagande éhontée ! Les derniers temps, ils envoyaient à nos soldats des libelles enroulés autour des flèches ! À l'intérieur du camp ! »

Césarion avait oublié à quel point elle pouvait être remuante. Hiératique en public, mais, en tête à tête avec son mari ou son fils aîné, volubile et passionnée. En tout cas, la défaite – qu'elle venait de lui annoncer sans ménagement, avec des chiffres et des mots précis – ne semblait pas l'avoir abattue. La rage l'emportait. Elle se soulageait : « Que des mensonges, Césarion ! Et des imbécillités ! Crois-tu qu'ils sont allés jusqu'à prétendre que je me prends sérieusement pour Isis et que Marc se fait passer pour Dionysos ? Pendant qu'ils y étaient, pourquoi ne pas s'emparer aussi de tes titres de pharaon, *Aimé de Ptah et frère jumeau du taureau Apis*, pour soutenir que je t'ai conçu avec le Minotaure ?

– Mère, ces bêtises n'ont plus beaucoup d'importance.

– Si, tout de même. Elles en ont eu. Comme cette histoire de moustiquaire... Il paraît que ma moustiquaire était une insulte au légionnaire de base ! Ça aurait changé quoi, au confort du légionnaire, que je me laisse bouffer par les moustiques, tu peux me le dire ? Cette moustiquaire avait fini par devenir une affaire d'État – le symbole des caprices monarchiques et de la fragilité féminine ! Dormir sous une moustiquaire vous ôte l'esprit, apparemment : on n'était plus capable, après ça, ou plus digne, de participer à leurs réunions d'état-major ! Oui, à ce point-là ! Bref, les Domitius et les Dellius ont tellement embêté ce pauvre Marc qu'il m'a demandé de lui sacrifier ma moustiquaire, d'en faire cadeau à un soldat malade – tu vois d'ici le beau geste ! À graver dans le marbre... Seulement, je règne depuis dix-huit ans, moi, et je connais le processus : on commence par donner sa moustiquaire, et on finit par céder son trône... Pas question ! Je me moque de l'opinion des imbéciles ! J'ai tenu bon.

– Puis-je te demander, Mère, pourquoi tu as fait tuer le *dioïcète* ? Dans quel complot avait-il trempé ?

– Quel complot ? Mais je ne sais pas, moi ! Lui, en revanche, le savait certainement. Il savait fort bien, n'en doute pas, pourquoi il avait mérité son sort. Toute cette administration est corrompue jusqu'à la moelle ! Pléthorique et corrompue ! Alors, quand j'ai besoin de faire des exemples, je tape dans le tas, au hasard. Non, pas au hasard : au sommet. Demain, après la fin des festivités, quand les Alexandrins apprendront en même temps ma défaite et ces exécutions, ils n'oseront pas bouger une patte. Vaincue ou pas, c'est encore moi qui gouverne l'Égypte, voilà la leçon. »

LA Nécropole est très gaie. Pour Diotélès, c'est l'un des endroits les plus agréables d'Alexandrie : beaucoup de végétation autour des tombeaux ; les soirs d'été, tous les habitants sortent de la ville pour pique-niquer avec leurs morts ; les dîneurs les plus enviés sont ceux qui ont les moyens de s'offrir un caveau de famille, une petite chapelle creuse pour mettre leurs amphores au frais. Pétéhorempi – ces bon sang d'indigènes ont des noms impossibles ! – a bien de la chance, lui, car il habite sous les ombrages toute l'année : la mort est son gagne-pain. Il est *saleur*. Expert en momification. Les Égyptiens disent *embaumeur*, mais les colons grecs – et Diotélès le Pygmée est grec –, les colons disent *saleur*. Le mot, trivial, gêne pourtant l'Éthiopien : après tout, le métier de son copain est plus noble que celui du *coupeur*, qui extrait le cerveau par le nez avec un crochet et incise l'abdomen pour en sortir les entrailles. Son ami Pétéhorempi n'intervient, lui, qu'une fois le corps vidé : il met le cadavre à tremper dans une solution de natron, de quinze à soixante-dix jours – tout dépend du « contrat d'obsèques » souscrit par le défunt ; puis, avec respect (jamais, dans cet atelier, le moindre cadavre substitué, Diotélès peut en témoigner), les ouvriers du saleur enveloppent ce corps desséché dans des bandelettes de lin. Pas toujours neuves, les bandelettes, il est vrai. Quelquefois, c'est du remploi… Mais, pour autant, pas de tricherie : tout est affaire de prix.

Reconnaissons que, chez Pétéhorempi, la plupart des corps bénéficient d'un traitement de « première classe ». Parce qu'il a une excellente clientèle, héritée de son père et de son grand-père : celle des serviteurs du Palais – depuis le petit Syrien qui fait son beurre dans les cuisines jusqu'au chambellan bien né. Une clientèle tellement sûre que le saleur aurait pu se laisser vivre tranquillement de la mort des autres s'il n'avait été, malgré lui, contaminé par l'esprit d'entreprise des colons grecs : à ses cuves de natron et ses réserves de vieux tissus, de toile stuquée et de sarcophages soldés, il a ajouté un petit élevage d'ibis, puis un gros élevage de chats, qu'il tue à la demande pour fournir en momies animales le plus grand temple d'Alexandrie – celui de Sérapis, dont il est, à titre héréditaire, l'un des vingt-cinq bedeaux. Bref, une affaire qui tourne et permet, par-dessus le marché, de rencontrer, de leur vivant, quelques clients passionnants : pour son embaumeur, un futur mort n'a rien de caché. Quand il visite son ami le saleur, Diotélès, qui pourtant habite le Palais, apprend tous les secrets de la Cour, qu'il répétera, pour les distraire, aux savants du Muséum.

Depuis qu'il a été affranchi par le jeune pharaon et peut revendre les cadeaux que Séléné lui fait, l'ancien esclave apporte régulièrement sa petite monnaie à Pétéhorempi pour le loyer de ses défunts parents et de sa dernière autruche, qui, momifiés à peu de frais, reposent ensemble dans une tombe collective appartenant au beau-père du saleur.

Diotélès règle aussi, à tempérament, le prix de son futur embaumement. « Encore deux acomptes comme celui-ci, dit le saleur en recomptant la monnaie, et, pour le lin, je te garantis une occasion de première main !

– Il vaudrait mieux que je puisse te payer le solde dès aujourd'hui – avec les évènements actuels, j'ai peur de mourir à crédit ! »

Ah, il ne se peint pas l'avenir en rose, l'affranchi Diotélès, fils de Démophon, fils de Lurkiôn, fils de Protomakhos ! Pourtant, il se laisse aller avec plaisir aux douceurs de la Nécropole dont il aime les chants funèbres – sistres et flûte de Pan, litanies endormeuses des *ouahmous* – et, plus encore, le décor : ces magnifiques vergers que font pousser entre les tombes les offrandes répétées de bière et d'eau du Nil. Ce jour-là, au début de l'automne, la Ville des Morts déploie, entre les sables du désert et les murailles de la Cité, sa splendeur sucrée : un paysage de miel et d'or. Le Pygmée de la Reine est heureux à l'idée qu'un jour il dormira là – en famille. Chaque fois qu'il vient honorer ses parents, il s'attarde un moment sous la tonnelle de Pétéhorempi pour boire un gobelet de « maréotide », le vin blanc local, qui n'est pas si mauvais, finalement. Coupé d'eau de mer aux deux tiers, il est même très bon. Délicieusement amer.

« Tu ne devrais pas mouiller si largement ton vin, dit l'Égyptien, ça ne te vaut rien, tu as l'air triste et le teint gris.

– Rien à voir avec ton eau. J'ai des soucis…

– Eh, mon pauvre ami, qui n'en a pas, des soucis ? Songe

que le président de la Nécropole vient de nous doubler les taxes sur les tombes collectives ! Et je ne te parle pas des procédures judiciaires : rien que la semaine dernière, à la demande de leurs créanciers, on m'a saisi deux momies ! J'avais déjà complètement traité le corps du premier. Si l'on n'arrête pas nos *ouâbous*, ils finiront par poursuivre les morts jusque dans leurs tombeaux ! »

Des chatons échappés de leur cages miaulent avec véhémence autour des deux hommes. « Je les trouve bien maigres, tes chats.

– Évidemment ! Ce sont des chats d'élevage, je les enferme, ils ne peuvent pas courir les rats… Heureusement que le règlement nous autorise à les nourrir avec les viscères de leurs parents ! Mais tu n'es pas venu jusqu'ici pour me parler de mes chats. Dis-moi plutôt, il paraît que ta petite princesse n'est plus reine ? que nous avons perdu la Cyrénaïque ?

– Tout ce qu'il y a de perdu. À peine débarqué sur la côte libyenne, notre Imperator a envoyé deux émissaires à Cyrène pour ordonner au commandant de ses légions de faire mouvement vers l'Égypte. L'autre, un cousin d'Octave, lui a réexpédié les têtes coupées de ses messagers sans plus de commentaires… Remarque, si les militaires continuent à se comporter de cette façon, on ne trouvera plus personne pour leur porter le courrier ! Quand même, je me demande comment ces types de Cyrénaïque avaient pu connaître avant nous l'issue de la bataille…

– Une affaire de vents, probablement. Le Romain de la Reine a perdu la main avec les dieux : ils ne l'aiment plus.

Même la brise lui est contraire ! Dans ces conditions, pas la peine de s'entêter… Apparemment, il l'a compris.

– Compris ? Je voudrais bien savoir d'où tu tiens ça !

– D'un de ses amis, Aristocratès, le professeur de rhétorique. Depuis que la flottille romaine est rentrée bredouille d'Apollonia, je suis allé voir Aristocratès plusieurs fois : nous discutons d'un ensemble de contrats – pour l'embaumement de ses serviteurs. Pour sa mort à lui, je l'ai renvoyé sur mon confrère Pashou : je ne suis pas sûr que les philosophes des rois soient des *serviteurs* au sens strict. Pashou tient à son monopole, et moi, je ne veux pas de procès ! En tout cas, le professeur est pressé de conclure – signe qu'il n'attend plus grand-chose de la Fortune… Antoine non plus : d'après le valet d'Aristocratès, au moment où l'Imperator a vu les têtes de ses légats dans leurs petites boîtes, il a poussé un cri, mais un cri ! À terrifier les Enfers ! Après quoi, il s'est jeté dans le sable, a labouré la plage de ses doigts, il a même tiré son glaive pour en finir, mais Lucilius, son petit aide de camp, l'en a empêché. Il a tort, ce garçon-là, il ne faut pas s'opposer à la volonté des dieux… Oh, paix, les chats ! Toi, le mistigri, si tu continues à me griffer les genoux, je vais te momifier vite fait !… Reprends donc une galette de haricots, mon cher ami, toutes ces histoires romaines ne nous concernent pas.

– Erreur, mon bon Rempi : si les Romains d'Afrique marchent sur les Romains d'Égypte, la ligne de front se trouvera ici – dans la Nécropole d'Alexandrie. On se battra dans tes tombeaux. Finies, la paix des cimetières, la douceur de mourir, l'espérance éternelle : *Maintenant tu es mort, et maintenant tu es né…* »

QUAND Séléné est entrée dans la chambre de sa mère, la Reine était dans l'embrasure d'une fenêtre. Rideaux tirés.

Séléné, qu'on avait envoyé chercher, n'osait pas parler. Elle attendait dans le noir sans bouger. À certains soupirs qui échappaient à sa mère, elle aurait pu croire que la Reine pleurait. Parfois Iras, debout près de sa maîtresse, murmurait un mot ; mais des exclamations qui suivaient, la fillette ne saisissait que des bribes : « Hérode », « Syrie », « désespéré »...

Depuis que les enfants avaient tous été regroupés autour de leur mère dans le Palais Neuf d'Antirhodos (une île sans arbres, où Séléné avait toujours eu l'impression d'être emprisonnée), la petite princesse se sentait bizarre. Non pas malade, mais contagieuse. Quand elle traversait un vestibule, les courtisans s'écartaient et les serviteurs baissaient la tête.

Qu'était-il arrivé ? Un grand malheur ? Apparemment. Mais, dans son ignorance, Séléné ne pouvait imaginer qu'un grand malheur à sa taille, un malheur de son âge. La perte du royaume de Cyrénaïque et des légions de Libye, les conséquences politiques que les habiles en tiraient déjà, tout cela dépassait la compréhension d'une enfant.

Petite reine déchue de neuf ans à qui personne ne donnait d'explications, elle se sentait humiliée par le mouvement de recul qu'elle suscitait et se demandait si elle sentait mauvais… Pour se rassurer, elle se raccrochait à des précédents : n'avait-elle pas été troublée autrefois par l'installation au Palais des Mille Colonnes, le couronnement du Gymnase ou le voyage à Canope ? Elle avait eu honte, déjà. Et tout s'était bien terminé. Aujourd'hui, l'exécution du *dioïcète*, les silences de Césarion, le déménagement à Antirhodos et l'attitude fuyante des courtisans – bouleversements qui la jetaient dans une appréhension confuse – étaient peut-être, tout simplement, l'effet de ce qu'on appelle « grandir » ?

Mais le malaise, de nouveau, s'empara d'elle dans la chambre obscure de la Reine. Pourquoi si sombre ? Même la nuit, sa mère aimait les lumières. Dehors, d'ailleurs, il faisait encore jour. Et pourquoi ce bruit répété, pareil au sanglot d'une horloge à eau, ce bruit très improbable chez les rois, presque aussi choquant que le silence absolu dans lequel, goutte à goutte, il tombait ? Car, ce soir, il n'y avait pas de chansons, pas de flûte, pas de cithare – aucune musicienne dans la chambre royale… Brusquement, Séléné, prise d'angoisse, voulut fuir, elle ferma les yeux.

À ce moment-là, Iras se retourna et la vit. Séléné entendit distinctement la femme de chambre prononcer le mot « princesse ». Quand, enfin, la Reine lui fit face, elle semblait pareille à ce qu'elle avait toujours été, souriante et maîtresse d'elle-même. « Ma fille ! » dit-elle en lui tendant les bras avec cette grâce de danseuse qui embellissait tous ses gestes, « je t'ai fait venir pour te parer. Nous allons t'essayer mes bijoux…

Charmion, ouvre donc ces rideaux, on se croirait dans mon tombeau ! Oh, mais c'est que la demoiselle a grandi... La voilà presque aussi grande que son jumeau, mais... »

Séléné compléta la phrase : « Mais moins belle. » Parce qu'elle restait distraite et préoccupée, elle avait dit à voix haute ce qu'elle croyait avoir seulement pensé. « Moins belle ? s'écria la Reine. Pourquoi ? Bien sûr que non, tu n'es pas moins belle ! Tu es... différente. Charmion, approche la lampe, que nous examinions ensemble les avantages de cette jeune personne. N'a-t-elle pas des yeux superbes ? Un regard doré. Avec une pointe de vert. Des paillettes de bronze dans des lacs d'or. Une merveille ! Tu épaissiras son trait de khôl, Charmion. Et tu lui passeras un soupçon de bleu sur les paupières... Et le nez ? Oh, le nez, par bonheur, n'est pas celui de mon père ! On trouve le nez aquilin très noble, mais, entre nous, le Roi mon père avait un profil affreux ! Moi-même, j'ai bien peur de ne pas avoir un profil avantageux – il est vrai que les hommes, de quelque façon qu'ils vous prennent, vous prennent rarement de profil ! » Les suivantes, heureuses de voir leur maîtresse si gaie, s'esclaffèrent. « Silence, jeunes beautés, ne souillons pas les oreilles de cette enfant ! Comment sont-elles, au fait, ses oreilles ? Petites, oui, c'est parfait. Reste la bouche. Qui s'améliore, non ? Les dents reprennent leur juste mesure. Les lèvres sont épaisses, certes, un peu charnues, mais c'est une disproportion qui s'arrangera avec le temps. Non, la vraie difficulté, à mon avis, c'est le front – qu'en dis-tu, Charmion ? Elle a le front bas, et trop de cheveux, c'est sûr. D'où ce déséquilibre dans le visage... Regardez, si on lui agrandissait le front en l'épilant et si, au lieu de tirer ses mèches en *côtes de melon*, on les gonflait au fer de chaque côté, on aurait une très jolie poupée… Bon, Iras, tu es coiffeuse : au travail ! Pour l'épilation, tu souffriras un peu, Séléné. Mais une femme passe sa vie à souffrir, autant t'habituer à la douleur dès maintenant, tu n'en jouiras que mieux des plaisirs qui la suivent… Un grand front, ma chérie, crois-moi, il te faut un grand front », et, baissant la voix, elle ajouta cette phrase terrible : « Nos guerres n'épargnent pas les enfants laids. »

Séléné ne revit jamais sa mère pleurer. Cependant, elle la surprit parfois, au milieu de ses femmes, sans maquillage ni coiffure. Ce relâchement était si peu dans les habitudes de la souveraine qu'on se détournait, gêné. L'Imperator ne lui rendait plus visite…

Depuis que Canidius, enfin parvenu à Alexandrie, lui avait appris la défection de ses quatre dernières légions d'Asie – celles de Syrie –, et qu'Hérode, son « ami », s'était précipité à Rhodes pour faire allégeance à Octave, Marc Antoine ne sortait plus de sa maison, cette « cabane » que, trois ans plus tôt, Cléopâtre avait ordonné de bâtir sur le port dès qu'il en avait exprimé le souhait. Le pavillon, en marbre blanc d'importation, se dressait à l'extrémité d'une jetée. Face à Antirhodos. Au milieu des flots, quoique sur le « continent ». Plus commode ? Peut-être, même si personne, à part quelques serviteurs, n'y avait accès. Cette retraite inviolable, le vaincu l'avait surnommée sa « Timonière » – en hommage au plus grand misanthrope que la terre eût porté, le philosophe Timon d'Athènes, qui, même lorsqu'il dînait seul, trouvait qu'il y avait un convive de trop…

Antoine, si chaleureux, amateur de banquets et de confréries, Antoine le causeur, l'orateur, le railleur, le blagueur à qui il fallait un public, Antoine qui ne détestait rien tant que la solitude, prétendait désormais, lui aussi, ne plus supporter la vue d'un être humain. Même Lucilius ? Même. Même Cléopâtre ? Idem. Qui sait ce qu'ils tramaient déjà, ces deux-là ? Tout le monde l'avait trahi, tout le monde ! Son malheur était sans exemple : Brutus, abandonné par la Fortune, se vantait au moins de n'avoir été trompé par aucun ami. Mais lui !

« Je suis surprise que tu sois surpris », lui avait rétorqué la Reine quand il était rentré, effondré, de Cyrénaïque. « Le mensonge, la lâcheté, la perfidie, il y a longtemps, Marc, que tu les avais prédits… Souviens-toi de ce que tu disais : "En politique, celui qui trahit son camp n'est pas un faible, c'est son camp qui s'est affaibli." Marc, sois réaliste, depuis le temps que tu gouvernes, tu sais bien que tout est rapport de forces, qu'il n'y a pas de place pour le sentiment, tu l'as toujours su ! » Oui, peut-être. Il le savait, il le disait, mais il n'y croyait pas. Penser qu'Arkhélaos, le roi de Cappadoce, auquel il avait donné sa propre cousine en mariage… Et Hérode ! Hérode qu'il avait soutenu contre Cléopâtre elle-même… S'il avait offert la Judée à l'Égypte, comme la Reine l'en priait depuis dix ans, il serait toujours le chef des cohortes qu'il avait laissées là-bas ! Bien la peine de s'être privé de ces soldats pour soutenir les Juifs : Juifs et Arabes, hier rivaux, venaient de se réconcilier sur son dos ! Dans une dévotion commune au foutriquet, *Thurinus* le Glorieux !

Que restait-il de son empire d'Orient ? Rien : le Delta, ce petit triangle, qu'Octave attaquerait bientôt des deux côtés à la fois. Et pour défendre ce réduit, trois légions romaines encroûtées, une cavalerie égyptienne médiocre, et, bien sûr, la flotte de la Reine – en parfait état de marche, puisque à Actium elle n'avait pas livré de combat. Le meilleur moyen de ne pas abîmer son armée, c'est de ne jamais l'utiliser !

Il rabattait sa Timonière sur lui, comme César avait tiré sa toge sur sa tête en reconnaissant Brutus, son protégé, parmi ses assassins. Les conjurés avaient frappé leur maître de vingt-trois coups de poignard ; lui, Antoine, mourait de mille blessures, mille trahisons par où s'enfuyait son sang… Épuisé, il restait couché, ne gardant près de lui qu'un échanson muet auquel il tendait sa coupe sans un mot pour qu'il la remplît à ras bord.

Cléopâtre lui avait suggéré de profiter de l'hiver pour faire manœuvrer ses trois vieilles légions et entraîner un peu la cavalerie. Il n'en ferait rien. À quoi bon tromper ces pauvres troufions sur leur destin ? Pourquoi d'autres morts que lui ?

Il buvait. Revoyait le corps de César trahi, César assassiné au pied de la statue de Pompée. La tunique arrachée. À demi nu. Ses plaies sanglantes s'ouvrant comme des bouches, des bouches qui, sans voix, réclamaient justice. Une vengeance dont Antoine, son ami, s'était chargé… Mais qui vengera l'ami qui n'a plus d'amis ?

Il ne porte plus la toge. Refuse de se peigner. Ne se fait même pas raser : il veut garder la barbe épaisse des endeuillés.

Il est veuf. Veuf de l'amitié. De la gloire, de l'espérance. De sa jeunesse, aussi. Il boit.

Cléopâtre, à qui il a fermé sa porte, lui expédie, alarmée, message sur message. Pour l'inviter à dîner, le prier de se joindre à une fête donnée pour les enfants, ou, simplement, le raisonner. Il ne lit rien de ces longues missives. Aux envoyés de la Reine, on ne laisse même pas passer la porte de la Timonière, et on leur rapporte bientôt, en guise de réponse, le rouleau même qu'ils ont déposé et dont le sceau n'est pas brisé...

Chaque matin en s'éveillant dans ce *lit matrimonial* où elle dort seule, la Reine craint d'apprendre la mort de son mari. Sitôt levée, elle lui adresse un nouveau messager, dont elle suit le bateau des yeux jusqu'au moment où il disparaît dans l'ombre du temple de Poséidon. Elle a ainsi dépêché à Antoine toutes sortes de gens – des eunuques, des philosophes, des Grecs, des Égyptiens, des Romains, et jusqu'à ses plus charmantes suivantes... Il n'a laissé personne entrer. Elle ne peut même pas lui faire savoir qu'elle a eu, pour sauver leur famille, une idée brillante. Une idée qu'avec Césarion ils commencent à mettre à exécution. Un projet si audacieux que sa réalisation lui prend maintenant tout son temps – et son argent : il s'agit de rien de moins que de faire passer sa flotte en mer Rouge !

Du temps des premiers Ptolémées, un petit canal reliait la mer Rouge au lac Timsah, à une cinquantaine de kilomètres au sud de Péluse. Maintenant ce canal, qui ne remontait pas jusqu'à la Méditerranée, est ensablé. Il en faudrait davantage, toutefois, pour arrêter la Reine des rois. Transporter ses vaisseaux d'une mer à l'autre, en empruntant le chenal où il existe et en roulant les navires sur le sable dès qu'il s'interrompt, lui paraît tout simple : « Hannibal n'a-t-il pas fait traverser les Alpes à ses éléphants ?

– C'était Hannibal…, objecte Césarion.

– Eh bien, ce sera Cléopâtre ! Quand tu étais un petit garçon et que tu te décourageais devant une tâche difficile, je ne t'ai jamais permis d'abandonner, tu protestais : "Mais, Mère, je n'y arrive pas !", et que te répondais-je ? »

Il sourit. « Tu disais : "Si ta vie en dépendait, tu y arriverais !"

– Nous y sommes : le succès de ce plan, nos vies en dépendent. Voilà pourquoi nous y arriverons. Impossible ou pas, ma flotte traversera les déserts, de Péluse à Héroopolis ! Octave n'est encore qu'à Athènes, c'est l'hiver, nous avons plusieurs mois devant nous.

– Et ensuite ? Quand nos bateaux seront en mer Rouge, que ferons-nous ?

– Ensuite, nous rejoindrons Ptolémaïs-des-Chasses, mon port africain, et nous y attendrons les vents d'été. Dès qu'ils souffleront, cap sur le pays des tigres, l'Inde d'Alexandre. Nous nous en emparerons… À propos d'Alexandre, j'ai l'intention d'emporter avec moi son cercueil de verre – je ne laisserai pas ce grand roi aux Romains ! Je ne leur laisserai pas non plus Antoine vivant. Césarion, comprends-moi : pour conquérir l'Inde, j'ai besoin de lui… À nos soldats il faut un chef, et tu n'as même pas commencé ta préparation militaire. Nous sommes juste bons, toi et moi, à superviser l'intendance et à commander le génie – faire voler les bateaux au-dessus des terres, comme des oiseaux, c'est un ouvrage de femme, un travail d'enfant... Pour les choses sérieuses, il nous faut un homme. Et Marc, quand il se bat, est plus qu'un homme, c'est un lion. Si beau, si brave ! Mais, en ce moment, il se complaît dans la déréliction, ne répond à aucun de mes messages. Heureux, encore, qu'il ne me renvoie pas dans une boîte la tête de mes messagers ! » Et elle rit de sa plaisanterie, ils rient ensemble, la mère et le fils ; sans malice, ils rient d'Antoine. « Mais je sais comment attirer cet ours hors de sa tanière. En tout cas, pour ça aussi j'ai une idée... »

L'idée, c'est d'envoyer Séléné là où tous les autres ont échoué. Une Séléné embellie, enrichie, « brodée », qui traversera la mer, seule dans la galère royale ; une enfant désarmée, désarmante ; une petite Antigone prête à conduire au bout du monde ce père vaincu, ce père aveugle. « Tu crois qu'il pourra résister longtemps à une scène comme celle-là ? »

MEMORY OF PAST REMEMBRANCES

Un jour, elle se souviendra s'être longtemps rappelé la froideur des vagues d'Alexandrie sur sa peau : laissait-elle traîner sa main dans l'eau lorsqu'on l'emmenait en barque chez son père ?

Le souvenir de cette fraîcheur aigre, remontée du passé, avait brusquement resurgi au moment où la procession du Triomphe était arrivée au bas du Capitole ; plus tard, il l'avait submergée chaque fois que, convoquée par Octavien-César, elle se rendait dans la tanière du « Prince » par les souterrains du Palatin. Toujours ce même souvenir glacé qui, d'un coup, engourdissait ses doigts. La même humidité salée, corrosive, qui dissolvait son cœur et noyait sa pensée : dans un halo, elle apercevait au loin un palais de marbre blanc qu'elle n'atteindrait jamais…

Un jour, elle se rappellera que pendant des années son corps s'est souvenu de cette morsure de la mer – si violente que, dix ans après, elle devait encore, pour en effacer l'acidité, caresser des lèvres et de la langue le dos de sa main.

Puis cette sensation retrouvée, la mémoire de cette sensation, et la mémoire de cette mémoire avaient disparu, elles aussi. De la Timonière, des voyages répétés à travers le Grand Port jusqu'au palais fermé, et du temps passé à ramener son père vers la vie, il ne lui restera rien, que ce souvenir abstrait d'un souvenir enfui.

IL s'est vu mourir : s'il y eut jamais un homme auquel appliquer cette expression-là, c'est Marc Antoine. Une année entière d'agonie.

Il s'est vu mourir. À petit feu. Par petits bouts. Il perdait tout – ses alliés, ses villes, ses amis, même ses affranchis, l'un après l'autre.

Entre deux amputations, deux renoncements, il arrivait qu'il reprît courage. Cléopâtre lui insufflait sa propre énergie : chaque jour était pour elle une aventure nouvelle. Comme Isis, elle donnait aux morts une seconde vie et un espoir aux désespérés.

Pour rendre aux Alexandrins l'illusion de la pérennité des Ptolémées et de leur puissance retrouvée, elle n'avait besoin que d'apparaître en grande tenue, de redoubler de faste, d'exhiber ses enfants et de multiplier les fêtes. Même à son mari, pourtant si lucide, elle parviendrait pendant ces longs mois à redonner par intermittence l'espérance d'un miracle : Octave n'affrontait-il pas, déjà, de graves révoltes en Italie ? Il avait dû quitter Rhodes, rejoindre en hâte Brindisi – il rebroussait chemin, qui sait ce qu'il en adviendrait ? De toute façon, personne, pas même César, n'avait pu prendre

Alexandrie par la force. Il fallait tenir, c'est tout, tenir le plus longtemps possible. Au cas où… Vivre et lutter jusqu'à la dernière seconde.

Mais communiquer à Antoine la force de se battre encore après trente ans de combats, de sortir de son abattement, elle n'y serait pas arrivée sans l'aide de Séléné.

Tous les matins, dès l'aube (la Reine pensait qu'ainsi la petite aurait plus de chances de trouver son père à jeun), dès l'aube la jeune princesse montait dans la barque aux douze rameurs. Dans un léger clapotis, l'embarcation quittait l'île-palais endormie et piquait droit vers le soleil levant. L'enfant, parée comme pour un sacrifice, se tenait debout à la proue. Seule face au soleil.

À deux cents mètres devant elle, la jetée de Poséidon, battue des vagues. Au bout, la Timonière. En fond, le cap Lokhias et les remparts *en escaliers* du Port des Rois. À cette heure, ils sont dans l'ombre. Presque noirs. La lumière n'a pas encore franchi la muraille, mais elle commence à éclairer l'extrémité de la jetée et le marbre blanc du palais d'Antoine.

D'une fenêtre, Cypris regarde la barque aux rameurs invisibles s'éloigner à contre-jour. De dos, une silhouette sombre que nimbe à peine la lueur pâle du soleil montant : Séléné, immobile comme une figure de proue…

En vérité, la fillette n'a pas dû laisser souvent sa main traîner dans l'eau glacée. Sauf, peut-être, les jours de tempête. Quand il devenait impossible de respecter les consignes de la Reine et de se tenir debout sur la galère. Cependant, les jours ordinaires, l'air était assez humide au petit matin, assez froid, assez chargé de brumes et d'embruns pour lui donner l'impression que son corps baignait dans l'eau, que la fraîcheur engourdissait ses doigts et qu'elle, fille de rois, se dissolvait peu à peu dans l'hiver, s'éparpillait comme une éponge dans l'écume amère.

Les gardes d'Antoine, ces hommes du mont Liban qui restaient en faction devant la Timonière, voyaient l'enfant en contrechamp – quand le soleil levant sortait peu à peu la barque de l'obscurité et éclairait la princesse de face. Oh, très faiblement : on ne distinguait pas encore son visage. Mais des éclats d'or et de perle scintillaient ici et là sur son vêtement, sa coiffure. On devinait ses bras nus, sa haute chevelure nattée et l'extrême tension de tout son petit corps qui peinait certains jours à garder l'équilibre, à résister au roulis, au vent, à la pluie.

Les montagnards ont tout de suite été émus par cette poupée caparaçonnée de bijoux, dont le silence, la raideur, la dignité, et bientôt l'entêtement, étaient plus éloquents que des supplications. Dès la seconde visite de cette implorante inflexible, tandis que l'esclave Éros, premier valet d'Antoine, entrait dans la chambre de son maître avec la lettre de la Reine, les factionnaires osèrent enfreindre la consigne : ils permirent à la princesse de s'abriter dans le vestibule – on ne pouvait quand même pas la laisser sur le quai, et dans le froid, cette gamine aux bras nus ! Mais, comme tous les messagers qui l'avaient précédée, elle dut bientôt repartir en remportant ce qu'elle avait apporté...

La différence avec les autres messagers, c'est qu'elle, elle revient. Dès le lendemain, et tous les jours suivants. Elle revient les yeux gonflés de sommeil, enrhumée, frigorifiée, mais elle revient. Chaque matin, elle revient. Elle porte des robes brunes ; violettes ; safran parfois. Jamais de pourpre : une suppliante. Elle revient tantôt avec un rouleau de papyrus, tantôt avec des tablettes de buis. Elle revient, timide et grave, craignant d'être indigne de sa mission, mais non moins effrayée à l'idée de réussir et de se trouver face au terrible Imperator tapi dans l'ombre...

De ces va-et-vient d'une enfant de neuf ans dans l'aube humide, à travers le Grand Port d'Alexandrie, en l'an 30 avant Jésus-Christ, aucun historien n'a parlé. Plusieurs ont peint la dépression de Marc Antoine, cette violente misanthropie qui l'a tenu pendant des semaines éloigné de la Cour et de la Reine, ils ont indiqué aussi l'emplacement de la Timonière, et constaté qu'il n'avait rompu son deuil que le quatorze janvier, à l'occasion de son anniversaire : pour les cinquante-trois ans de son mari, Cléopâtre donnait au Palais une grande fête. À ses invités, elle distribua tant de cadeaux que « ceux qui étaient venus pauvres au festin s'en retournèrent riches » ; à tous elle parut plus que jamais éprise de son Marc et très gaie – la gaîté, déjà, est une victoire... Mais par quel prodige elle avait réussi à faire sortir l'ermite de son trou et à le relancer dans la course folle des dîners et des batailles, des nuits d'amour et des aubes guerrières, personne ne l'a dit.

Moi, je le sais. La petite fille apeurée de mes cauchemars,

je l'ai vue comme aucun ne l'avait montrée : voyageuse de l'aube, debout à l'avant d'une barque légère ; messagère silencieuse, condamnée, tel le passeur des contes, à refaire éternellement le même chemin…

Son bateau fend la nuit comme cette lampe-vaisseau qu'utilisaient les Anciens : elle en est la mèche, elle en est la flamme. Et, dans les marges de la « grande Histoire », je la devine errant sur la mer, quand – renvoyée de Cléopâtre à Antoine et d'Antoine à Cléopâtre, craignant l'un et craignant l'autre, admirant les deux – elle va de la rive de l'île à la rive du cap, déchirée, transie, figée. Je la vois, pétrifiée comme une gisante, mais dressée, cariatide fragile qui porte ses parents sur ses épaules. Impuissante, mais invincible, dans la ville assiégée.

Au début, elle reste dans le vestibule, un vestibule aussi obscur que la tente d'un guerrier. Éros, gêné, lui fait apporter un brasero. Elle se chauffe les mains. À la lueur des braises, elle distingue un autel de pierre et, dans une armoire ouverte, des masques de cire pâle : les visages des Antonii, ancêtres et dieux Mânes de son père. Exposés comme dans la maison d'un mort avant les funérailles. Sur les murs, pas d'autre ornement que des boucliers rectangulaires, en bois ou en cuir, peints aux emblèmes des légions. Mais l'enfant ne sait pas interpréter ces enseignes-là. Ni même lire l'écriture latine. Elle attend, en respirant aussi légèrement que possible. Attend, sage et résignée, qu'on finisse par la chasser.

Les premiers jours, l'attente est brève : au loin, on entend un grommellement, un éclat de voix, et l'esclave lui rend ses tablettes. Puis l'attente devient plus longue, meublée seulement du chuchotis d'esclaves invisibles derrière les cloisons, comme des piétinements d'oiseaux. Un matin de décembre, en lui rendant le message royal, Éros a un demi-sourire encourageant : le cachet a été arraché. L'Imperator a lu ce que la Reine avait à lui dire ! « Bien sûr, il n'y a pas de réponse », dit Éros sans cesser de sourire. Si elle n'était pas princesse, elle se jetterait à son cou. Lui aussi, il a compris qu'avec un peu de persévérance ils seront sauvés. Si son père repart en guerre, tout est sauvé !

Quelques jours plus tard, elle est assise sur un pliant, dans la chambre d'Antoine. Ce père tant espéré, elle ne l'a pas reconnu : sa barbe est blanche ; les cheveux bouclés qui retombent sur son front sont encore blonds, mais d'un blond terne, et sa barbe est toute blanche. Il est couché sous une peau d'ours. On n'a ouvert qu'un seul volet. La chambre sent le vin.

Il demande à Séléné de débiter son compliment : « Mais si ! Ce que ta mère t'a conseillé de me raconter pour m'émouvoir, un petit discours dans le style d'Iphigénie, *"Mon rameau de suppliante, c'est ce corps que je presse contre ton genou et que ma mère a mis au monde pour toi"*... » Pour se moquer, il a pris une voix flûtée, puis, revenant à un ton plus naturel : « Et moi je répondrai gravement, façon Œdipe Roi, *"Je pleure sur vous, mes enfants, quand je songe combien votre vie sera amère"*. Après quoi, j'ajouterai en me tournant vers *Thurinus* : "Ô fils de César, ne fais point le malheur de mes enfants". » Et soudain, il tend les bras comme un esclave suppliant, grimace : « *"Prends pitié d'eux en les voyant si jeunes, abandonnés de tous. Donne-m'en ta parole, prince généreux"*... Oui, je suis sûr que la "Reine des rois" nous voit un avenir dans ce goût-là : moi, résigné ; vous, implorants ; et Octave dans le rôle du *prince généreux*, prêt à négocier avec elle et à *prendre pitié* ! Ha, ha, Octave généreux ! Pas de danger ! » En soupirant, il retombe sur son oreiller, remonte sa peau d'ours jusqu'au cou : « J'ai mal à la tête… Dépêche-toi ! Récite ! »

Séléné, serrée sur son pliant, toute pointue, ne peut prononcer un mot. « Mauvaise messagère, grogne-t-il, aucune mémoire ! Donne-moi ta lettre, au moins. » Il déroule le papyrus. « Approche la lampe. » Elle se demande pourquoi il ne fait pas ouvrir les volets.

De près, la couverture de fourrure sent le fauve – une odeur de ménagerie et de vin cuit qui lève le cœur. Sur le torse nu de l'Imperator, des poils blonds et blancs mêlés. Elle serre ses doigts sur la lampe de bronze, trop lourde pour elle : elle craint, en éclairant le lit, de renverser l'huile brûlante sur la peau de son père – sa main tremble… Mais déjà, il froisse la lettre et la jette par terre en maugréant : « Des calembredaines ! Rien à répondre.

– Tu ne l'as pas lue, s'entend répliquer Séléné. Tu ne l'as même pas lue… »

Elle est surprise d'avoir osé. Mais, curieusement, l'Imperator ne semble pas fâché. Plutôt étonné, lui aussi. Intéressé. Elle ignore qu'il a toujours aimé les femmes qui lui résistent, les caractères bien trempés : Cythéris, avec ses caprices de grande vedette, Fulvia, qui maniait l'épée et haranguait les soldats, Octavie, capable de tenir tête en douceur à son terrible frère, et Cléopâtre, bien sûr, qu'on ne présente pas… Parce qu'il a adoré sa propre mère, une veuve qui a élevé ses trois fils avec fermeté, ce grand baiseur respecte les femmes, celles du moins qui sont de bonne naissance et n'ont pas froid aux yeux. Rien ne lui est plus étranger que les préjugés « vieille Rome » d'un Caton ou d'un

Octave. Filer, tisser, compter l'argenterie, torcher les enfants : une vraie femme doit laisser ces tâches-là aux servantes.

Bien qu'il ait comme chaque matin envie de pleurer, de boire et de se rendormir, cette petite qui lui réplique l'intrigue. Malgré sa migraine et son dégoût universel, il veut, soudain, en savoir plus long : d'où tient-elle qu'il ne l'a pas lue, cette lettre de la Reine, bourrée d'insanités (une histoire de galères qui naviguent dans le sable en direction de la mer Rouge !) ?

La gamine avoue qu'elle ne l'a pas *entendu* lire. Qu'elle n'a même pas vu ses lèvres remuer. « Mais, petite sotte, les lettres de ta mère peuvent très bien se lire en silence ! Pas comme les gribouillis d'Octave. Elle sépare parfaitement ses mots, elle. Et même ses phrases. En mettant des points en haut, au-dessus des lignes. Oui, des points. Un signe que César a inventé. Entre deux batailles, notre Dictateur inventait. Tout, il inventait tout : le nouveau calendrier, le cadran solaire portatif, l'art d'ordonner les villes… C'est avec lui que ta mère a appris cette façon d'écrire. Et appris le reste aussi ! »

Voilà, c'est dit. Il est fatigué, tire sa couverture sur son visage, ses cheveux. Comme un linceul. « Fous le camp, Séléné, tu m'entends ? Fous le camp ! »

Mais le lendemain, quand Éros la pousse dans la chambre, elle voit qu'il est levé et habillé. Ni rasé, ni parfumé, mais habillé. D'une tunique grise, sans ceinturon, et de caleçons. Les volets sont poussés, et les grandes plaques d'albâtre qui ferment les fenêtres laissent passer un jour laiteux, uniforme, qui ne rappelle en rien l'éclat du soleil. Dans cette lumière d'opale, celle d'une étoile froide, Séléné remarque les boucliers qui, ici aussi, décorent les murs ; une seule statue, celle d'Hercule ; et sur un guéridon, des petits soldats romains en terre cuite avec leurs uniformes peints et leurs *aigles*. Ces miniatures – porte-enseigne, musicien ou tribun militaire – ne sont pas des jouets : Antoine les a voulus comme les Égyptiens placent dans leur tombe des modèles réduits de leurs serviteurs pour les accompagner dans la mort. Il contemple ses légions perdues : la Troisième *Gallica*, admirable pendant la retraite de Parthie ; la Cinquième *Alaudae*, les « Alouettes » narbonnaises, qu'il aimait tant ; et cette Dixième *Gemina* qu'il commandait à Philippes. C'était sa favorite, la plus belle avec son insigne en forme de taureau, ses crinières d'or et ses boucliers noirs. La Troisième, sa mère, la Dixième, son enfant…

Séléné regarde l'Imperator, qui, debout près du guéridon, regarde ses légions. Son visage, quand il le tourne enfin vers sa fille, a la pâleur d'une cire molle. Sous ses cheveux en désordre, ses yeux sont bordés de rouge. Elle a peur qu'il se mette à pleurer – que doit faire une petite fille dont le père se met à pleurer ?

Heureusement, il se ressaisit. « Tu l'as vu, celui-là ? » dit-il en désignant, dans le coin de la chambre, l'immense statue d'Hercule ; puis, montrant les figurines de terre peinte : « Et eux, les rabougris, tu les vois ? Nos ancêtres, des géants ! Nous, des nains… L'humanité dégénère, ma pauvre enfant ! Remarque, je m'en fous, les hommes ne méritent pas d'être sauvés ! » D'autres fois, à l'entendre, ce sont les dieux qui ne valent pas les efforts qu'on fait pour eux : « Dionysos m'a beaucoup déçu. Un ingrat… Jupiter ? Ah non, s'il te plaît, à d'autres ! Chacun lui fait dire ce qu'il veut, à Jupiter. J'ai été élu augure à vingt ans, je sais à quoi m'en tenir. "Deux augures ne peuvent se rencontrer sans rire", disait César. Il était bien placé pour en parler, on l'avait élu Grand Pontife… »

Les rites officiels leur avaient quand même permis, à César et à lui, de jouer quelques jolis coups. Ces tours-là, parce que sa fille est à ses côtés et qu'un jour il les lui racontera, il se les remémore soudain avec joie, alors qu'un instant plus tôt il était au bord des larmes. Le meilleur dans le genre ? Une année, César avait décidé de lui donner pour collègue au consulat Dolabella, le gendre de Cicéron. Ça, pas question ! Il s'explique, argumente, mais César s'entête, inscrit l'élection au premier ordre du jour du Sénat. C'était oublier qu'Antoine, s'il venait d'être nommé consul et présidait l'assemblée, restait aussi augure… La veille du scrutin, il décide de prendre les auspices ; face à Jupiter Capitolin, il constate publiquement que les poulets sacrés manquent d'appétit et que, oui, il en est sûr, il entend crier un aigle au-dessus du Janicule, sur sa gauche donc : le plus funeste des présages ! Impossible, dans ces conditions, de réunir les sénateurs ; on remet la séance à huitaine. Plus longtemps qu'il ne lui en fallait pour dégonfler la candidature de Dolabella ! Le lendemain, il croise César au Forum, un César vaincu (César vaincu !) qui sourit jaune : « Bien joué, Marc Antoine ! Avec une ouïe aussi fine, je ne doute pas qu'aujourd'hui tu n'entendes les mouettes rire à Ostie et Cicéron pleurer à Tusculum… »

Ce souvenir l'a mis de bonne humeur ; il prend volontiers,

presque avec curiosité, la lettre que lui tend sa messagère du matin, la petite poupée fardée qui ne rit jamais : « Tu vois, je lis. En silence, mais je lis. Je lis que ta mère a fait passer vingt navires d'une mer à l'autre. Vingt ! Comme elle y va !... C'est vrai, ce mensonge ? » Séléné confirme. Elle ignore, bien sûr, où sont ces deux mers ; mais, interrogée par son père, elle dit que Césarion lui a parlé de bateaux préparés pour le *pays des tigres*. « Et Césarion ne te mentirait pas ?

– Oh non, Père, il est fils d'Amon.

– Fils d'Amon, en effet !... Un de ces quatre, le fantôme de César va venir le tirer par les pieds, ton "fils d'Amon" ! Et il ne l'aura pas volé ! »

Il n'empêche qu'Antoine a foi en Césarion : ce garçon est parfois insupportable de prétention, mais il a l'air droit. Ne ressemble guère aux Ptolémées. Tient en tout de son « père terrestre » et de ces foutus Julii ! Alors ? Alors, si elle est vraie, cette histoire de « navigation dans le désert », lui, Antoine, il a l'air de quoi ? Si la Reine réussit, n'est-ce pas la preuve qu'il suffisait d'oser ? De *vouloir*, au lieu de s'abandonner ? Vouloir... C'est là que le bât blesse, il le sait : Cléopâtre « veut », veut toujours, comme César, comme Octave. L'empire du monde, Octave l'a voulu. Sans répit. Lui, Antoine, le voulait bien. Une nuance qui ne pardonne pas ! Le pouvoir absolu, il faut le vouloir absolument. Du matin au soir... Il replonge dans la mélancolie, renvoie sa fille sans réponse, agacé à l'idée qu'elle reviendra le lendemain. Dieux, comme le monde est triste à la clarté du jour !

LA flotte que Cléopâtre faisait « voler » jusqu'en mer Rouge fut brutalement incendiée fin décembre par un raid de bédouins arabes, des tribus nabatéennes poussées par le nouveau gouverneur de Syrie. « Pessimisme de l'intelligence, optimisme de la volonté » : avantage au pessimisme. Fin du miracle.

Mais Cléopâtre ne restait jamais longtemps sans espérer. Une autre chimère prit le relais : celle des « gladiateurs de Cyzique ». Deux mille gladiateurs s'étaient rassemblés à Cyzique, sur la côte de la mer Noire, en prévision des grands jeux que l'Imperator d'Orient ne manquerait pas d'offrir au peuple s'il remportait la victoire. Actium les avait laissés désemparés. Apprenant qu'Antoine était de retour à Alexandrie, ils décidèrent, par admiration, de l'y rejoindre et de mettre leurs bras à son service. Anciens mercenaires, ils se frayèrent un chemin à travers « l'Asie » ; à coups d'épée, ils traversèrent la Cappadoce du traître Arkhélaos et prirent les villes de Haute-Cilicie, défiant les héritiers du brave Tarcondimon qui venaient de rallier l'ennemi. Ils se trouvaient maintenant en Syrie, ramassant au passage toutes les têtes brûlées et marchant sur Damas. La Reine, par

Séléné, informait le fantôme de la Timonière de leur progression – si seulement leur énergie pouvait maintenir ce mort en vie !

Lorsque Séléné, au comble de la fierté, rapporta les tablettes recachetées du sceau d'Antoine (signe que non seulement il les avait lues, mais qu'il répondait), Cléopâtre embrassa le cahier de buis dans un transport de joie : presque trois mois qu'elle n'avait lu une ligne de lui ! Son enthousiasme ne diminua même pas en constatant qu'il s'était borné à inscrire une dizaine de mots dans la cire, des mots qui n'étaient pas des mots d'amour mais une appréciation, on ne peut plus sceptique, portée sur l'affaire des gladiateurs, un proverbe grec qu'il citait sans commentaire, « *Nombreux sont les porteurs de férule, peu nombreux les bacchants* » – « Beaucoup d'appelés, peu d'élus », dit en langage dionysiaque. Décidément, il refusait toute espérance.

Antoine en misanthrope neurasthénique, Antoine en perdant fasciné, aspiré par l'échec... Ce n'est pas ainsi qu'on voudrait le peindre. La première partie de sa vie avait été triomphale : il souriait à tout, et tout lui souriait. Heureux à la guerre, heureux en amour, heureux à la tribune (le meilleur orateur de son temps, après Cicéron), et, en politique, pas manchot : c'est lui qui gouvernait Rome et l'Italie chaque fois que César s'absentait pour combattre en Égypte, en mer Noire, en Afrique, ou qu'il s'attardait à faire l'amour au bord du Nil avec la jeune Cléopâtre. Pendant ce temps, Antoine, numéro deux du régime, gardait « la maison », et plutôt bien.

Mais cet Antoine-là, audacieux et insouciant, n'est pas celui qu'a connu Séléné. Son déclin de conquérant commence au moment même où, à Antioche, il prend sa fille dans ses bras pour la première fois.

Évidemment, dans cette lente dégringolade, l'enfant n'est pour rien. Il se trouve seulement que la reconnaissance des jumeaux coïncide avec l'époque où Marc Antoine installe Cléopâtre dans sa vie. Et elle ne porte pas bonheur, cette femme-là ! Non qu'elle soit « fatale » à proprement parler. Rien, même, d'une briseuse de ménages : la rencontrer, succomber à ses charmes, l'engrosser, semble sans conséquence. César s'en était remis, Antoine aussi. Mais tout se gâte dès qu'on l'installe : elle arrive à Rome avec Césarion, pose ses bagages dans la villa de César au-delà du Tibre, et, peu après, César est assassiné ; elle arrive à Antioche avec Alexandre et Séléné, pose ses bagages dans le palais d'Antoine, et, peu après, Antoine est vaincu… Au moins César était-il resté maître du jeu jusqu'à sa mort, tandis qu'aujourd'hui Antoine se survit : dans le couple, le rapport de forces s'est inversé ; il n'a plus d'armée, plus d'empire, elle reste reine d'Égypte. Une dépendance qu'il supporte mal.

D'autant qu'il est persuadé qu'elle va le trahir. Le livrer à Octave pour sauver son trône. Paranoïaque ? Franchement, il a été beaucoup trahi, et, comme disent les Romains, « le poisson à la joue déchirée voit des hameçons partout ». Avec les Ptolémées, « le poisson » a de bonnes raisons de se méfier : c'est leur habitude, à ces rois-là, d'offrir aux vainqueurs la tête des réfugiés ; ainsi, le frère de Cléopâtre avec la tête de Pompée… Car l'Égypte est faible et courtise la force. Antoine ne l'ignore pas, ne l'a jamais ignoré : il en a joué. Mais a posteriori il se demande, ce grand naïf, si sa femme égyptienne l'a vraiment aimé.

À ces doutes, comme aux remords ou aux regrets, il n'était pas préparé. Pas plus qu'à l'amertume et à l'angoisse. Sa fin est poignante parce qu'elle n'était pas faite pour lui…

Étrange guerrier que cet homme qui voulut être aimé. Plus spontané, plus tendre, qu'il ne convenait à un vrai Romain. Par exemple avec sa femme Fulvia, au commencement de leur mariage : le bruit ayant couru en Italie que l'armée de César était battue dans la Narbonnaise, il revint en hâte à Rome pour rassurer sa nouvelle épouse, « prit un habit d'esclave, arriva de nuit dans la maison, dit qu'il apportait une lettre d'Antoine à Fulvia, et fut introduit, encapuchonné, auprès d'elle. Fulvia, très émue, lui demanda, avant de prendre la lettre, si Antoine était encore vivant. Il lui tendit la missive sans mot dire, et, quand, au bord des larmes, elle commença à la décacheter, il la prit dans ses bras et la couvrit de baisers »…

Quoi de commun entre cet Antoine première manière, tout de joie et d'élans, et le reclus de la Timonière ? Le présent n'est pas le fils du passé. Au mieux, son petit-cousin. Le plus souvent, ils restent inconnus l'un à l'autre. Quand il est seul avec lui-même, l'Imperator déchu cherche le fil conducteur de sa vie – ce « fil rouge » cher aux scénaristes d'aujourd'hui –, mais il ne trouve rien. Que le hasard des rencontres, une suite de « circonstances ». Le destin d'un homme n'est qu'un arlequin de pièces et de morceaux.

IL fut un temps où les dieux étaient beaux. Leurs visages exprimaient la sérénité, leurs corps nus appelaient la caresse. Le « Dionysos jeune » qui trône dans la petite cour à colonnade de la maison d'Antoine plaît à Séléné, autant que le grand Hercule de la chambre, qu'elle ne voit plus très souvent désormais : son père la reçoit dans son exèdre, un salon d'été ouvert d'un côté sur la cour, de l'autre sur la mer. Il n'y fait pas chaud. Mais il est bien couvert (elle est gelée) et habillé selon son rang ; il porte même une cuirasse sous son manteau – une cuirasse légère, en cuir, de celles qu'on appelle « anatomiques » parce qu'elles reproduisent, avantageusement, la musculature d'un torse. Depuis longtemps, il a rasé sa vilaine barbe et coupé ses cheveux. Séléné le trouve moins jeune que Dionysos, mais presque aussi beau.

Elle remarque que, dans l'entrée, on a refermé l'armoire des dieux Mânes. Dans les galeries du dessus, elle entend parfois courir des serviteurs. Des tintements de chaudron montent de la cour des cuisines, où des enfants esclaves, qu'elle ne voit pas, jouent à *la mourre* en criant des chiffres. Lorsque « le maître » n'est pas encore levé et qu'elle attend plus longtemps dans le vestibule, les accords d'une cithare et d'une flûte lydienne lui parviennent de la chambre. Toujours le même air. « Parfait, dit la Reine quand Séléné lui en parle, il a repris assez de goût à la vie pour se faire donner des aubades ! » Le même air, chaque fois, et la voix rauque d'une chanteuse indigène. Un refrain répété jusqu'à l'obsession, jusqu'au sanglot, et dont, plus tard, Séléné croira qu'elle se souvient : « *Non, je n'écouterai pas ceux qui me disent de repousser le désir que j'ai d'elle.* » Des mots qui n'ont guère de sens pour une enfant, mais qui, matin après matin, se sont couverts de buée dans l'ombre humide d'un vestibule. Crépitement de l'encens devant un vieux visage en cire ; cri des mouettes dans la cour vide ; claquement des semelles cloutées des Libanais ; et ces mots, « repousser le désir que j'ai d'elle », qui lui serreront le cœur quand un jour elle les entendra, loin d'Alexandrie : ce n'était pas une aubade, sa mère s'était trompée ; la musique que son père écoutait dès qu'il « allait mieux » ne donnait pas envie de se réveiller, elle donnait envie de se recroqueviller et de fermer les yeux.

Il est venu dans l'île fêter son anniversaire. Peut-être n'était-il pas fâché que Cléopâtre eût échoué dans sa tentative pour transporter sa flotte en mer Rouge ? Elle n'avait pas de plan de rechange. Les gladiateurs de Cyzique ? Soyons sérieux, comment ces braves types pourraient-ils traverser la Judée ? De nouveau, la Reine dépend de lui. De lui seul.

Tous les enfants, même Césarion, ont assisté au grand banquet donné en son honneur. Il n'a pas trop bu. Ses amis, Canidius, Lucilius, ont évoqué « le bon temps », ce premier hiver à Alexandrie, onze ans plus tôt, quand tout leur semblait si léger.

« Tu te souviens, Marc, que tu t'étais mis en tête de pêcher à la ligne dans le Port des Rois ? dit Canidius. Mais tu ne prenais rien, tout le monde rigolait !

– Raconte, demande Aristocratès, moi je n'y étais pas.

– Dans l'espoir de faire taire les rieurs, Marc a chargé un pêcheur de plonger chaque jour pour accrocher un poisson à son hameçon. Seulement, Cléopâtre a deviné son manège : un matin, elle a envoyé plonger un de ses gardes qui a devancé le pêcheur… Ah, il fallait voir la tête de Marc quand il a sorti de l'eau une anguille fumée !

– Et notre grande Reine, ajoute Philostrate le sophiste, notre Reine lui a fait la leçon avec beaucoup d'esprit : "Imperator, laisse la ligne et les filets aux petits princes qui ne règnent que sur Pharos et Canope. Ce qu'il te faut pêcher, toi, ce sont des villes, des royaumes, des continents." »

Marc Antoine se tourne à demi vers sa femme et, avec un sourire acide : « Je pense que sur ce point, mon âme, tu n'as pas été déçue… »

Elle l'a gardé longtemps près d'elle cette nuit-là. Sans mots, ils sont encore heureux. Quelquefois.

Alors ils se souhaitent en silence un éternel hiver. Mais ils savent bien que le printemps viendra.

AVRIL dans les rues d'Alexandrie. Le spectacle est sur les quais, près des temples, sous les portiques, et même aux carrefours où traînent les ibis mangeurs d'ordures – tout ce que le royaume compte de bateleurs, montreurs de singes, marcheurs de feu, afflue vers la ville. La Reine paye. À l'Hippodrome, on organise maintenant chaque semaine des « chasses » à l'hippopotame ; au Théâtre, on multiplie les concours de *pyrrhique*, une danse d'Asie Mineure où les jeunes gens font mine de s'affronter au sabre.

« Mais n'abusons pas des danses guerrières ! dit Cléopâtre. Inutile de rappeler la situation quand, au contraire, je cherche à distraire le peuple. » Du pain et des jeux. Pour les jeux, elle ne manque pas d'imagination. Ni d'argent pour le pain. « Ne pourrait-on donner aussi une représentation dans le Grand Gymnase ? Quelque chose d'un peu officiel… » Elle réfléchit à voix haute devant Mardion, ce vieil eunuque qu'elle a aimé plus que son propre père. « Une fête fédératrice, et qui soit une occasion supplémentaire de régaler le peuple à mes frais. Dans le genre des Donations : après la cérémonie, banquet sur l'Agora, vin à flots, tombola… Le mieux, je crois, serait de faire accéder Césarion à *l'éphébie*, qu'il puisse enfin apprendre le maniement des armes. Nous n'avons que trop tardé... Et pourquoi ne pas faire d'une pierre deux coups ? Antyllus pourrait prendre en même temps la toge virile...

– Mais il n'a pas l'âge requis, ce gamin ! Et aucune barbe au menton !

– Aucune barbe, peut-être, mais il enfile déjà mes servantes ! Si ce n'est pas *viril*, ça... J'imagine très bien l'intérêt du public pour ces deux enfants. Comme ils sont de nations différentes, nous pourrions avoir des festivités gréco-romaines, une nouveauté ! Nous ferions quelque chose d'original et de ravissant, j'en suis sûre. Et Marc serait enchanté de voir le fils de Fulvia associé au mien dans ces célébrations. Lui aussi a besoin de distractions... »

On avait appris, quelques semaines plus tôt, qu'une colonne d'octaviens emmenée par Gallus, général en chef des légions de Libye, avait fait sa jonction avec les rebelles de Cyrène et se dirigeait vers Paraitoniôn. En plein hiver ! Marc Antoine était parti aussitôt porter secours à la ville, seul port de l'ouest que les siens tenaient encore. Quand il arriva, Paraitoniôn s'était rendue... À peine de retour au Palais, il reçut un message des gladiateurs de Cyzique : Octave venait d'envoyer contre eux toute une armée, ils appelaient à l'aide. Mais comment le généralissime vaincu aurait-il pu secourir ceux qui volaient à son secours ?

Par la fenêtre du Palais, à la lueur rose du Phare, Antoine regarda Alexandrie dans la nuit : la digue, les quais, la mer... Un vent de sable soufflait sur la ville ; quelque part, du côté du désert, des chameaux blatéraient. Brusquement, il regretta les oliveraies d'Italie et l'odeur du romarin. Il but.

La Reine, elle, ne semblait pas affectée ; elle organisait d'autres dîners, d'autres fêtes, avec des danseuses aux cheveux dénoués, aux chevilles apparentes. Au Théâtre, on ne jouait plus que des farces satyriques, dont les acteurs nus portaient des masques barbus, des phallus postiches et des queues de chevaux attachées dans le dos. Très drôle, et très religieux : dionysiaque... Exactement ce qu'il fallait au peuple en ce moment.

« Donc, dit-elle à Mardion, tu charges notre meilleur barbier de découvrir un peu de duvet sur le menton d'Antyllus. En même temps que ce garçon prendra la toge virile et abandonnera sa médaille de naissance, nous offrirons ses quatre poils au dieu adéquat – prise de toge et *déposition de barbe*, une fête romaine "tout-en-un" qui ravira les légionnaires d'Antoine... Quant aux *éphèbes* de ma noblesse et à leurs parents, je verrais bien, avant la réunion au Grand Gymnase, une cérémonie plus intime au Sérapéum. Une liturgie nocturne avec des lampes pendues partout. Le problème, c'est l'huile d'olive. L'huile grecque commence à manquer. Penses-tu que si nous brûlions de l'huile de lin... ? Je sais, l'odeur est pénible. Alors, des torches ? Un délicieux parfum de résine qui flatterait les narines de notre grand dieu bleu ? Ah, j'y suis : de part et d'autre de sa statue, nous pourrions placer deux éléphants porteurs de flambeaux, des éléphants qui serviraient de candélabres. Ce serait superbe !... Tu me trouves futile, Mardion ?

– Je t'ai vue naître, Maîtresse, et je n'ai jamais connu de princesse si peu futile... Crois-tu que je ne sache pas pourquoi les parents ont hâte que leurs enfants grandissent ? C'est pour qu'ils les remplacent... » Il soupire. « Césarion, oui, bien sûr. Césarion éphèbe et majeur, c'est une bonne idée. Tu vas essayer de négocier ?

– Que puis-je faire d'autre ? »

Maintenant que son père avait recommencé à entraîner ses légions dans la plaine de Canope ou de Taposiris, que tout le monde était réconcilié et rassemblé, il y avait tant de fêtes dans la ville et dans l'île que Séléné, blasée, commençait à s'en lasser. Peut-être, à l'occasion de l'*éphébie* de Césarion, prêta-t-elle quand même quelque attention aux éléphants lumineux ? Si le petit Ptolémée Philadelphe fut content de les voir, elle le fut sûrement aussi – par amour pour lui.

De la période qui suivit ses voyages répétés à la Timonière mais précéda le moment des combats autour de la ville, elle n'a gardé en mémoire que des détails. Les cuisines du Palais, par exemple : une visite documentaire organisée pour elle par Diotélès. Il s'était aperçu que, dans son empyrée, elle n'avait jamais vu une gousse d'ail, ne connaissait les pois chiches qu'en purée, ignorait comment on pétrit un pain – connaissances pratiques qui, dans la vie courante, ne lui étaient guère nécessaires, mais dont le défaut l'empêchait parfois de comprendre une idylle de Théocrite ou un vers d'Homère.

De ces immenses cuisines d'Antirhodos, cachées derrière les coupoles du bâtiment des Bains, elle ne se rappellera que la rôtisserie, où elle a vu des esclaves tourner en même temps les broches d'une dizaine de sangliers. Elle avait interrogé le chef cuisinier pour savoir si ses parents donnaient un grand dîner. « Ce soir ? Pas du tout, les convives ne seront que douze. Une seule table, avec une banquette en demi-lune. Mais nous ne savons pas à quel moment ton père voudra manger – quelquefois, c'est dès qu'il entre dans la salle, d'autres fois il préfère commencer par boire du vin doux et bavarder. Faute de connaître l'heure du dîner, nous préparons plusieurs repas à la fois : les ordres de la Reine sont que l'Imperator n'attende jamais... » Ce gaspillage, dans l'unique souci de plaire à un vaincu, n'impressionna pas Séléné. Retenant seulement qu'il s'agissait d'un dîner intime, elle se demanda si, maintenant qu'ils avaient le droit de manger couchés « comme des grands », Césarion et Antyllus y participeraient.

Non, sans doute. Pas à un dîner comme celui-là, qui réunissait les débris de la confrérie des « Inimitables », les derniers fidèles : Canidius, Lucilius, Aristocratès et quelques autres. Ils s'étaient constitués en « corporation » onze ans plus tôt, comme les acteurs de mime ou les saleurs de cadavres. Après la capitulation des gladiateurs de Cyzique et la chute de Paraitoniôn, la Reine avait décidé, en riant, qu'ils devaient changer de nom : dorénavant, ils s'appelleraient « les Compagnons de la Mort ».

POUR MÉMOIRE

Sur les terrasses d'Antirhodos, Iotapa glisse comme une ombre. Elle porte des robes bleu nuit. Elle bouge sans bruit, se tait longuement, n'exprime rien. Elle a désappris sa langue maternelle sans avoir appris celle des Grecs. Son fiancé n'est plus roi ? L'Arménie et la Médie ont renoué avec les Parthes ? Des Romains marchent sur Alexandrie ? Elle ignore où se trouve la Médie, ne distingue pas un Romain d'un Égyptien, et n'avait jamais joué avec son fiancé.

Elle recherche les pièces obscures, les encoignures. Autrefois, elle y retrouvait Séléné. Depuis quelques mois, elle vole de menus objets : des amulettes, des épingles à cheveux, des boucles d'oreilles, des cuillères. Elle les cache sous son matelas. Quand on les découvre, on la gronde. Elle recommence. Elle est très habile de ses mains. On a beau la surveiller, les monnaies et les bijoux finissent toujours par rejoindre ses doigts.

Lorsqu'elle n'est pas punie, elle monte sur les terrasses avec ses servantes. Elle ne regarde pas la mer, ni les obélisques, ni les mâts des bateaux. Elle se tourne aussitôt vers les anciens quartiers, les quartiers brûlés de l'île du Phare. Ces vieilles cendres lui rappellent quelque chose : quoi ? Les cendres, les ruines l'intéressent, l'ont toujours intéressée ; de même que le froid, sur sa peau, la rassure. Un froid venu du passé, venu, croit-elle, avec les manches de miroir, les vieilles bagues en verre, les limes à ongles et les canifs, tous ces trésors minuscules qu'elle « met de côté ».

Mais ils ne suffiront pas à la lester. Bientôt, elle va s'envoler, s'effacer, petite silhouette « floutée », disparaître des livres d'histoire. Disparaître aussi, en robe bleu nuit, de la mémoire des enfants d'Alexandrie. Et disparaître du récit. Elle passe, Iotapa, amnésique et oubliée, comme une ombre.

IL aurait dû se tuer au lendemain de sa défaite. Comme Brutus et Cassius, ses ennemis d'autrefois. Puisque, au fond, il a joué la même partie qu'eux : l'Orient romain contre la Gaule et l'Italie. Une configuration malheureuse dans laquelle on ne peut pas gagner. Le grand Pompée en avait déjà fait l'expérience contre César : la richesse, l'étendue ne pèsent rien face au « réservoir à soldats ». Lui, Antoine, vainqueur de Pompée à Pharsale et de Brutus à Philippes, comment a-t-il pu oublier cette leçon-là ? Octave, qu'il a tellement sous-estimé, Octave, en encourageant ses chimères orientales, l'a poussé au plus mauvais partage possible. Il l'a forcé à accepter l'héritage des adversaires de César ; et voilà comment, vainqueur, il s'est retrouvé avec le lot des vaincus… Aujourd'hui, il paie sa sottise. Peu importe qu'on l'ait trahi, il s'était trahi lui-même. Donc, il faut mourir.

Mais Marc Antoine est un orateur-né, et, malgré lui, son éloquence intérieure l'entraîne : quand il a fini de plaider pour l'accusation, il assure sa propre défense et ne s'y montre pas mauvais non plus… Non, il n'est pas, n'a jamais été dans la même situation que Pompée ou les républicains : aucun d'eux n'avait l'Égypte dans son camp. L'Égypte, sa flotte, ses chantiers, sa population, ses ports, ses richesses (ne parlons même pas de sa reine !), l'Égypte, dans la balance, faisait toute la différence. Il l'a su dès le premier moment. Il le constate encore aujourd'hui : sans l'Égypte, il n'aurait plus ni soldats ni abri. Un fugitif désarmé. Déjà « fini », après une seule grande bataille. Tandis que là, quand même, il aurait pu redresser la situation, mais si ! Et, maintenant, il peut encore négocier. Entre Romains, n'est-ce pas ? Après tout, ce n'est pas à lui que Rome a déclaré la guerre. Grâce à l'Égypte, au répit que lui offre l'Égypte, il reste un mince, très mince espoir. Donc, il ne faut pas mourir.

Ils négociaient. Depuis la reddition de Paraitoniôn, Antoine et Cléopâtre négociaient avec l'ennemi. Que leur restait-il à vendre ? Pas grand-chose. Du temps, peut-être, qui, dans une guerre, vaut beaucoup d'argent. Marc Antoine tentait d'échanger la capitulation immédiate de ses trois légions contre le maintien d'un royaume égyptien. « Quant à moi, écrivait-il à Octave, si tu ne veux pas que je reste en Égypte, accorde-moi la permission de me retirer à Athènes, où je vivrai en simple particulier. » Il avait eu du mal à dicter cette lettre. Parce qu'il n'était pas sot au point d'ignorer que, là-dedans, un seul mot comptait : « Je vivrai »... Octave ne se donna même pas la peine de lui répondre.

Et la Reine ? Elle négociait de son côté. Savait qu'Octave manquait d'argent pour la poursuite des combats. À Actium, *Thurinus* avait compté mettre la main sur le trésor de guerre égyptien, mais Marc et elle l'avaient sauvé. Depuis, les légionnaires de Rome réclamaient leur solde, les vétérans d'Actium exigeaient des terres, et, les banquiers d'Italie ne prêtant plus qu'à douze pour cent, les amis d'Octave maigrissaient. Cléopâtre fit miroiter sa « verroterie » : elle était prête, fit-elle dire, à rendre les armes et à payer les plus lourds tributs – contribution exceptionnelle, impôts annuels, etc. Le traité devrait seulement garantir le trône d'Égypte au couple de ses enfants, Césarion et Séléné. Quant à elle, elle s'effacerait.

Octave ricana : « Veut-elle vivre en citoyenne d'Athènes, elle aussi ? » Il répondit, toutefois. Laconiquement : « Fais tuer Antoine, nous discuterons après. »

Les Ptolémées, s'ils ne répugnaient pas à l'assassinat, n'avaient pas le culte du suicide. Cette mort volontaire, qui semblait la moindre des politesses à un Romain, n'était pas prisée des Grecs. Encore moins des Égyptiens, qui aimaient tellement la vie qu'ils espéraient la prolonger dans l'au-delà sans y changer grand-chose : un peu de bière, des galettes de pain, quelques meubles…

La société des Compagnons de la Mort, Antoine et Cléopâtre l'avaient fondée pour s'encourager mutuellement : ni l'un ni l'autre n'était encore vraiment prêt à sauter le pas. À la tête de la garnison de Péluse, qui verrouillait l'Égypte à l'est, la Reine venait de nommer l'un de ses meilleurs généraux. Et « l'Imperator » (on peut mettre ce titre entre guillemets désormais), « l'Imperator » faisait défiler ses légions, réorganisait la flotte, plaçait des guetteurs en haut du Phare et ordonnait de relever chaque soir les chaînes des six ports d'Alexandrie pour prévenir toute incursion. Car on avait dû « rouvrir » la mer : les jours rallongeaient, l'été approchait… Les amants négociaient avec l'ennemi. Fébrilement. Et séparément.

Quand la Reine a décidé de quitter Antirhodos pour se réinstaller dans le Quartier-Royal, les enfants, comme les serviteurs, ont pris ce déménagement pour une nouvelle lubie. C'est d'ailleurs comme un caprice que la Reine a choisi de le présenter : finalement, à Antirhodos, l'air est trop humide. Seuls les fils adolescents, Césarion et Antyllus, ont su décrypter l'évènement : la Reine ne craignait plus les Alexandrins, gavés comme des oies, elle craignait une attaque des Romains par la mer. De ce côté-là, les murailles du Port des Rois constituaient une protection plus efficace ; sans parler des avantages qu'offrait le mystérieux souterrain…

Tant bien que mal, on relogea les princes égyptiens dans le Palais des Mille Colonnes ; Antoine, Antyllus, et leurs officiers romains, occuperaient la Résidence des Hôtes ; une partie de la Cour était avec la Reine, au Palais Bleu ; les serviteurs et les scribes, dans le bâtiment des Archives ; les gardes libanais campèrent autour du petit temple de César Divinisé, et la garde celte, sur les quais du port privé. Séléné s'était d'abord réjouie de revoir son Isis – la vraie, qui n'était assurément pas la *lactans* aux lourds tétons du temple d'Antirhodos. Mais quand elle voulut rejoindre les recluses du Lokhias en traversant son *paradis* d'autrefois, elle trouva la petite porte du fond condamnée par une catapulte. Au-delà de la porte et du muret, on voyait maintenant distinctement le Mausolée – une grande tour-pylône blanche, qui cachait le rempart et sur laquelle s'agitaient encore des ouvriers brun foncé.

C'est un jour où Nicolas, le précepteur, lui donnait un cours de *généalogies héroïques* dans le Jardin des Parfums que Séléné vit la scène : son père frappait un homme. Le frappait lui-même ! Et cet homme n'était pas n'importe qui, mais un émissaire d'Octave *César*. Un jeune et bel ambassadeur, toujours élégant. Les nourrices et leurs servantes étaient folles de lui. Il se grattait la tête avec un seul doigt pour ne pas déranger sa coiffure – c'était d'un chic ! Il était arrivé deux semaines plus tôt, on l'avait logé à Antirhodos, et la Reine le recevait chaque jour sans témoin : ils étaient en pourparlers. Elle lui avait offert un collier d'or...

Au sortir de l'entretien du jour, le jeune homme voulut visiter la ménagerie, il revenait par le Jardin quand Antoine, en tenue militaire, lui tomba dessus : « Pendant que je me crève à organiser la défense, que je me défonce pour sauver la Reine, toi, le pommadé, tu fais le joli cœur au Palais ! Ah, tu négocies ! Je vais te négocier les reins au fouet, mon salaud ! Tu seras plus chamarré qu'une tapisserie de pourpre ! »

Son père était d'une force redoutable, Séléné le savait ; Antyllus disait souvent que les Antonii étaient plus forts que des gladiateurs – leur oncle Lucius en avait vaincu plus d'un en combat singulier ! Sitôt qu'Antoine l'eut touché du bout des doigts, le pomponné s'effondra dans l'allée en gémissant.

L'Imperator se mit à le bourrer de coups de pied : « Relève-toi, négociateur ! Et regarde-moi en face. Elle t'a pris pour un prince, hein ? Tu ne lui as pas dit, je parie, que tu n'es qu'un fils d'esclave, un valet de *Thurinus* ! Que ta famille, si on la cherche, c'est sur la croix qu'on la trouve ! » L'homme se traînait sur le ventre, empêtré dans sa toge à la mode, tandis que des gardes, alertés par le bruit, accouraient du fond du Jardin. « Elle écoute tes déclarations d'amour, séducteur de gouttière ! Et tes déclarations de paix, imposteur ! Nous cocufier tous les deux à la fois, c'est ça, la dernière idée de ton maître ? Ah, le tordu ! Le tordu ! » Il avait saisi le fouet qu'un de ses gardes portait à la ceinture et se mit à flageller l'affranchi qui rampait. À chaque coup, le fouet arrachait un lambeau de la toge ou de la tunique de soie. Bientôt, « l'émissaire » fut à moitié nu, son sang jaillit. « Être fessé comme tes parents, c'est tout ce que tu mérites, ordure ! » Lucilius, qui arrivait hors d'haleine, s'interposa : « Songe à ce que tu es, Imperator ! À ce que tu te dois… Laisse tes licteurs achever ce travail. »

Depuis le début de l'algarade, Séléné avait cessé de s'intéresser aux ascendants d'« *Agénor, roi de Patras, fils d'Ampix, fils de Pélias, fils d'Arginatès* », elle s'accrochait, effarée, à la robe de son précepteur : les hurlements de l'homme à terre lui rappelaient ceux du *dioïcète*, quelques mois plus tôt, sur le quai du port. D'autant qu'elle ne comprenait pas ce que son père disait : au Palais, les occasions d'entendre parler latin restaient rares. Mais si elle ne connaissait pas le latin, elle avait déjà vu « l'arbre stérile », cette fourche où les Romains attachaient leurs esclaves ; puis la lanière de cuir qui déchirait leur chair, et l'étrange immobilité qui s'ensuivait... « Suspendez-le ! » ordonna Lucilius aux licteurs. Elle ferma les yeux. « Rassure-toi, murmura Nicolas en se penchant vers elle, ils ne le tueront pas. Ils n'oseraient pas. »

L'affranchi d'Octave ne fut que brièvement *suspendu* à la fourche, en effet, et son dos, zébré de dix coups seulement : le bellâtre n'en mourrait pas, mais il ne quitterait pas de sitôt la « tunique bigarrée » que l'Imperator venait de lui passer ! On le remporta sans connaissance jusqu'au bateau qui l'avait amené ; et on lui accrocha au cou une tablette qui portait un message d'Antoine à son ex-beau-frère : « J'ai été un peu irrité par l'insolence de ton affranchi. Si tu le prends mal, rends-moi la pareille : mon affranchi Hipparque, qui est près de toi puisqu'il m'a trahi, fais-le donc suspendre et fouetter ! Comme ça, nous serons quittes. » Fin des négociations.

Début mai. Les troupes d'Octave approchent de la Judée. Nicolas de Damas se rappelle avec nostalgie les bontés d'Hérode. Diotélès remet un acompte de plus à son saleur. On commence à transporter les trésors de Cléopâtre dans le Mausolée inachevé.

Sous une pergola de roses de Bithynie, les Compagnons de la Mort dînent dehors, dans le Jardin botanique. Ils sont couronnés de violettes. Le repas s'achève, c'est l'heure de la *comissatio*, on leur sert du vin de Chio. Mais, depuis la visite de l'affranchi d'Octave, Marc Antoine n'oublie jamais, chez la Reine, de tendre sa coupe à son goûteur avant de boire ce qu'on y verse ; et il le fait avec un peu d'ostentation.

De quel œil regarde-t-on une femme dont on croit qu'elle songe à vous supprimer ? une femme que son propre médecin traitait d'empoisonneuse un an plus tôt ? Antoine et Cléopâtre, ces deux fauves qui, dès le premier jour, se sont reconnus, mesurés et appréciés, s'aiment maintenant d'un amour déchiré : ils s'y sont trop aiguisé les dents. Les sentiments de la Reine s'en trouvent rétrécis, comme apeurés ; ceux d'Antoine restent plus violents, mais sont maintenant sans illusions.

L'anecdote du « dîner de violettes », racontée par Pline l'Ancien, illustre bien le caractère singulier de cette passion. Ce soir-là, sous la pergola, on avait servi aux convives, en plus du vin de Chio, un maronée de la côte thrace récolté l'année du consulat d'Opimius. Une année exceptionnelle. Et un cru ancien, rare et cher. La Reine, qui s'était elle-même désignée comme « président de banquet », ordonna que le vin *opimien*, trop noir, fût mêlé au Chio dans la proportion d'un à quatre, et le tout, largement coupé d'eau. Après avoir bu une gorgée du mélange, elle le déclara trop amer et y fit encore ajouter du miel et de la cannelle. On brassa ce vin d'épices dans le vaste cratère d'argent, et un jeune échanson, tout de rose vêtu, remplit avec grâce les coupes des invités. Tandis que le goûteur d'Antoine faisait gravement son métier, les louanges des autres convives fusaient : « Délicieux ! », « Sublime ! » « En vins, dit Philostrate, sophiste de cour, notre Reine s'y connaît comme un homme !

– C'est qu'elle fait tout comme un homme, rétorqua

l'Imperator. À la chasse, quand nous débusquons un oryx, ma Cléopâtre ne se laisse jamais distancer, vous devriez voir comme elle monte ! » Plaisanterie militaire et rires gras.

La Reine ne s'en émut pas. Elle venait d'ôter sa couronne de fleurs et déchiquetait les violettes au-dessus de sa coupe : « Tu me flattes, Philostrate, ce vin-là manque de bouquet. Il y faut une note plus fleurie. Faites comme moi, pour le parfumer, mettez-y vos fleurs à tremper. »

Sa Cour et ses intimes étaient habitués à ses fantaisies ; du reste, un « président de banquet » devait être suivi aussi fidèlement qu'un chef d'orchestre : tous obéirent. À écraser leurs violettes dans le vin, ils eurent bientôt les doigts tachés. Antoine, qui s'était mis de la partie, ironisait : « J'ai les mains sanglantes d'une ménade qui aurait écartelé un berger !

– Écartelé une amphore, plutôt ! » dit Canidius.

On s'esclaffa. Philostrate but le premier : « Un nectar ! » Tous, maintenant, s'extasiaient. Mais quand Marc Antoine porta sa coupe à ses lèvres, la Reine, qui partageait son lit de banquet, arrêta son geste : « Ne bois pas ! Ce que j'ai empoisonné, ce n'est pas ton vin, ce sont les violettes de ta couronne… Tu vois, Imperator, malgré ton goûteur, je pourrais te tuer quand il me plairait. Mais il ne me plaît pas… Jette ce vin », et elle gardait la main tendrement posée sur son bras.

Le récit de Pline s'arrête là. Mais la scène resterait incomplète si on ne la terminait sur la réplique que j'entends Antoine prononcer : « Moi, te craindre, ma vie, mon âme (*zoé kaï psukhé*) ? Je n'ai besoin d'un goûteur que pour éviter les boissons trop fraîches. Mais, ce soir, ton vin de violettes est à la température idéale, ma bien-aimée », et, sans la quitter des yeux, il vide d'un trait la coupe « empoisonnée »… Il a toujours su quand elle trichait : il l'aime. « Malgré toi, avec toi », dit-il à mi-voix.

Séléné est la fille de ces deux-là.

MAGASIN DE SOUVENIRS

Catalogue, archéologie, vente aux enchères publiques, Paris, Drouot-Montaigne :

… 81. Lot composé de trois lampes à huile ornées d'une scène érotique représentant Léda et le cygne, d'un phallus ailé, et d'un couple d'amoureux saisi dans la position de la « mulier equitans », la femme encourageant son partenaire par ces mots : Vides quam bene chalas. Terre cuite beige et orangée. Usure et lacunes visibles. Art romain, Ier siècle ap. J.-C.

L. : de 7,8 à 9,8 cm. *1 000/1 200*

DEPUIS quelques jours, la vie des enfants est bouleversée : il n'y a plus d'« école ». Les maîtres se sont évaporés. On a envoyé Euphronios à la rencontre des troupes octaviennes, porteur du caducée des messagers : maintenant que Césarion passe ses journées au-delà des murailles, à faire de l'entraînement militaire dans le grand Stade avec les jeunes gens de la ville, il n'a plus besoin, c'est vrai, d'un spécialiste des belles-lettres. Théodore, le précepteur d'Antyllus, a quitté le Quartier-Royal, lui aussi : le directeur de la Bibliothèque réclamait un chef copiste – le titulaire venait de rejoindre la garnison d'Alexandrie. Diotélès, comme tous les autres répétiteurs et la plupart des « inutiles » du Palais, a été requis pour aider aux transports vers le Mausolée : on y accumule les bronzes de Corinthe, les sphinx d'ivoire, la vaisselle d'or, les tableaux d'Apelle et les statues de Lysippe.

Le Pygmée, qui se juge impropre à la tâche, n'y traîne que de légers ballots d'étoupe, suivi de Thonis, sa « petite nymphe » comme il l'appelle, qui porte des pots de naphte plus lourds qu'elle. Pendant que son maître admire sa beauté malingre d'enfant trop vite poussée et qu'il disserte généreusement sur la poésie (« Si tu veux mon avis,

Callimaque n'est qu'un auteur de charades pour exégètes gavés ! »), la fille de Taous, qui ne sait pas lire, charrie les pots en silence et tire le mulet. Quant à Nicolas de Damas, « l'Archiprécepteur », il est malade – de langueur, paraît-il ; il reste couché et ne voit plus que le médecin Olympos.

« C'est grave ? s'inquiète Séléné.

– Pas très, dit Olympos. Ton précepteur souffre d'ambition contrariée. Une maladie de la bile qui commence avec des "si seulement", des "plutôt que" et des "au lieu de". Mais je doute qu'il en meure. Habile comme il l'est, il s'en remettra. »

Fin juin. L'armée d'Octave, largement approvisionnée par Hérode, arrive sous les murs de Péluse, verrou oriental du Delta. En catastrophe, le couple royal tente encore de reprendre les négociations. Euphronios, l'un des rares Égyptiens en qui ils aient tous deux confiance, est précisément chargé de présenter à Octave de nouvelles propositions : Antoine offre sa vie contre celle de Cléopâtre ; Cléopâtre promet de l'or, toujours plus d'or, si on lui permet d'abdiquer en faveur d'un de ses enfants, n'importe lequel maintenant – même le petit Ptolémée, qui n'a pas de santé, ferait l'affaire. Octave ne répond pas.

Huit jours plus tard, Péluse est tombée : le général choisi par la Reine s'est rendu sans combat...

Pour rassurer son époux sur sa propre loyauté (avait-il des raisons d'en douter ?), la Reine fait exécuter sur-le-champ la femme et le fils du général, restés à Alexandrie.

Il s'est vu mourir, Marc Antoine s'est vu mourir. Le sol continuait à se dérober sous ses pieds. Avec ce qu'il lui restait de troupes, il ne pouvait pas se porter au-devant de l'envahisseur dans le Delta, car, à l'est, dans les sables, les légions libyennes de Gallus s'étaient remises en marche : elles menaçaient Taposiris, à trente kilomètres d'Alexandrie, Taposiris, une ville qui n'était pas défendable. Imperator sans empire, il pouvait tout juste protéger la capitale, de la Porte de la Lune à la Porte du Soleil, ou, mettons, pour être large, de la Nécropole de l'ouest à la Nécropole de l'est. Et la protéger combien de temps ? Gagner quoi ? Un mois ? Ils ne vivraient pas jusqu'à l'hiver. Pas même jusqu'à la résurrection d'Osiris… Autant en finir tout de suite. Il se sent prêt maintenant à mourir pour Cléopâtre. Prêt, surtout, à mourir avec elle, près d'elle.

Il y a longtemps qu'il examine les techniques de suicide avec réalisme et précision : un général romain, même confiant, ne peut faire l'économie de cette réflexion ; a fortiori lorsqu'il appartient à une grande famille et qu'il a choisi la carrière politique. Ce n'est pas qu'une question d'honneur, c'est une question de confort : tomber vivant entre les pattes d'un adversaire serait s'exposer aux pires supplices – l'Histoire est pleine de ces sévices imaginatifs infligés à leurs ennemis par les Perses, les Germains, ou même, il doit en convenir, les Romains civilisés. De toutes ces choses, il parlait déjà à dix-huit ans avec son ami Curion : Curion en tenait pour le procédé, on ne peut plus classique, de la décapitation par un esclave fidèle préposé à la tâche. « Si l'esclave est bien entraîné et le glaive correctement affûté, la mort est immédiate et indolore.

– Sybarite ! » répliquait Antoine, et ils roulaient l'un sur l'autre en riant.

Cette décapitation volontaire que lui recommandait Curion, il l'a toujours prévue et organisée. C'était d'abord Rhamnus, l'un de ses affranchis, qu'il avait chargé du travail pendant la campagne contre les Parthes ; maintenant que Rhamnus est mort, c'est Éros, son jeune valet, attentif et dévoué, qui lui a promis de « l'exécuter ».

Il n'empêche qu'il éprouve une répulsion instinctive à l'idée qu'on séparera sa tête de son corps. Non qu'une tête coupée l'impressionne au-delà du raisonnable : quel autre moyen aurait un soldat de prouver qu'il a bien accompli sa mission ? Il admet, par ailleurs, qu'une tête simplement fichée au bout d'une pique, ou exposée sur la *tribune aux harangues* du Forum, ou bien au-dessus de la porte d'un palais, peut avoir valeur d'exemple. Il n'est pas une mauviette : qu'on montre sa tête au peuple, passe ; mais il déteste l'idée qu'on pourrait jouer avec. Comme Marius, le dictateur, l'avait fait – pendant tout un dîner – avec la tête du plus illustre des Antonii avant lui, son grand-père Marc, le fameux orateur. Ou encore le roi des Parthes, dans un théâtre, avec la tête de Crassus, le général romain. Lancer une tête comme un ballon, la poser dans les plats, la jeter à des acteurs, lui pisser dessus, tous ces comportements lui paraissent, comment dire ? déplacés. Il ne peut se défendre, tout Romain qu'il soit, d'une petite répugnance.

Dans la pratique, du reste, la décapitation est beaucoup

moins sûre que ne le croyait naïvement Curion à dix-huit ans. Il faudrait pouvoir opérer soi-même ; car l'esclave, affranchi ou pas, se trouve pris entre deux règles morales opposées : d'un côté, obéir au maître quoi qu'il vous ordonne ; de l'autre, ne jamais porter la main sur lui. Du coup, au moment décisif, certains se révèlent incapables de surmonter le conflit : ils aiment encore mieux se supprimer que « suicider » leur patron. Sage précaution, puisque, s'ils lui survivaient, on pourrait les accuser de l'avoir assassiné. Mort pour mort, ils préfèrent désobéir en se tuant, que se tuer après avoir obéi – toujours, chez ces bougres d'esclaves, la tentation de la facilité !

Reste l'autre forme de suicide, la seule, en vérité, qui soit digne d'un chef romain : l'éventration. On plante le glaive dans le sol, et on se jette dessus de tout son poids. Quelques-uns, trop vieux pour l'exercice, se couchent sur leur lit et, de toutes leurs forces, s'enfoncent dans le ventre une dague courte. L'essentiel est d'atteindre le foie ou les intestins, mais, de quelque manière qu'on s'y prenne, la mort est lente, et la manœuvre, délicate ; elle exige la sûreté de main d'un soldat.

À Éros son page, à qui il a demandé de l'achever, il a imposé des répétitions : d'abord décapiter des courges, puis s'exercer sur deux ou trois condamnés à mort. Tout geste militaire exige un peu d'entraînement. Mais lui, Antoine, comment assurerait-il convenablement la première partie de l'opération ? Peut-on apprendre à s'ouvrir le ventre ? s'entraîner à s'éviscérer ? Faute de pratique, beaucoup de Romains se ratent. Même si tous n'ont pas la malchance de ce pauvre Caton d'Utique auquel le médecin de famille a recousu les entrailles après une première tentative, et qui, pour finir, a dû arracher la couture point à point et se déchirer les intestins à la main…

Antoine n'aime pas s'attarder sur ce genre de pensées. Ni se rappeler son frère Gaius égorgé.

Il voudrait mourir au combat. S'expose au danger dans cet espoir-là. À Paraitoniôn, il s'était avancé sans escorte jusque sous le rempart qu'avaient conquis les légionnaires de Gallus (le poète Gallus, son « ami » Gallus) ; il s'était avancé seul, sous prétexte de haranguer ses anciennes troupes, mais il n'espérait d'elles qu'une flèche miséricordieuse… Qui n'était pas venue : même « retournés » par Octave, ses hommes l'aimaient encore trop pour l'abattre comme un oiseau pris au filet.

Il devra donc faire le travail sans aide… Il veut bien mourir pour Cléopâtre, et même à cause de Cléopâtre, mais il voudrait mourir près d'elle. Elle n'accepte pas d'en parler. Autrefois, à Éphèse, quand il dominait la moitié du monde, ils avaient abordé le sujet en joyeuse compagnie, un après-midi, tous assis sur leurs pliants dorés au premier rang du Théâtre : en l'honneur de Dionysos, des acteurs venaient de jouer pour les quinze mille invités des extraits d'anciennes tragédies et, forcément, après l'*Ajax*, la conversation était tombée sur le suicide. « Je ne sais pas pourquoi les hommes aiment tant les suicides sanglants, avait remarqué Cléopâtre en croquant des pignons de pin. Quand vous passez de vie à trépas, il faut toujours que ce soit dans la violence, que vous éclaboussiez le monde autour de vous… Nous, femmes, sommes autrement discrètes et bien élevées !

– Pas toutes ! avait objecté Dellius qui était alors leur meilleur ami, Dellius qui n'avait pas encore trahi. La vertueuse Lucrèce, en se poignardant, n'a pas hésité à répandre le sang !

– Bon, dit Cléopâtre, Lucrèce était de très mauvaise humeur parce qu'elle venait d'être violée. Mais, à part elle, nous nous suicidons proprement. En nous laissant mourir de faim, par exemple : une mort élégante.

– Mais interminable, souligna Antoine. On voit bien que, pour mourir, vous avez le temps : un chagrin d'amour, la ruine d'une maison, la mort d'un mari, laissent généralement quelques jours pour agir. Tandis qu'un général vaincu doit en terminer sur-le-champ.

– En salissant la maison ? Allons donc ! Quand nous sommes pressées, nous usons aussi de moyens rapides, mais sans rien souiller : noyade, étouffement, poudres…

– Les poudres ? Foutaises ! Aucune garantie de succès !

– Tout dépend de ceux qui les préparent, Imperator. Il ne suffit pas d'être médecin, il faut s'y connaître aussi en botanique, en parfums… Notre ami Glaucos (à cette époque, elle ne l'avait pas encore tué), notre ami Glaucos a obtenu, au Muséum, des poudres rapides et sûres. Au pire, d'ailleurs, qui nous empêcherait d'imiter la veuve de Brutus en avalant des charbons ardents ? L'épanchement d'humeurs qui s'ensuit reste interne, il n'a rien de dégradant… »

Mais maintenant, quand Antoine essaie de ramener la Reine vers les considérations pratiques qui s'imposent – mourir comment, avec qui, quand ? –, elle écarte d'un mot toute tentative d'approche : « Une heure de vie, Marc, c'est encore la vie ! »

Peut-être songe-t-elle à ses enfants. Elle y songe sans doute plus que lui. Mais elle ne les sauvera pas. Sauf, à la rigueur, Césarion, assez grand désormais pour s'enfuir et se cacher. Bien que sa vie de pharaon n'ait guère préparé ce garçon à affronter l'inconnu ! Pas même à supporter l'inconfort ! Et quant à pouvoir un jour reconquérir son trône…

Chaque soir, après avoir inspecté ses légions et fait manœuvrer dans la plaine la cavalerie égyptienne qu'il commande lui-même, Antoine pleure sur le destin du fils de César, pleure sur le sort de ses jumeaux, et pleure sur lui-même. Alors, il appelle Éros et boit. Boit comme on se soigne, puisque Olympos, excellent médecin, le lui a conseillé : « Les dieux ont révélé le vin aux hommes pour leur plus grand bien. Il est le remède à toute douleur. Parce que tu as l'esprit subtil, Seigneur, et beaucoup de perspicacité, tu prévois, tu imagines, et tu tombes bientôt dans la mélancolie : tantôt tu voudrais vivre, et tantôt tu veux mourir. Le remède est le vin : bois ; mais un vin blanc, jeune et léger, que tu mouilleras d'eau aux trois quarts. » Il a aussitôt remarqué la moue dubitative d'Antoine : « Tu le coupes déjà beaucoup moins ? – Moins, oui. Je suis un soldat. – Suis pourtant mon conseil jusqu'à la onzième heure du jour. Ensuite, fais ce que tu voudras… »

Aucun de ses hommes ne l'a jamais vu ivre ; ses amis, si, parfois ; mais sont-ils des amis, ceux qui ne seraient pas « amis jusqu'à l'estomac » ? Et puis, ces excès ne se produisent que lorsqu'il se trouve dans l'incapacité d'agir, ligoté comme un prisonnier ; en campagne, au contraire, il boit de l'eau, l'action suffit à le griser. Vivement qu'Octave soit là : l'appel du buccin, les charges de cavalerie, le choc des armures, et ce grand calme qui chaque fois s'empare de lui, cette grâce nonchalante, cet insouciant mépris du danger, ce désir d'élégance et d'éternité qui, enfin, l'envahissent… Avec un peu de chance, il tombera au combat.

SUR l'ordre de la Reine, on avait rétabli le souterrain qui menait des palais « du Dedans » à la colline de Pan, ce petit cône pointu et boisé situé derrière le Théâtre. Du temps des premiers pharaons grecs, les rues d'Alexandrie étant toujours encombrées, on avait, pour gagner du temps, aménagé ce passage secret qui longeait les réservoirs où l'eau du Nil était stockée. Par prudence, César en avait fait murer le débouché lorsqu'il s'était trouvé assiégé dans les murs mêmes du Quartier-Royal. Antoine voulut en disposer à nouveau pour aller plus vite des palais jusqu'aux remparts, et jusqu'à la plaine où, d'un moment à l'autre, surgirait, hérissée d'enseignes, l'armée romaine.

Ce chemin invisible garantissait aussi aux principaux officiers le secret de leurs déplacements : si Octave avait déjà ses espions dans la place, ils n'apprendraient rien en surveillant la grande porte « du Dedans ». La Reine décida de faire fuir par là son fils aîné.

Il quitterait le Palais par le souterrain, et la ville par le canal du Bon Génie, déguisé en jeune marchand, et sans autre escorte qu'un vieux valet et Rhodôn, son *pédagogue*. Rhodôn, un indigène, avait longtemps exercé sous les ordres d'Euphronios, le précepteur-ambassadeur qui se trouvait maintenant retenu prisonnier par Octave. C'est donc à Rhodôn, qui était, en somme, le Diotélès de Césarion, qu'on confierait le viatique.

Avant qu'Octave ait conquis le Delta, ils gagneraient ensemble Memphis, remonteraient le Nil jusqu'à Coptos, puis obliqueraient vers Bérénikè, sur la mer Rouge. Là, ils attendraient la fin juillet, et, sans nouvelles de la Reine, prendraient un bateau de commerce, l'un de ceux, de plus en plus audacieux, qui, aux premiers vents d'ouest, appareillaient pour « le pays des tigres ». L'Inde… « Mais si je vais là-bas, comment me retrouveras-tu, Mère ? » demanda Césarion, aussi désarmé soudain qu'un petit enfant. « Je te retrouverai, mon chéri. Je retrouverai l'armateur, ou le capitaine. Si Octave n'accepte pas de traiter, je te rejoindrai. Là-bas, au bout de la mer. En Inde, on se retrouve toujours – ce n'est pas si grand ! Et au cas où les Romains traiteraient avec moi, je te dépêcherais aussitôt un messager à Bérénikè. Pars. Pars sans te retourner, mon amour. Je veille sur toi. »

Le désordre et l'angoisse grandissaient en parallèle. Tous les petits étaient regroupés dans un même pavillon des Mille Colonnes, sous la « direction pédagogique » d'Antyllus le joyeux, Antyllus le généreux. « Bram, brim, brum », répétait Ptolémée Philadelphe qui en était à l'apprentissage des syllabes à quatre lettres. « Il y a alpha et bêta, gamma et delta, eï et zêta », chantonnait Iotapa, les yeux dans le vide. « A-po-llon ma-ti-nal… », récitait Alexandre. Et Séléné, s'accompagnant de sa lyre, psalmodiait les plaintes de l'*Hécube* d'Euripide, que Diotélès tenait pour un sommet de l'art. Tous les enfants, bruissant ensemble, étaient là. Sauf Césarion. Césarion avait disparu.

Lorsqu'il s'évanouit ainsi mystérieusement, il y avait déjà des semaines que sa sœur ne le voyait plus, mais elle savait qu'il était très près, logé dans une autre aile du Palais : elle croisait sa vieille nourrice ou son *pédagogue* ; elle entendait commenter les exploits qu'il accomplissait au Stade ; elle sentait, dans les couloirs, l'odeur du baume qu'employait son masseur, surprenait l'écho lointain de sa voix et toujours, toujours, dans le sourire de la Reine, le reflet de son visage. À la tristesse qui s'abattit soudain sur le Palais elle comprit qu'il était parti. Où ? « Je crois, dit Cypris, que les *éphèbes* sont affectés aux fortifications du sud de la ville, on a besoin de tous les citoyens en âge de porter les armes. Ton frère n'est plus un enfant, il partage le trône de ta mère et doit se montrer aux soldats. » Diotélès, dont les oreilles traînaient partout, fournit une autre version : « Il a quitté la ville. Sans doute pour porter à Octave de nouvelles propositions.

– Il ne m'a pas dit au revoir…

– C'est qu'il va revenir bientôt. Ne pleurniche pas, surtout, ta mère n'aimerait pas ça ! »

Elle pensa que son frère avait emprunté le souterrain. Peu, au Quartier-Royal, en connaissaient l'existence, et c'est précisément grâce à Césarion qu'elle l'avait découvert. Quelques semaines auparavant, lui qui, ces temps-ci, ne s'occupait plus jamais d'elle était venu la chercher dans sa chambre « pour une promenade », avait-il dit. Ils avaient marché jusqu'à l'arrière du petit temple de César Divinisé, où un serviteur noir avait aidé le jeune prince à soulever une dalle neuve. On aurait dit une citerne, dans laquelle descendait un escalier en colimaçon. En bas, Séléné vit, à la lueur de la torche, une forêt de colonnes : trois étages de troncs calcaires que reliaient entre eux, telles des branches ployées, de grands arcs arrondis. Le bruit des voix, des pas, se dédoublait sous ces voûtes, comme les voûtes se dédoublaient dans le long miroir des bassins. Tout semblait se prolonger à l'infini : les piliers, les sons, l'eau même – qui, brusquement éclairée, jetait des reflets mouvants sur la pierre des parois. Il y avait donc une ville sous la ville ? Une ville creuse sous la ville pleine, une ville sombre sous la ville claire ? Et le Phare de cette ville-là était un puits profond…

Césarion lui avait fait jurer de sortir par ce souterrain dès que l'ennemi pénétrerait dans la ville : « N'écoute personne, n'obéis pas. Habille-toi comme une esclave, prends la robe courte de la fille de Taous, barbouille-toi de suie, et fuis avec Cypris, fuis le palais ! – Mais toi ? Est-ce que tu viendras avec moi ? J'aurai peur, dehors… »

Elle avait quand même promis. Pour l'apaiser. Promis de « s'évader » et de remonter par les bassins, par les canaux, par le fleuve, jusqu'à un pays secret : la source du Nil.

Maintenant, son frère était parti…

Peu après, elle entendit pour la première fois « le Grand Fracas » – il franchit les remparts, couvrit soudain la rumeur de la ville et la plainte des vagues. Un bruit qui roulait comme le tonnerre, mais un tonnerre sec : les soldats d'Octave, dans la Nécropole de l'est, frappaient en cadence leurs lances sur leurs boucliers.

LE plus difficile, c'est de passer les lacets de cuir dans les anneaux des épaules, de les tirer avec force pour que l'arrière de la cuirasse vienne s'ajuster sur l'avant, puis de les nouer bien serrés. Ce geste, qui demande puissance et précision, Séléné a vu sa mère s'y essayer, un jour où la Reine aidait l'Imperator à revêtir la cuirasse à tête de lion qu'il aimait porter. Bien sûr, Cléopâtre ne devait pas être coutumière du fait : elle se moquait elle-même de son manque d'habileté et avait besoin d'Éros et d'un valet d'armes pour venir à bout de la tâche. Il faut dire que ce n'est pas un travail de femme, encore moins un travail de reine ! Mais Séléné se souviendra toujours de la patience de son père, qui tournait comme un mannequin entre les mains de son habilleuse d'occasion et, pour encourager la maladroite, lui donnait les petits baisers affectueux d'un maître à un *enfant délicieux* qui débute dans le service...

À partir du Grand Fracas, Séléné se rappelle ainsi une foule de choses. Ou croit se les rappeler. Même si, dans sa mémoire, les évènements, les gestes, les mots de cette époque-là se sont entassés dans le désordre. Dès qu'elle entrouvre le placard aux souvenirs, tout dégringole ; le passé, en vrac, lui tombe dessus – y compris des « détails » qu'elle voudrait avoir oubliés. Elle devrait se méfier davantage, garder la porte fermée... Mais la scène de la cuirasse lui plaît trop, elle adore se la rejouer – bien que tous les acteurs, à part elle, soient morts depuis longtemps et qu'elle ne sache plus, à force, ce qu'il y a de vrai dans ce tableau et ce qu'elle y a ajouté.

Au centre, tel le dieu principal d'un temple, son père. Grave, et pourtant rayonnant. Sa cuirasse dorée est mal attachée, et, au bout d'un lacet dénoué, c'est Antyllus qui, à son tour, tire sur le torse de bronze, tire et emboîte du mieux qu'il peut. Derrière, à demi cachée par la haute taille de son mari, la Reine. Qui tente de boucler le ceinturon afin que les lanières cloutées pendent comme il faut entre les cuisses, mais elle n'y parvient pas, s'énerve, s'exclame « Par pitié, Éros, aide-moi ! ». Agenouillé, le page Éros entortille des bandes de lin autour des mollets de son maître avant d'y fixer les jambières. Des jambières d'argent qu'Alexandre soupèse avec admiration : « Tu vas vraiment porter ça, Pappas ? (Les deux fils cadets osent appeler Antoine *Pappas* – petit père –, ce que Séléné, par respect ou pour imiter son grand frère Antyllus, n'a jamais fait.) Et dis, c'est qui, les personnages qu'on a sculptés là-dessus ?

– Les Dioscures, mon fils. Castor et Pollux, les jumeaux sacrés, qui volent au secours des cavaliers dans la bataille. Ils arrivent comme des fantômes transparents, montant des chevaux pâles. Ils ont souvent sauvé les troupes romaines.

– Puisque je suis un jumeau, est-ce que je serai un bon cavalier ?

– Bien sûr. »

Et voilà Alexandre qui s'empare du baudrier de son père et se met à cavalcader autour dc la chambre en chevauchant une monture imaginaire. Le petit Ptolémée, plus calme, caresse, émerveillé, l'aigrette rouge du casque posé sur un tabouret. Et Iotapa, où est Iotapa ? Séléné ne s'en souvient pas. À côté peut-être, occupée dans l'ombre à détacher, de la pointe de l'ongle, l'un des saphirs sertis dans le couvre-nuque… « Pappas, je peux t'apporter ton épée ? demande Ptolémée.

– Laisse Antyllus le faire. Elle est trop lourde pour toi.

– Et moi, Pappas, je peux t'enfiler tes brassards ? »

Ce jour-là, vingt-cinq ou trente juillet, que faisait Séléné ? Elle ne participait pas à l'habillement du héros. Se contentait de regarder. Comme si elle avait déjà compris que voir, c'était son rôle sur ce théâtre. Voir pour se rappeler, voir pour le raconter.

Leurs parents leur donnaient une ultime représentation de leur amour, de leur grandeur, de leur bonheur, et elle s'en mettait plein les yeux.

Marc Antoine n'était pas un cavalier d'opérette. Dans les derniers jours d'Alexandrie, il livra plusieurs batailles et, contre toute attente, d'abord il les gagna. Depuis quelques semaines, il avait exercé lui-même sa cavalerie, sans se ménager. Grecs, Juifs, Italiotes, tous montés sur le rempart, l'admiraient quand il tirait son épée sur son cheval au galop et la rengainait avec autant de facilité. Au lancement du javelot, ses coups étaient si forts que peu d'hommes jeunes le surpassaient. Il n'hésita pas non plus, pendant ces journées, à combattre à pied, au milieu des fantassins de Canidius, vêtu d'une simple cotte de mailles : il espérait la mort mais, dans sa *furia*, trouvait la victoire...

C'est ainsi que, chargeant à la tête de ses cavaliers, il parvint à repousser les troupes d'Octave hors du faubourg de l'Hippodrome où elles venaient de prendre position ; il les poursuivit jusqu'à leur camp d'Éleusis.

Ce soir-là, il rentra si joyeux au Palais qu'il ne prit pas le temps d'ôter sa cuirasse et d'éponger sa sueur. Le « bon usage » interdisait pourtant à un chef de se montrer au sortir d'une bataille sans avoir changé de vêtements : il aurait fait trop peur aux femmes et aux enfants... Lui osa paraître au Quartier-Royal en tenue de travail : le bouclier cabossé, l'aigrette arrachée, la cape déchirée, le visage gris de poussière, et les bras, la tunique, le plastron rougis du sang des autres. Plus souillé qu'un garçon boucher, plus essoufflé qu'un marathonien, et tout chaud encore de la bataille, tout puant, il se jeta dans les bras de Cléopâtre : il avait cru qu'il ne la reverrait jamais ! Elle l'embrassa tendrement.

Les enfants assistèrent-ils à ces retrouvailles ? C'est probable : le protocole se relâchait, chambellans et nomenclateurs étaient occupés, eux aussi, à « meubler » le Mausolée – dans les jardins, on circulait avec peine entre les défenses d'éléphants, les tapis de Tyr, les meubles d'ébène, les rouleaux de soie et les fagots de torches. Du reste, on vivait les uns sur les autres. Et sans manières : des douairières circulaient sans perruque, l'épistratège sortait sans ombrelle, un chameau mangeait des roses. Il y avait des chevaux et des soldats partout. Peut-être les petits princes virent-ils aussi ce jeune cavalier grec, un *clérouque*, que leur père avait amené avec lui, par le souterrain : « De tous mes soldats, c'est celui qui s'est battu avec le plus d'ardeur ! Un Hector, un Achille ! Récompense-le ! » La Reine lui donna une cuirasse et un casque d'or. Les enfants ne surent jamais que le brave ainsi récompensé déserta le Palais pendant la nuit pour passer à l'ennemi.

IL y eut un dernier dîner. Marc Antoine se rendait compte qu'il ne pourrait pas soutenir un long siège. Certes, il avait repris l'Hippodrome, il tenait encore la Nécropole de l'ouest (les arbres brûlaient dans la Nécropole de l'est), il tenait le Stade au sud et les rives du lac, il tenait les six ports et le front de mer ; et, certes, les remparts de la ville étaient indestructibles, certes les entrepôts regorgeaient de blé, certes il y avait de l'eau dans les citernes. Ce qui manquait aux Alexandrins, c'était la volonté de résister. Les indigènes se fichaient pas mal de passer d'une occupation grecque à une occupation romaine : colons pour colons, et impôts pour impôts, ils se disaient que cela ne pourrait pas être pire (ce fut pire). Quant aux Hellènes de la diaspora, ils n'entendaient pas se montrer plus grecs que leurs anciennes patries : puisque Athènes, et Corinthe, et Sparte, et Pella, et toutes les cités d'Asie Mineure, avaient perdu leur liberté depuis longtemps, pourquoi Alexandrie aurait-elle rêvé d'un sort particulier ? La main passe... Il y a une émulation du déclin, une contagion de l'abdication. Les citoyens d'Alexandrie, en perdant leur indépendance, ne seraient pas mécontents de faire « comme tout le monde » : se soumettre à Rome et à Octave.

L'essentiel, à leurs yeux, était qu'on ne les empêchât pas de mener *la vie canopique* et que le commerce reprît.

Qu'ils aimeraient mieux livrer leur ville que périr pour la défendre, Antoine le sentait bien. Fort de son récent succès, il décida de jouer le tout pour le tout : c'est lui qui attaquerait. La flotte égyptienne sortirait du port pour détruire la flottille octavienne, tandis qu'avec ce qu'il lui restait d'infanterie il attaquerait en même temps le camp ennemi.

Mais ce plan, y croyait-il vraiment ? Après sa victoire de l'Hippodrome, il avait proposé à son adversaire un combat singulier : plutôt que de continuer à sacrifier des milliers de soldats, pourquoi ne se battraient-ils pas tous les deux ? Rien qu'eux deux. « En cherchant bien, Antoine, avait répondu l'autre, tu trouveras d'autres moyens d'en finir avec la vie »...

Il y eut donc un dernier dîner. L'attaque était prévue pour le lendemain. Il voulut réunir au Palais Bleu les Compagnons de la Mort. Et rassembler ses enfants. Dans le désordre du Quartier-Royal on bâclait les prosternations, on ne fouettait plus les esclaves, mais les cuisines continuaient à fonctionner. Tout juste commençait-on à y manquer de légumes frais. Une pénurie que le chef cuisinier s'efforçait de dissimuler à grand renfort de pâtés de poisson et de volailles en croûte, le tout orné, à défaut de fleurs, par des plumes et des rubans : du grand art ! Séléné se rappelle ce dîner. Pas le menu, bien sûr ; mais la vaisselle d'or, la gaîté forcée de son père, et la décoration inhabituelle des coupes qu'utilisaient les convives : des squelettes ciselés, des squelettes dansant et festoyant...

Philostrate, le philosophe de service, critiquait en trois points la manière dont Aristocratès, son confrère, concevait la Providence, l'idée de « Providence ». Aristocratès ne répondait qu'avec lassitude. Pour animer la conversation, la Reine s'en mêlait, citant Platon et son *Gorgias*. D'habitude, la Providence, le Hasard, le Bonheur, le Destin, c'était le genre de sujet qu'appréciaient les politiques romains – dans le dernier quart d'heure avant leur mort... Mais Antoine s'impatientait. « Laissons cela, dit-il, c'est l'affaire des dieux. »

Justement, on prétendra que cette nuit-là, pendant qu'on banquetait au Palais, les dieux quittèrent la ville – Dionysos en tête, le « saint patron » d'Antoine. On dira que, vers minuit, alors que les habitants terrés chez eux gardaient un profond silence, on entendit, dans l'avenue de Canope, la rumeur d'une foule en fête, la musique d'une procession. Puis cette rumeur décrut lentement vers l'est comme si le défilé invisible s'éloignait, passait la Porte du Soleil et quittait Alexandrie : le dieu de vie, le dieu de joie, abandonnait Antoine...

Bon ! Mettons. Mais pour rejoindre qui, s'il vous plaît ? Octave et l'armée romaine ? Ah, s'il avait connu cette histoire-là, Marc Antoine aurait bien ri ! Dionysos, l'abandonner pour un pète-sec ? Le *Rayonnant,* choisir la froideur, l'austérité ? Plus tard, Séléné, interrogée, démentira : cette nuit-là elle ne dormait pas, et elle n'avait rien entendu. Rien d'anormal. Elle dira : « Bien sûr, depuis quelques jours il y avait de l'orage. Il faisait très lourd. Mon petit frère voulait dormir dehors, retourner au Palais Bleu, sur la mer, pour y chercher la fraîcheur... Alors, le roulement du tonnerre, oui, sans doute. Parfois aussi, au loin, du côté des armées, le martèlement des glaives romains sur les boucliers : ils voulaient nous intimider. Voilà les bruits qu'on entendait... Tout le reste est superstition ! »

La superstition est comme l'eau : elle envahit les parties basses. Chez les Alexandrins, elle montait avec la peur, qui est le bas quartier de l'âme humaine.

« Des couards ! disait Antoine ce soir-là. Tes sujets, Cléopâtre, sont des couards ! Des pétochards. Raffinés, certes, très raffinés. Mais le ciment des cités n'est pas le parfum, c'est le sang. » Il disait aussi, presque sans regret : « Rome seule mérite d'être appelée *capitale de l'univers.* » C'est en Romain qu'il s'apprêtait à affronter des Romains. Du reste, il s'attacha plusieurs fois pendant ce repas à parler latin à Lucilius, Ovinius, Canidius, et à tous ceux des Compagnons qui étaient citoyens de la Ville, celle – la seule au monde – qu'on écrit avec une majuscule. Dans cette langue étrangère, ni la Reine ni les enfants, à part Antyllus, ne pouvaient suivre la conversation.

Séléné, assise sur une chaise devant le lit royal, était en train d'empêcher Ptolémée d'attraper une grive farcie avec sa main gauche quand son père s'adressa soudain aux serviteurs qui portaient l'aiguière et le bassin, et il le fit en grec ; la petite, qui n'écoutait plus depuis longtemps, n'entendit pas ces paroles mais elle vit qu'ensuite tout le monde pleurait… Rien n'effraie davantage un enfant qu'un adulte qui pleure ; Séléné voyait les larmes couler sur de vieilles joues barbues : les généraux, les philosophes, le médecin pleuraient ; même Antyllus s'essuyait les yeux. Elle comprit qu'elle n'était plus protégée. Que rois, parents, grands frères étaient tous impuissants. Un gouffre s'ouvrit devant elle.

Marc Antoine reprit aussitôt la parole, rassura ses amis : « Vous m'avez mal compris : jamais je ne vous mènerais à un combat où je chercherais la mort plutôt que la victoire... Buvons à la Fortune d'Antoine ! » Comme il lançait ainsi la *comissatio* rituelle, ce long après-dîner où l'on ne faisait plus que se porter des santés, écouter de la musique, et boire, la Reine ordonna d'emmener les enfants en même temps qu'on retirait les tables. Séléné se tourna vers sa mère, elle aurait voulu l'embrasser avant de s'éloigner. Mais la Reine ne regardait pas dans sa direction, elle regardait son mari à qui, doucement, elle citait un vers ancien : « *N'hésite pas, semblable au rossignol, à prendre tous les tons pour conserver ta vie.* » Séléné n'osa pas les déranger. Ce fut la dernière fois qu'elle vit son père. Et les derniers mots qu'elle entendit sa mère prononcer : « conserver ta vie ». Antoine murmura : « Tu ne m'aides pas »... Sur son lit de banquet, la tête dans les bras, Antyllus pleurait.

Mes Romains pleurent beaucoup, j'en conviens. Mais ils pleuraient beaucoup : les élites n'avaient pas encore adhéré massivement au stoïcisme. Plutarque, qui disposait, entre autres, des récits du médecin Olympos, assure que le dernier dîner d'Antoine et Cléopâtre fut arrosé de plus de larmes que de bons vins. Aucune raison d'en douter : l'Antiquité, c'est la jeunesse du monde – tous les hommes, même les pires soudards, pleurent comme des enfants. On pourrait en donner mille exemples ; ainsi, la mort du propre grand-père d'Antoine : quand le dictateur Marius apprit où il se cachait et envoya une équipe de tueurs à gages pour l'assassiner, Marc Antoine senior, bien qu'acculé au fond d'un grenier, fit avec tant d'éloquence la morale à ces professionnels du crime que « pas un n'osa le toucher, ils baissaient la tête et se mirent tous à sangloter » ; le chef d'équipe, inquiet de ne pas voir arriver la « tête » espérée, finit par intervenir et trouva tous ses loups groupés autour de l'agneau, pleurant comme des veaux ! Il dut exécuter le travail lui-même… Voilà Rome ! Les Anciens ? Des gamins. Vite violents, vite attendris. Pas le temps de « délabyrinther » les sentiments : la vie est trop courte – vingt-cinq ans d'espérance en moyenne.

On devait se trouver, comme dans certains pays du Tiers-Monde, devant une population extrêmement jeune, émouvante et émotive, cruelle mais versatile. Des enfants qui découpent les autres en rondelles sans états d'âme, mais pas sans innocence. Du reste, quand la mort est omniprésente, la vie ne vaut rien. Ou, plutôt, elle n'acquiert de prix qu'a posteriori et par la mort même : une fin surprenante, alliant un certain sens du décorum à un courage hors du commun, tel est le secret d'une vie antique réussie…

Pour autant, ces Romains ne sont pas des Martiens. Inutile d'en rajouter sur l'*altérité*. On peut faire la part belle à « l'histoire des mentalités » et se trouver moins dépaysé en lisant Tacite qu'en voyant vivre aujourd'hui des Indiens d'Amazonie. Et même ceux-là, nous sentons bien qu'ils sont « de la famille »… On ne fait pas de l'ethnologie comme on ferait de la botanique. Pas plus que je ne peux regarder l'histoire de Séléné du dehors, comme si j'observais un galet.

LE Grand Fracas ne s'arrête jamais. Brouhaha immense et confus fait d'un millier de bruits plus petits : sabots des chevaux, roulement des engins, cliquetis des armures, sifflets des décurions, piétinement des fantassins, et insultes, clameurs, cahots, cadences, cris… Mais rien encore qui annonce l'ultime assaut.

Le vingtième jour du mois de Mésoré, premier du huitième mois de l'année julienne, échappant à la « corvée de Mausolée » (même les bêtes de somme, écrasées de soleil, se sont donné congé), Diotélès a conduit tous les enfants et leurs nourrices sur le chemin de ronde du Port des Rois pour voir appareiller l'escadre égyptienne. On entend grincer les treuils qui descendent lentement les chaînes des bassins, les treuils qui rouvrent les darses – on dirait qu'ils pleurent… Au milieu de l'agitation générale, la flotte impressionne par son calme : des ordres brefs, des mouvements ordonnés. On dit que la Reine, qui a gardé le commandement de sa marine, suivra la bataille depuis le toit de l'Isis Lokhias, d'où l'on voit toute la côte est. L'Imperator, avec son infanterie, a pris place près du quartier juif, mais à l'extérieur des remparts, au sommet d'un monticule proche de la mer.

« Quand je serai grand, dit Alexandre, je serai amiral ! – Tu n'auras pas de cheval, alors ? » s'inquiète Ptolémée sans cesser de téter son pouce. Sur l'horizon, au-delà de la passe du Grand Port, Antyllus qui a de bons yeux prétend apercevoir des galères romaines. Les navires égyptiens franchissent la passe par rangs de quatre ou cinq à la fois. Dans un lent glissement de rames. Tout se tait. Les dieux retiennent leur souffle.

Même Diotélès n'a pas envie de plaisanter. Alexandre et Ptolémée sont sûrs que les Égyptiens vont gagner, Antyllus et Séléné, sûrs que leur père va perdre. Mais aucun ne parle, tous écoutent. Il y a sur la mer une brume de chaleur où s'évanouissent en silence, les uns après les autres, les vaisseaux noirs de la Reine. N'importe, une bataille s'entend de loin ; le *pédagogue*, les nourrices, les chasse-mouches, les porteurs de chaise attendent, immobiles, le choc des étraves, le craquement des mâts qui s'abattent, et tous ces cris arrachés aux entrailles des hommes qu'on broie...

Mais les dernières trirèmes de l'escadre n'ont pas encore doublé le Phare que, de derrière le rideau de buée, c'est le bruit d'une ovation qui leur parvient. Des vivats ! Une explosion de joie ! Sous les yeux étonnés des spectateurs, les rameurs de l'arrière-garde, dressant d'un seul mouvement leurs avirons vers le ciel, mettent leurs navires en panne et ils tiennent leurs rames levées, comme les bras d'un homme qui se rend : la flotte capitule ! Acclamée par l'ennemi, elle capitule sans combat ! Et les nefs de Cléopâtre, tournant lentement leurs proues vers le port, pointent leurs éperons contre la ville.

Un hurlement. Antyllus se plie en deux, on dirait qu'on

lui a planté une épée dans le ventre. Le même râle d'agonisant que son père, là-bas sur sa colline, au même moment...

Les enfants, leurs esclaves, courent vers le Palais, courent pour s'abriter. Croisent des valets, des scribes, des femmes, qui courent dans l'autre sens, vers le bout de la presqu'île pour se cacher. Et des soldats qui jettent leurs armes, leur casque, pour se fondre dans la foule et gagner le Port des Rois, le temple de César, le bassin des galères – le dehors du « Dedans ». Un garde celte, qui tente de cacher ses cheveux rouges sous un bonnet, crie aux nourrices : « L'infanterie vient de déserter, ils n'ont pas livré bataille, Antoine est trahi, la Reine nous lâche, la ville est ouverte ! » Pas seulement la ville, le Quartier-Royal lui-même : des courtisans ont déverrouillé la Grande Porte pour fuir en chariot, en litière, à pied, vers le quartier des batteurs d'or et les ruelles indigènes, tandis qu'en sens inverse des officiers antoniens aux boucliers marqués du « C » royal s'engouffrent dans l'enceinte au grand galop, cherchant refuge dans la ménagerie et les jardins, jusqu'au fond de ces allées en cul-de-sac qui butent sur le rempart ou l'Enclos des Tombeaux. Au sud, sur l'avenue de Canope, derrière la Bibliothèque et les pavillons du Muséum, on entend une cavalcade : l'avant-garde de l'armée d'Octave ?

Antyllus court, et pleure en courant. Il tient Séléné par la main, pour aller plus vite – mais aller où ? Cypris a pris Ptolémée dans ses bras. « Pappas, je veux voir Pappas ! » gémit l'enfant. Sous un kiosque de l'allée des Réservoirs, deux eunuques en robe d'apparat se sont pendus avec leur ceinture. Taous tire derrière elle Iotapa et Alexandre, qui réclame sa sœur de lait : dans la vieille cour des Ambassadeurs, aux dalles disjointes, la fille de Taous est tombée, Diotélès s'est arrêté pour la relever, et les autres, toujours courant, les ont perdus de vue. Un marmiton leur crie au passage que Lucilius s'est suicidé. Lucilius le fidèle, l'aide de camp préféré... Suicidés aussi, Ovinius, Albius. « Il y a du sang dans toutes les chambres ! »

C'est Taous maintenant qui, sans plus se soucier des retardataires, a pris la direction des opérations : « Allons au temple d'Isis. On ne tue pas ceux qui demandent l'asile aux dieux ! Vite, en passant par le *paradis* de Séléné... » Au-dessus du Palais, sur les murailles de la Cité Royale, on ne voit plus un garde. Dans les cours des Mille Colonnes, les nourrices et les enfants enjambent des corps décapités et des esclaves éventrés qui agonisent aux pieds des maîtres auxquels ils ont rendu le « dernier service » ; d'autres esclaves dépouillent ces cadavres encore chauds avant de fuir vers la ville. « Vautour ! » crie Taous : elle a reconnu le grand collier d'Aristocratès sur la poitrine d'un porteur d'eau.

Tout se renverse : il y a une ville creuse sous la ville pleine, une ville sombre sous la ville claire, et le Phare de cette ville-là est un puits. Séléné se sent aspirée par le souterrain ; en plein jour elle avance dans la nuit.

Comment ils se sont retrouvés au pied du rempart, devant le Mausolée, elle l'ignore. Beaucoup de monde dans cette impasse, sur cette place étroite. Le Mausolée est une tour forte, dont une porte de bronze défend l'accès : les gens avaient-ils espéré s'y retrancher ? Trop tard, la porte est fermée. « La Reine est à l'intérieur », murmure Cypris.

Dans cette petite foule inquiète, Antyllus reconnaît soudain Philostrate ; il y a donc des Compagnons de la Mort encore en vie ? Peut-être son père lui-même ?… À côté de Philostrate, c'est Théodore, mais oui, son précepteur ! Théodore échappé à la Bibliothèque ! Voilà leur famille sauvée : un *grammairien* et un philosophe, c'est autre chose, tout de même, qu'une bande de servantes affolées ! Antyllus se fraye un chemin jusqu'à eux. « Ton père est mort, lâche Philostrate. Il espérait périr au combat, mais il n'y a pas eu de combat. Il s'est tué. » Il annonce les évènements en parfait sophiste – comme s'il s'agissait d'un syllogisme dont il tire la conclusion après avoir posé les prémisses. « Éros aussi s'est tué. Et le premier des deux : ce saligaud n'avait pas envie de décapiter son maître ! N'a même pas été foutu de tendre fermement l'épée pour que son maître s'embroche… »

Antyllus a repris la main de Séléné. Vont-ils repartir en courant ? Non, il tient cette main sans bouger, en regardant droit devant lui. Il se tait, mais ses doigts sont glacés. Le vent rabat vers le Mausolée la fumée du bâtiment des Archives qui brûle : une lampe renversée dans la panique – les troupes d'Octave n'ont pas encore investi l'enceinte royale. Un frisson parcourt la foule lorsque au dernier étage du Mausolée apparaît la silhouette d'une femme. « C'est Iras, disent des voix, la coiffeuse de la Reine… » Combien sont-ils, enfermés là-dedans ? Et la Reine ? Est-elle morte, ou en vie ? Un dialogue s'engage entre la foule et la suivante : « Dites à Octave, crie la jeune femme, que s'il ne permet pas à Césarion de monter sur le trône d'Égypte, la Reine mettra le feu à la tour avant de se supprimer ! Nous avons ici des torches, de l'huile, de l'étoupe, du petit bois, et toutes les richesses de l'État ! »

Chaque fois que la poulie grince sous l'acrotère, que la civière tangue, du corps étendu monte un gémissement. Trois femmes, à la fenêtre d'en haut, tirent ensemble sur la corde pour hisser jusqu'à elles le blessé déchiré ; mais la moindre secousse lui arrache une plainte. Au début, avant qu'on attache son brancard au palan que les maçons n'ont pas démonté, il remuait encore, tendait les mains vers la Reine penchée à l'embrasure, il suppliait : « Laisse-moi mourir près de toi. » *Sunapothnèskein* : mourir ensemble, mourir avec – c'est le verbe qu'il employait, la racine même du nom que tous deux avaient donné à leur dernière société : plutôt que les Compagnons de la Mort, c'étaient les Compagnons du Mourir Ensemble. À part trois d'entre eux – Cléopâtre, le vieux Canidius, et Philostrate, dit « le sage » –, tous avaient déjà accompli ce programme. Ponctuellement…

« Ouvrez ! imploraient les soldats qui avaient porté l'Imperator jusque-là. Ayez pitié, femmes, il n'arrive pas à mourir, son sang ne coule plus, Octave le fera supplicier, ouvrez-lui », et ils tapaient contre la porte en bronze. « Non, disait la Reine, je n'ouvrirai pas. »

Elle n'a plus confiance en personne ; dans le beau geste des hommes qui lui amènent son mari mourant, elle flaire un nouveau piège : pourquoi n'achèvent-ils pas leur général, comme doit le faire tout bon soldat ? Elle craint une traîtrise, sait trop qu'Octave la veut vivante et, avec elle, les trésors de l'Égypte. Quand même, elle finit par descendre le palan…

Maintenant l'agonisant ne bouge plus, ses râles s'affaiblissent, couverts par les cris de la petite foule qui encourage les femmes à persévérer ou s'émeut dès qu'elles semblent sur le point de lâcher. Le corps est déjà assez haut au-dessus du groupe pour qu'on voie la toile de la civière se teinter de rouge : le blessé a recommencé à saigner. Il faut un linceul de pourpre à l'*Autocrator* d'Orient, enveloppez d'écarlate le descendant d'Hercule, l'ami de César… Mais ce ne sont pas ces titres-là que lui donne la Reine quand la poulie cesse un instant de grincer et qu'elle peut lui parler d'en haut. « Mon époux, mon empereur, mon maître », dit-elle. Et parce qu'elle prononce ces mots d'autrefois, leurs mots secrets, il vit – malgré son ventre ouvert, la violence de l'hémorragie, la douleur qui le traverse, la soif qui le torture, et cette puanteur de crapaud mort… Au moment où les femmes le détachent enfin et le font glisser vers elles, il perd connaissance.

En bas, Séléné a compris que ce petit tas sanglant est son père, autrefois si puissant. Et que sa mère, acculée, ne peut plus sauver ses enfants. Le père, la mère, ensemble dans la tour blanche. Unis dans la tour blanche. Et les enfants, dehors. Livrés à l'ennemi. Abandonnés. Elle serre fort entre ses doigts la main de son grand frère romain.

Le souterrain de Césarion, c'est là qu'elle va cacher Antyllus : « Ce passage secret débouche près du Nil, à sa source, un endroit que personne ne connaît. Là-bas, il n'y a pas de soldats.

– Ne me laisse pas seul, Séléné, viens…

– Je ne peux pas. Ptolémée a besoin de moi. Au bout du souterrain, tu trouveras Césarion. Je vous rejoindrai. Dès que je pourrai. »

Seulement, pour soulever la dalle, il leur faut de l'aide ; Antyllus a décidé de mettre au courant Théodore, son précepteur, puisque la chance vient de le replacer sur sa route. Théodore ? Séléné aurait mieux aimé demander les conseils de Diotélès ou de Nicolas. Mais Diotélès s'est envolé (sur une autruche, un flamant rose ?), et Nicolas est si bien guéri de sa maladie qu'il a rallié – à pied ! – le camp d'Octave : Hérode lui a, paraît-il, demandé d'être le précepteur de ses fils. Profitant de l'occasion, le philosophe a offert au vainqueur d'Antoine un petit panégyrique qu'il vient de composer. Avec de pareilles qualités, ce jeune homme mérite d'aller loin, plus loin que la Judée !

Deux mille ans plus tard, en effet, on trouve le nom de Nicolas de Damas dans toutes les encyclopédies : proche d'Hérode dont il devint plus tard l'ambassadeur, et très proche d'Octave-Auguste dont il écrivit la première biographie, il se fit l'accusateur d'Antoine mort et, dans son *Histoire universelle*, le chantre du crime politique et des *usurpateurs vertueux*… Pourtant, ne doit-on pas saluer le mérite d'un précepteur passé à l'ennemi sans se croire tenu d'assassiner au préalable les princes qu'on lui avait confiés ?

Car Théodore, lui, n'a pas eu tant de scrupules : il a vendu son élève. Dénoncé aux Romains le projet des deux enfants.

Organisé la poursuite et la mise à mort. Était-ce avant qu'on n'entendît les hululements funèbres des femmes dans le Mausolée ? Avant, ou après, les funérailles d'Antoine ? Avant, ou après, l'enlèvement d'Iotapa ? Avant, ou après, la mort de la Reine ? Avant, ou après, l'exécution de Césarion ? Les désastres se succédaient si vite que, dans la mémoire de Séléné, tout se mêle. Les images surgissent sans ordre, sans chronologie ; quand ces souvenirs la rattrapent, les drames, qui s'engendraient l'un l'autre, se superposent : plus d'avant ni d'après, elle se retrouve à égale distance de chaque catastrophe, et le malheur forme autour d'elle un cercle parfait qu'elle ne brisera jamais.

Par la suite, elle apprendra qu'il s'est écoulé près de trois semaines entre la trahison de la flotte et le dernier acte de la tragédie – celui du soldat rouge, du soldat au poignard, qui tire « les survivants » de leur ultime cachette… Alors, l'assassinat d'Antyllus, quand ?

Forcément à un moment où les enfants pouvaient encore circuler à l'intérieur du Quartier-Royal. Au début, donc. Pourtant, il fallait qu'il y eût déjà dans les palais « du Dedans » des soldats ennemis, des patrouilles, des ordres. Après l'arrivée dans l'enceinte des envoyés d'Octave, par conséquent. Et après que deux de ses compères – Proculeius, le beau-frère de Mécène, et Gallus, le chef des légions de Libye – eurent, par ruse, réussi à s'introduire dans le Mausolée et à s'emparer de la Reine… Qu'importe, au reste, la date du supplice d'Antyllus : pour Séléné, il sera toujours actuel.

Chaque matin en s'éveillant, elle revit le massacre, impuissante : au moment où elle arrive avec son frère près de l'entrée du souterrain, de la dalle qu'il faut soulever, une petite troupe de légionnaires surgit brusquement de derrière le temple de César, et c'est Théodore qui la conduit ! Antyllus a tout de suite compris, il cherche à fuir, relève sa toge, court vers le jardin de roses ; un groupe d'auxiliaires libanais – les mêmes qui protégeaient son père la veille – lui barre le chemin ; l'adolescent fonce à travers les buissons, débouche au pied de l'escalier du temple, grimpe, mais, en haut, la porte est fermée ; alors, il escalade la grande statue de César, parvient à se hisser sur les genoux du dieu, s'accroche à ses épaules : « Pitié ! Par le divin Jules, pitié ! Je ne veux pas mourir !

– Sois raisonnable, dit le centurion. Prouve-nous que tu es un grand garçon, tu portes la toge virile : descends et tends-nous ton cou.

– J'implore la protection du dieu César ! La protection de son fils Octave, votre général ! Par tous les dieux, je vous implore ! Théodore, Théodore, je t'implore…

– Voilà un jeune homme mal élevé », constate le centurion agacé, et il donne l'ordre à ses hommes de descendre le garçon de son perchoir. A-t-il remarqué la petite fille qui s'approche ? Une enfant de dix ans, qui regarde si fort que les yeux lui font mal ?

Antyllus l'a aperçue, lui. « Séléné, crie-t-il en grec, sauve-moi ! Donne-leur tes bijoux ! Séléné… » Les soldats arrachent sa toge, tirent sur sa tunique, sans parvenir à le séparer de la statue qu'il embrasse ; alors, du bout de son glaive, prestement, un légionnaire lui coupe les jarrets. Il s'affaisse, roule sur les marches, les hommes le prennent par les aisselles et le traînent jusqu'en bas. Il gémit comme un petit chien. D'un geste vif, le centurion l'empoigne par les cheveux… Ensuite, Séléné ne se rappelle pas : entre elle et le crime, feront toujours écran les vers d'*Hécube* qui peignent l'exécution par les Grecs de la plus jeune princesse troyenne – « le sang jaillit de sa gorge couverte d'or en une source à l'éclat noir ».

Après l'égorgement (Antyllus se débattait trop pour qu'on pût le décapiter proprement), quand enfin le centurion fut parvenu à séparer la tête immobile du tronc sanglant, a-t-elle vu Théodore fouillant dans le sang pour s'emparer du collier de son élève ? Est-ce elle qui a dénoncé ce vol ? Elle ne sait pas, ne sait plus, se souvient seulement que Théodore a été crucifié près de la porte du Palais : Octave encourageait la délation, mais se réservait le pillage.

Tout s'embrouille. La mort d'Antyllus et celle de Césarion. Le souterrain les mangeait l'un après l'autre, il menait droit aux Enfers. En traversant l'un des péristyles où bivouaquaient maintenant des légionnaires de l'armée de Gallus, très occupés à dépecer et à cuire les chats du Palais, elle avait cru reconnaître Rhodôn ; l'homme, debout près d'un feu, avait aussitôt détourné la tête, mais un instant, leurs regards s'étaient croisés, et elle avait bien cru… « Rhodôn ? Sûrement pas ! avait déclaré Cypris, il accompagne notre Pharaon. Si tu le voyais ici, c'est que ton frère y serait aussi ! » Impossible.

Comment Rhodôn avait persuadé Césarion de revenir de Memphis à Alexandrie (« Ta mère te réclame, les Romains t'ont reconnu pour roi»), comment il avait convaincu ce jeune homme élevé dans la méfiance de se livrer à l'ennemi, nul ne l'a su, et Séléné est réduite à l'imaginer. Curieusement, elle l'imagine de manière à souffrir davantage : pourquoi s'est-elle persuadée que son frère revenait pour l'épouser ? que Rhodôn avait dit au fils de César « La Reine a accepté d'abdiquer mais, pour régner, tu dois d'abord épouser ta sœur, on prépare tes noces au Palais » ? Elle fut, croit-elle, l'appât et le piège. La fiancée du souterrain, celle qui apporte la mort en dot...

L'exécution, pourtant, elle n'y a sans doute pas assisté. Rhodôn, enrichi par sa trahison, était peut-être revenu faire le beau au Palais, mais Césarion, lui, devait être détenu à l'extérieur de la ville, dans le camp d'Octave. Lequel prétendra plus tard qu'il a longuement balancé avant de répandre ce sang-là, et qu'il a fini par céder aux pressions d'Areios, son philosophe attitré : « Il ne peut y avoir deux Césars... » Balivernes ! Qu'il ne pût y avoir deux Césars, Octave en avait toujours été convaincu. Et Marc Antoine, et Cléopâtre, aussi. Déchirons ce rideau de fumée : Césarion était le nœud du conflit. Son enjeu caché.

Il a vécu seize ans, le doux Kaïsariôn. Seize ans, l'âge de Roméo... Torse nu, il tend son cou. Demande seulement qu'on ne le tienne plus, qu'on n'entrave pas ses bras : *« Laissez-moi libre, et que libre je meure, car, roi, je rougirais d'être appelé esclave chez les morts »*... Séléné, qui n'a pas vu la scène, la reverra toujours. Aussi précisément que le massacre d'Antyllus ; et l'image du garçon qui dégrafe l'épaule de sa tunique et roule le vêtement jusqu'à la taille, du garçon qui s'agenouille avec grâce, incline la tête avec fierté, cette image aura la patine d'un souvenir très ancien. Souvenir fantasmé sur lequel on est revenu si souvent qu'il a pris les couleurs du vrai, puis, au fil des années, s'est défraîchi, délavé, pour se fondre, comme le reste, dans la trame usée du passé.

Des journées que Séléné a vécues dans le Quartier-Royal occupé, émergent d'autres détails, saugrenus parfois. Par exemple, la cape funèbre de Philostrate, l'ancien philosophe particulier de son père, qui suivait maintenant pas à pas le philosophe officiel du vainqueur. Philostrate le sophiste n'avait aucune envie de « mourir ensemble », ni d'être exécuté comme l'étaient tous les proches d'Antoine qu'on attrapait, Canidius, le fidèle maréchal, le républicain Turullius, ou Cassius de Parme, le pamphlétaire. Lui se trouvait trop grand penseur pour quitter la vie d'aussi bon gré. « Les sages véritablement sages sauvent les sages », répétait-il à son confrère, qu'il importunait en s'accrochant à son manteau. « Tu vois, Areios, tu m'obliges déjà à porter le deuil de moi-même ! Je ne vis plus », et il s'allongeait par terre en travers du chemin de l'autre, l'accompagnant de ses plaintes jusque dans les latrines... Octave finit par faire grâce au fâcheux, pour en délivrer son conseiller.

Or cette cape sombre, Séléné la revoit parfaitement. Comme elle revoit les masques de cire, aux funérailles de son père. Ces « images » blêmes qu'elle avait aperçues quelques mois plus tôt à la Timonière, on les avait ressorties de leur armoire, et des hommes inconnus d'elle, dissimulés sous des cuirasses d'emprunt ou d'amples vêtements noirs, les portaient maintenant sur leur visage. On aurait dit que les fantômes des Antonii se penchaient en silence sur le cercueil du plus illustre d'entre eux.

Funérailles grandioses. Cléopâtre, bien qu'emprisonnée à l'extrémité de la presqu'île, avait reçu l'autorisation de les organiser. Et elle le fit avec une magnificence royale, comme tout ce qu'elle faisait. Mais sa fille ne se souvient pas de la cérémonie : le corps fut-il brûlé sur le bûcher, ou inhumé ? Elle l'ignore. Embaumé, non, sûrement pas, on manquait de temps. Dans la hâte, on avait dû se borner à le laver, l'habiller, le parfumer… Vit-elle une dernière fois les traits de son père ? La Reine, pour attendrir les Romains, obligeat-elle « les bâtards d'Antoine », comme les appelaient les soldats d'Octave, « les petits métis », à embrasser sur le lit funèbre le visage aimé ? À force de jeter ses filets au fond de sa mémoire, Séléné tire parfois des sables une tête de marbre au profil rajeuni, aux belles boucles tombant sur le front – mais s'agit-il de son père mort, ou bien du grand Alexandre dont elle a souvent admiré la dépouille dans le cercueil de verre du Sôma ?

De sa mère éplorée, sa mère « ultime », celle du jamais-plus, elle ne garde qu'une vision lointaine, dont le temps a effacé les contours : une femme en noir, aux cheveux couverts de cendre. Sans bijoux, sans or, sans éclat. Une silhouette frêle, malgré les voiles. « Elle a maigri, beaucoup maigri, commentaient les servantes. On dit qu'elle ne mange plus, qu'elle se laisse mourir de faim… Il paraît qu'elle s'est déchiré la poitrine avec ses ongles et que les plaies s'infectent. » Même pendant la cérémonie, les petits princes n'avaient pas eu la permission d'approcher la Reine : ils s'étaient prosternés à distance ; la garde personnelle d'Octave encadrait la prisonnière ; mais au moins, d'où elle était, elle pouvait constater qu'ils étaient encore en vie…

Connaissait-elle, à ce moment-là, le sort des aînés ? Étaient-ils déjà morts ? Antyllus, certainement. Pour Césarion, personne ne saura jamais. Sauf le bourreau. Et Octave. Et Areios, philosophe patenté et directeur de bonne conscience.

Leur sang coagulé, Séléné ne l'a pas essuyé avec sa tunique, avec ses cheveux : quelle main a accompli pour ses frères assassinés les rites sacrés ? Versé l'eau du Nil et prononcé les paroles d'espoir : *J'ai échappé au mal pour trouver le mieux* ? A-t-on jeté leurs cadavres aux chacals, leurs têtes aux corbeaux ? Sans offrandes et sans sépulture ?

Elle se demande aussi où sont les restes de son père, de sa mère. Pas dans le Mausolée – encore rempli, lorsqu'ils sont morts, de coffres, de statues, de meubles, de soieries, de sarcophages ; le Mausolée, brocante aux merveilles, autour duquel s'activaient maintenant, sans relâche, les lourds charrois de l'armée romaine… Peut-être, malgré la dernière lettre de sa mère et le testament si explicite de son père, les Romains ont-ils séparé leurs corps pour l'éternité, écartelé leur amour, dissocié leurs destins ?

N'importe, on a versé la terre sur eux, et leurs esprits sont en paix. Mais ses frères ? Si personne n'a couvert d'une poignée de poussière leurs membres sanglants, ni répandu l'eau qui purifie, toujours ils réclameront leur dû. Privées des pleurs du deuil, leurs ombres inconsolées errent dans le souterrain, appelant la sœur bien-aimée. Ils l'invitent, l'attirent ; mais, chaque fois qu'elle s'apprête à les rejoindre, qu'elle descend vers eux dans les ténèbres de la ville creuse, dans les catacombes de son âme, elle est arrêtée par la voix de sa mère : « N'hésite pas à prendre tous les tons pour conserver ta vie. »

Elle sort brusquement du vertige : elle est la fille de Cléopâtre. S'éloigne du cœur. S'éloigne du puits. Et c'est en silence qu'elle hurle, hurle sa douleur comme Hécube, aboie comme Hécube, se transforme en chienne comme elle. Un jour, elle aussi va mordre, déchirer, dévorer, arracher des yeux, dénuder des cous, tuer ! À son tour, affamée de chair humaine, assoiffée de sang. Le sang des assassins.

À Rome, quand on apprend qu'Octave a pris Alexandrie, qu'Antoine est mort, et Cléopâtre prisonnière, les banquiers divisent aussitôt par trois leurs taux d'intérêt : grâce aux trésors de l'Égypte, l'État romain est redevenu solvable.

Des officiers sont venus ôter aux enfants leurs bijoux, tous leurs bijoux, sauf les amulettes de turquoises du plus jeune et le minuscule Horus d'or de Séléné. Octave fait dessertir les pierres et fondre le métal. On bat déjà monnaie pour lui à Alexandrie : sur l'avers, un crocodile enchaîné, symbole du royaume vaincu, et, pour légende, « L'Égypte est prise ». On a ramassé aussi leurs jouets : au Quartier-Royal, chariots, poupées, cerceaux, toupies, n'étaient jamais en plomb ni en bois – rien que de l'or, de l'argent, de l'ivoire…

Pour le reste, les princes « métis » sont correctement traités, on les a consignés dans leur appartement, mais ils sont bien nourris. Nourris pour être mieux mangés. Car le nouveau maître leur réserve un rôle de premier plan dans la représentation finale. Jusqu'à la fête il les lui faut en bonne santé.

D'autant que l'état de l'actrice principale lui donne quelques soucis : au Palais Bleu, elle reste couchée, ne s'habille plus, refuse toute nourriture... Il craint de perdre sa vedette. Le peuple romain serait déçu : il s'est habitué à humilier le vaincu, c'est le clou du spectacle. Vercingétorix, le colosse, chargé de chaînes devant César, ou le roi de Macédoine, Persée, marchant devant son vainqueur, l'air égaré, avec tous ses enfants devenus esclaves : « Encore accompagnés de leurs nourrices et de leurs pédagogues qui, en larmes, tendaient les mains vers les spectateurs et montraient aux plus petits comment supplier le peuple, il y avait parmi les plus jeunes – raconte Plutarque – deux garçons et une fille qui, à cause de leur âge, n'avaient pas conscience de l'étendue de leur malheur ; ils excitaient d'autant plus la pitié qu'ils étaient plus insensibles au changement de leur fortune ; Persée passa presque sans attirer l'attention, tellement les Romains étaient occupés à regarder ces enfants et à éprouver, devant le spectacle qu'ils donnaient, un sentiment mêlé, où la joie et la douleur s'amalgamaient. » Délicieux, sûrement ! Sentiment délicieux. De l'émotion en direct ; de la mort *live* ; et ce voyeurisme collectif élevé au rang des vertus civiques... Comme ils en eurent du plaisir, les Romains, à pleurer sur les enfants de Persée ! Ce qui ne les empêcha pas de faire étrangler Persée, ni de laisser les bambins, devenus esclaves, mourir en bas âge.

Octave n'imagine pas de donner au peuple un divertissement inférieur à ceux de ses prédécesseurs : pour son

Triomphe, il veut la lionne et les lionceaux. La lionne, enchaînée, sera superbe ! Et plus originale que le sempiternel guerrier barbu. En plus, on a de la chance : on peut présenter des lionceaux jumeaux ! Du jamais vu ! Une attraction sensationnelle si on sait la mettre en valeur. Octave a déjà prié Mécène, gouverneur officieux de sa capitale et intendant des menus plaisirs, de réfléchir à l'exhibition de ce joli lot. Mais pas question que, d'ici là, sa vedette lui file entre les doigts en s'affamant ! Il lui a fait porter un message très explicite : si elle se laisse mourir, il tue les enfants.

Résignée, elle a recommencé à s'alimenter et elle prend maintenant tous les remèdes que lui ordonnent Olympos et les hommes d'Octave chargés de sa garde. Le corps d'un prisonnier appartient à son geôlier.

Le corps de Séléné n'appartient plus qu'à ses morts. Ils l'habitent tandis qu'elle gît, fiévreuse, les yeux purulents, sur un lit de fortune, au fond de l'appartement où s'entassent les enfants et leurs derniers serviteurs.

« Ça a commencé quand ils sont venus prendre Iotapa l'autre matin, explique Cypris au médecin. Il faut dire qu'après la mort d'Antyllus on peut se demander où ils l'expédient, cette petite… Son père n'est même plus roi de Médie ! Qu'est-ce qu'ils vont faire d'elle, les Romains ? La tuer aussi ? En tout cas, ma princesse à moi s'est mise à crier. Pourtant, notre Iotapa se taisait – comme d'habitude… Taous et Thonis l'aidaient à plier vivement deux ou trois affaires, sans s'affoler, mais Séléné a commencé à trembler de la tête aux pieds. Va savoir, mon pauvre Olympos, ce qu'elle s'est figuré !... Mais, déjà, ça faisait bien deux jours qu'elle gardait les yeux fermés. Depuis le moment où Décertaios, le Syrien, a pris le commandement de nos gardiens. Bon, on sait toutes ici ce qu'il a fait, le Syrien : comment il a retiré l'épée du ventre de son maître encore vivant, pour apporter l'arme à Octave et toucher la récompense... Pas eu la patience d'attendre que son chef ait fini de saigner, ce sagouin-là ! Ah, misère ! Penser que ce pauvre Imperator, quand il a repris conscience tout étripé, il ne pouvait même pas s'achever : plus de poignard, plus d'épée ! Le temps qu'il lui a fallu pour mourir, l'infortuné ! Paraît qu'il suppliait qu'on l'égorge... Dis voir, Olympos, est-ce que tu le sais, toi, ce qu'ils se sont dit après, dans le Mausolée, la Reine et lui ? On prétend que c'était si beau... Tant de malheurs ! Forcément, entre femmes on en avait parlé, alors ma petite princesse, dès qu'elle a vu Décertaios dans notre vestibule, elle a hurlé. Mais hurlé ! Sans bouger. Comme ça : ho-o-o-o... Elle ne s'arrêtait plus. Et quand je suis arrivée à la faire taire, elle a fermé les yeux. Ne les a rouverts que deux jours après, pour voir Iotapa s'en aller – et là encore, des cris ! Remarque, je dis "des cris", mais quand elle est comme ça, on dirait plutôt une espèce de chien qui hurle à la mort. Une chienne... Je lui lave bien les paupières à l'éponge pour les décoller et je les baigne de jus de grenouille, comme j'ai toujours fait. Mais c'est cette fièvre qui... Je n'ai même pas pu lui montrer ce qu'on a retrouvé hier sous le matelas d'Iotapa : les trois dés de serpentine et le joli cornet en bois de Maurétanie qu'on croyait perdus dans nos déménagements. Ah, cette Iotapa, elle volait comme d'autres respirent ! Mais quand j'ai dit à ma princesse qu'on avait remis la main sur le gobelet de Césarion, la voilà repartie à crier. Au point de s'en arracher les poumons ! Moi qui croyais lui faire plaisir ! Un petit cornet qu'elle adorait, qu'elle a toujours porté comme un prêtre d'Isis porte son vase d'eau sacrée ! Et brusquement... Ah, les enfants, ce que ça peut être changeant ! »

La fillette n'a sans doute pas vu Octave visiter le Quartier-Royal. Avant d'entrer lui-même dans la ville, il avait pris le temps – le temps que le corps d'Antoine ait disparu du paysage, qu'on ait liquidé les amis du vaincu, et que les Alexandrins soient bien assouplis par la peur. Alors, il a réuni les notables au Grand Gymnase, s'est posté à la place exacte où Antoine avait prononcé, quatre ans plus tôt, son grand discours des Donations, et il a parlé. Parlé devant une foule prosternée – rien que des dos et des fesses ! À ce peuple rampant, ce peuple terrifié qui *flairait la terre*, il a annoncé qu'il ne brûlerait ni temples ni maisons, qu'il ne détruirait pas la ville. Non par un mouvement de pitié (la clémence ne lui est pas naturelle), mais pour deux raisons précises, a-t-il dit. La première, historique : c'est le grand Alexandre lui-même qui a dessiné cette cité ; la seconde, plus actuelle : Areios, son philosophe attitré, est né là. Et tant pis si les deux motifs ne nous semblent pas du même poids – en politique, Octave n'est ni le premier ni le dernier à préférer ses bouffons à ses prédécesseurs... Du reste, il a peu développé ; dans ses discours, il cultive la brièveté. Qu'on n'attende pas de lui cette

« éloquence asiatique », lyrique et sentimentale, où Antoine excellait. Il se veut Romain jusque dans l'art oratoire.

Après le Grand Gymnase, il s'est rendu au Sôma en « touriste », pour voir le corps d'Alexandre. Il a fait ouvrir le cercueil de cristal pour « toucher »... et il a cassé le nez du demi-dieu ! C'est à la suite de cet exploit qu'il a pénétré, avec ses deux mille gardes espagnols en armure de parade, dans les rues et les jardins du Quartier-Royal. Il n'avait encore jamais vu Cléopâtre, et il voulait se rendre compte par lui-même de son état de santé. Mais surtout, surtout, qu'elle lui épargne son numéro d'aristocrate dédaigneuse, de reine offensée, qu'elle ne joue pas les mijaurées ! Et inutile qu'elle tente le coup du charme : pour cette première rencontre, il a apporté de quoi l'humilier – l'inventaire précis de ses bijoux. Précis ! Car il a exigé d'elle, ces derniers jours, une liste détaillée des parures que ses légionnaires n'ont pas retrouvées dans le Mausolée, et elle a triché. Il l'a su par des serviteurs et attend maintenant qu'elle lui révèle l'emplacement des dernières cachettes : il va lui prouver qu'elle ment, et lui parler de ses enfants. Sitôt qu'on l'oblige à imaginer le sort des enfants, elle devient coopérative...

Ces petits otages, il n'a pourtant pas eu la curiosité de se les faire présenter. De même qu'il n'aura aucun désir de lire les lettres de Jules César que Cléopâtre a conservées et qu'elle lui tendra, pendant l'entretien, pour l'amadouer : « Regarde ce que m'écrivait ton père » (elle dit « ton père », comme elle l'aurait dit à Césarion, alors qu'Octave n'est rien de plus qu'un petit-neveu, obligé par testament à porter le nom du défunt ; mais la fière souveraine se soumet). Lettres politiques, lettres d'amour, le nouveau maître ne doute pas que l'Égyptienne ait de tout. Sans parler des dossiers administratifs et militaires du grand homme, qu'Antoine avait gardés.

Avant de quitter Alexandrie, lui, Octavien *César*, Imperator universel, ne devra pas oublier de les brûler, ces écrits de « son père ». Il se sent d'âge, désormais, à ne plus se chercher de modèle. Il avance seul, sans se retourner.

Les adversaires – le Romain vainqueur et l'Égyptienne vaincue – se sont quittés très vite, chacun pensant avoir pris la mesure de l'autre. Il l'a jugée flagorneuse et plutôt bête. Très attachée à la vie, mûre pour le Triomphe… Il s'est trompé.

Elle ne s'est pas trompée sur lui : elle ne pourra ni se sauver ni sauver ses enfants sans déshonneur. « Le déshonneur » : la seule limite qu'Antoine, en mourant, lui ait demandé de mettre à son appétit de survie ; il savait combien elle était douée pour le bonheur, comme elle excellait à goûter et faire goûter les plus petites choses de ce monde-ci – le vent sur sa peau, le froissement des roseaux, la fraîcheur d'une pastèque –, il connaissait aussi son aptitude déraisonnable à espérer… Quand, appuyée contre le lit du Mausolée où il agonisait, barbouillée du sang de ses blessures, elle pleurait et déchirait sa robe pour étancher l'hémorragie, il lui avait dit qu'il comprenait, comprenait qu'elle ne voulût pas mourir avec lui, pas tout de suite, qu'elle pouvait encore gagner du temps, essayer de négocier les trésors qui lui restaient, mais qu'elle devrait s'arrêter avant de nuire à sa gloire. « Gloire » était le seul mot qui, chez cette fille des Ptolémées, pût faire contrepoids au mot « vie ».

Emprisonnée dans la chambre royale du Palais Bleu, où couchaient aussi ses suivantes Iras et Charmion, soignée par Olympos, servie par ses esclaves ordinaires, elle n'avait jamais cessé d'être informée de ce qui se passait dans le Quartier-Royal, ni même de ce qui se tramait à l'état-major. Un espion lui fit savoir qu'avant trois jours les Romains la mettraient dans un bateau pour l'Italie. Apprit-elle aussi la mort de Césarion ? Du moins, son arrestation ? C'est possible.

Elle écrivit à Octave pour solliciter humblement la permission d'aller couronner de fleurs la tombe d'Antoine. L'Imperator d'Occident, et qu'on n'appelait déjà plus que *César*, *César* tout court, qu'elle appelait à son tour *César*, fut sensible à tant d'humilité, il autorisa la sortie. Ce jour-là, les nourrices dirent aux enfants : « Écoutez ! Écoutez les sistres, les chants. C'est votre mère qui passe derrière nos Mille Colonnes pour se rendre au tertre de votre père. » Taous utilisa cette expression : « le tertre » – savait-elle à quoi ressemblait le tombeau, où il se trouvait ? Si Taous avait vécu, Séléné aurait pu l'interroger… Mais, en trois semaines, tous ont disparu.

« La Reine est morte ! Elle s'est empoisonnée ! » Quand la rumeur atteint l'appartement où sont gardés les enfants, les servantes s'affolent, poussent des hurlements. Malgré la défaite, la mort d'Antoine, les assassinats, les trahisons, et l'occupation, les nourrices avaient cru pouvoir continuer « comme avant » : les plats arriveraient toujours de la cuisine, les blanchisseurs prendraient le linge sale tous les matins, et le Nil remplirait chaque année les réservoirs du Maiandros. Tant que la Reine vivait, le petit peuple des palais se sentait protégé : on la savait maligne comme un Ulysse, et tellement riche ! Elle réussirait sûrement à épouser le nouvel Imperator ; peut-être même lui donnerait-elle des enfants – elle était si féconde, et lui, le malheureux, n'avait pas de fils...

« La Reine est morte » : là, c'est un tremblement de terre ! Tous ceux qui peuvent courir courent au hasard, comme après la reddition de la flotte. La Reine est morte, Iras aussi, et Charmion, et un vieil eunuque qui les servait. C'est Octave qui a donné l'alerte : il venait de recevoir une tablette de sa prisonnière – quelques mots pour demander l'ultime faveur de reposer auprès d'Antoine pour l'éternité. Aussitôt, il a dépêché deux de ses amis au Palais Bleu. Les sentinelles étaient très étonnées : quoi ? mais non, tout allait bien, en rentrant du tombeau de son mari la Reine avait pris un bain, commandé un repas fin, « et maintenant elle fait la sieste »...

Ouvrant la porte, les hommes trouvèrent Cléopâtre en robe de parade, couchée à plat sur un lit d'or, l'une des suivantes morte à ses pieds, tandis que l'autre, chancelante, tentait de nouer un diadème blanc dans les cheveux de sa maîtresse immobile. « Ah, Charmion, cria l'un des gardes furieux, voilà du beau travail ! – Très beau, et digne de la descendante de tant de rois », et elle tomba près du lit, morte aussi. Par les fenêtres ouvertes sur la mer, on voyait le sable, les vagues, le Phare… L'agitation, dans le Quartier-Royal, dura des heures : parce que la Reine était encore tiède et que, sous son maquillage, on ne voyait pas la couleur de sa peau, les Romains crurent possible de la ranimer. On ordonna à Olympos d'administrer des contrepoisons. Y parvint-il ? Ce qui est sûr, c'est qu'en examinant les trois corps il n'y trouva aucune trace… Mais les langues des esclaves de la chambre se déliaient, on disait que la Reine avait toujours gardé dans sa chevelure plusieurs épingles creuses qui contenaient le poison extrait par Glaucos. Certes, les gardiens fouillaient systématiquement ses vêtements, mais avaient-ils pensé aux épingles ? Un vieil eunuque penché à la fenêtre déclara soudain qu'il voyait, dans le sable de la grève, la trace d'un serpent… Quelques-uns crurent alors distinguer sur le bras de la Reine une piqûre légère ; à tout hasard et dans la panique, on fit sucer cette « morsure » par un serviteur psylle – ces Libyens avaient la réputation d'être immunisés contre le venin. Le Psylle ne mourut pas, en effet ; mais le corps de la Reine se raidissait, ce corps était glacé…

Vingt siècles après, soyons francs : aucun de ces détails « historiques » n'est avéré. Les tentatives de réanimation ? Plutarque, qui s'appuie, lui, sur le témoignage écrit du médecin, n'y fait aucune allusion. Sur la cause de la mort (des morts, puisqu'il y avait trois ou quatre cadavres), il formule deux hypothèses : le poison contenu dans les épingles creuses, ou la morsure d'aspic ; et il conclut : « Personne ne sait la vérité. » Octave, qui dut fournir une version officielle, choisit la vipère ; mais sans l'accompagner du légendaire « panier de figues ».

De ce panier de figues qui aurait servi à introduire discrètement le reptile dans la chambre, pas un mot chez les contemporains. Rien chez Horace, par exemple, qui en reste au serpent, sans plus de fioritures. Les figues n'apparaissent que deux cent cinquante ans plus tard quand, Lucain ayant chanté les talents des Psylles, et Suétone convoqué un Psylle au chevet de la Reine, Dion Cassius orchestre le tout : panier de figues et vertus des Psylles, en ajoutant que le premier à avoir indiqué aux Romains la trace d'un serpent était un vieil eunuque, qui se serait aussitôt suicidé… Mais cette histoire de Psylle et de réanimation, comment y croire ? Si bêtes qu'aient été les soldats, ils devaient quand même pouvoir distinguer un vivant d'un mort ! Inutile de passer des heures à « ranimer » une femme qui ne respirait plus…

Quant au vieil eunuque et à l'aspic, ils ne sont guère plus convaincants. Certes, on prétend qu'Alexandrie était alors une ville pleine de vipères, qui vivaient dans les maisons où on les nourrissait, paraît-il, de farine diluée dans le vin. Mais, pas plus que cet étrange menu, une telle promiscuité n'est vraisemblable : les serpents font mauvais ménage avec les chats ; or des chats, là-bas, il y en avait partout… En vérité, un seul serpent, « le Bon Génie », celui qui donnait son nom au grand canal de la ville, était vénéré par les Grecs d'Alexandrie : il s'agissait à la fois de l'antique couleuvre protectrice des autels domestiques et de la forme prise par Zeus-Amon pour engendrer Alexandre le Grand. De leur côté, les Égyptiens croyaient depuis toujours que le cobra de la coiffe royale (ce cobra du désert, long de deux mètres) ouvrait au pharaon les portes de l'au-delà où règne Osiris le ressuscité. En se faisant mordre par un serpent, Cléopâtre aurait donc trouvé la meilleure façon de combiner les deux traditions et de signifier qu'Alexandre-Zeus-Osiris était revenu la chercher : « Je ne meurs qu'en apparence »... Pour autant, les faits sont têtus : aucun aspic ne pouvant piquer trois personnes à la fois, ce n'est pas ainsi que la reine s'est tuée.

Certains supposent, il est vrai, qu'on avait livré aux prisonnières trois vipères en même temps, « Les figues sont belles aujourd'hui, vous m'en mettrez trois corbeilles ! ». Mais il aurait fallu capturer ces reptiles longtemps auparavant et les avoir fait jeûner : un aspic qui, pour se nourrir, a tué dans les jours précédents n'a plus assez de venin pour paralyser – l'aspic n'est pas une arme avec laquelle on se suicide au pied levé !

Qui ce conte bleu a-t-il trompé ? Les Égyptiens, sûrement : ils avaient trop envie que leur dernière reine fût immortelle. De leur côté, les gardes romains ont dû se jeter sur cette fable avec soulagement. Car si, par une audace inouïe, suivie d'un mode de suicide inédit (et jamais employé depuis), on les avait dupés, ils étaient moins coupables que s'ils avaient manqué à une précaution élémentaire – fouiller l'appartement, le linge de corps, la chevelure, de celle qu'ils étaient censés surveiller...

Quant à Séléné, il me semble qu'elle ne se laissera pas abuser : elle a si souvent joué avec les belles épingles de sa mère, les longues épingles ornées de perles et de grenats, ces épingles dont parfois la tête pivotait comme le chaton d'une bague et révélait une minuscule cavité. Elle se rappelle aussi le coup sec de cuillère à fard qu'elle a reçu sur les doigts pour avoir osé, un soir de banquet, toucher à l'une de ces épingles-là. Des épingles *interdites*... Plus tard, elle découvrira qu'autour de sa mère le poison était omniprésent : travaux de botanique que la reine supervisait au Muséum ; intentions homicides que le médecin Glaucos avait révélées au légat Dellius ; expériences multipliées sur des condamnés à mort ; ou *dîner de violettes*. Non, Séléné, lucide comme je l'imagine, n'a pu préférer l'histoire du serpent à celle des épingles. Encore que sur le moment, et dans la panique...

Sur le moment ? Sur le moment, quand on apprit, au Palais des Mille Colonnes, la mort de la Reine, des deux suivantes et d'un esclave, les nourrices crurent à un assassinat : les Romains avaient recommencé à tuer dans le Quartier-Royal ! Iras et Charmion étaient mortes en défendant leur maîtresse ! Maintenant les assassins allaient s'en prendre aux trois petits, massacrer les derniers des Ptolémées...

Vite, il faut cacher les orphelins. Il paraît qu'il existe quelque part un souterrain : où ? « Non ! crie Séléné. Pas le souterrain ! » Celle-là, si elle se remet à couiner, elle va ameuter toutes les légions, grommelle Taous. Ne pas la contrarier surtout. Filer doux. « N'aie pas peur, mon pigeon doré, dit Cypris, on ne va pas vous mettre sous la terre, on vous cachera dans le Palais, on va trouver… » Des rideaux, un placard, un buffet, n'importe quoi.

Déjà, on entend à l'autre bout du bâtiment le cliquetis caractéristique d'une cohorte et des ordres lancés à pleine gorge dans une langue barbare : Octave vient d'exiger qu'on s'assure des enfants. Il a peur que son beau Triomphe soit raté. Veut que les princes soient immédiatement sortis de ce Quartier-Royal plein de mages et d'eunuques, de ces cours labyrinthiques, de ces rues sans issue, de ce dédale obscur que surveillent des déesses à tête de lionne : les jumeaux et leur cadet doivent être transportés sur-le-champ à bord d'une galère romaine.

Les femmes des Mille Colonnes ne savent pas que le souci du Romain est de préserver les enfants, qu'il est de son intérêt bien compris de les soustraire aux « serpents qui traînent » et au dévouement désespéré de leurs domestiques… Les femmes ne le savent pas et elles ont peur, elles fuient. Fuient entre leurs quatre murailles, leurs portes fermées, leurs portes gardées.

Les murs du palais sont peints d'îles peuplées d'oiseaux, de vergers fleuris, de barques de pêche sur des flots poissonneux, de Pygmées chasseurs au bord d'un grand fleuve – *scènes nilotiques* belles comme des mensonges. Parfois, ces murs en trompe-l'œil semblent s'ouvrir sur d'autres palais – des palais dans les palais : pilastres, balcons, terrasses, pergolas et colonnades à l'infini. Dans la dernière chambre (une pièce aveugle traitée en temple rustique), un petit escalier. Qui ne mène nulle part : derrière le faux marbre d'une contremarche est dissimulée une cache, où l'on range, à l'abri des mains rapaces, quelques vases en argent.

On pourrait, suggère Thonis en courant, pousser là-dedans les enfants (elle dit « les enfants », elle est déjà tellement plus vieille que les princes de son âge), ce n'est pas grand, mais s'ils se tassent, ils logeront : « Faut juste qu'on ait le temps d'en sortir les vases… » Du coup, « pour avoir le temps », les nourrices tirent les verrous derrière elles. Une porte, deux portes. Au loin, on entend les glapissements du gynécée, le hurlement de la grosse lingère, les cris plaintifs des fileuses, mais rien n'arrête la marche métallique des soldats qui progressent dans l'appartement. Quand ils se heurtent à la première porte verrouillée, ils grondent, tapent, se fâchent, et l'enfoncent. « Occupe-toi des enfants, lance Taous à Cypris. Moi, je vais au-devant de ces monstres pour les retarder. Viens avec moi, Hermaïs, viens, Thonis… »

« Conserver ta vie », disait leur mère. Faut-il obéir ? Et comment ? Tout va si vite ! Ils sont dans le noir maintenant, accroupis dans le trou. Sur eux, Cypris a refermé la fausse marche comme on ferme un tombeau. Plus d'air, plus de lumière. Ptolémée gémit, Séléné lui met la main sur la bouche, Alexandre murmure : « Ils vont nous tuer ». Elle a chaud, elle étouffe, son cœur bat fort, mais, tout à coup, il lui semble que, dans le noir, elle voit clair : un soldat rouge marche vers eux…

Le centurion a du métier : quinze ans « de légion », en Espagne, dans les Balkans, en Syrie. Partout, c'est lui qu'on charge de fouiller les villages conquis. Il n'a pas son pareil pour faire rendre gorge aux maisons vaincues : retrouver les derniers sous enterrés au pied de l'olivier, rafler les petits bijoux sur les cadavres, dénicher les femmes et les enfants terrés dans la cave. Rien ne lui échappe. Il a du flair, il aime la chasse.

Sa mission d'aujourd'hui – se saisir des petits princes pour les conduire au Port des Rois – relevait de la routine, mais voilà qu'elle tourne à la battue. Les bonnes femmes lui résistent, cachent les petits métis comme s'il leur voulait du mal : ça va être l'occasion de rigoler ! Pister, débusquer, c'est son fort. Le meilleur chef de meute de la Douzième – la *Foudroyante*… Une grosse Égyptienne essaie de lui barrer le passage, bras écartés, en braillant des trucs que personne ne comprend ? Allez, zou, il la débite en tranches ! Pour lui apprendre à verrouiller les portes et à défier le peuple romain ! Si cette punition pouvait au moins servir de leçon aux autres timbrées… Mais pas du tout : une deuxième folle se jette en travers de son chemin, suivie d'une galopine enragée. Alors il perce, il coupe, il taille, il tronçonne, comme dans un maquis de ronces – garanti qu'elles ne repousseront pas, ces deux-là ! « Achève-les, dit-il à son meilleur décurion, mais épargne la vieille bique qui se prosterne dans le coin. On n'est pas des assassins. » Pendant que ses hommes arrachent les tentures, éventrent les matelas, renversent les brûle-parfums, il les devance, pénètre dans la dernière pièce, une chambre aveugle. « Apporte-moi une torche, Avidius, et que ça saute ! »

Il a tout de suite repéré l'escalier qui monte vers une porte. Fausse porte, bien entendu. Peinte sur la muraille. Ah, ces riches, avec leurs foutus trompe-l'œil ! Ils ont de quoi s'offrir des vraies colonnes, des vraies portes, ils préfèrent les fausses ! Sacrés cinglés ! C'est comme pour les fleurs, les fruits, ou le gibier : rien que du semblant, dans ces palais !... Donc, comme ça, pas de porte, hein, pas de débouché ? Un cul-de-sac ?

Le centurion s'est immobilisé, son glaive à la main. Il scrute, renifle. Ils sont là, il le sent : les « bâtards » qu'il doit mener au bateau sont là ! Planqués... Sans bouger, il inspecte les lieux du regard. Suspend sa respiration. Écoute longuement. Son plaisir, il le déguste avec lenteur. Ne se laisse pas distraire par les fresques, ni abuser par le nombre des buffets ou le méli-mélo des vases d'argent : ça, c'est le leurre, la broussaille trompeuse, le buisson creux. S'intéresser à l'escalier, plutôt : son soubassement, ses marches... Sans même s'approcher, il comprend : la dernière contremarche imite le marbre. Il n'a pas de doute, c'est une toile peinte. Il retient son souffle, bande ses muscles, et charge : du bout de son glaive, il crève le camouflage, « Sortez de là ! », et, au fil de l'épée, découpe d'un coup cette muraille de papier.

Une gamine en noir se hisse hors du trou, suivie d'un blondinet tout tremblant. Le troisième, il doit le récupérer à tâtons, au fond de la cache, et le tirer par la peau du cou. Un mouflet qui couine comme un rat dans une ratière et, de frayeur, se pisse dessus ! De la main gauche, à bout de bras, il secoue le mioche, histoire de l'égoutter, et, de la droite, il tient son glaive bien empaumé quand, brusquement, sans crier gare, la gamine se précipite sur lui. Si, par un réflexe de vieux routier, il n'avait aussitôt relevé la pointe de son arme, elle se serait enfilée dessus ! En somme, il la tuait ! Alors qu'on l'a précisément chargé de la mettre à l'abri, d'assurer sa sécurité...

Le soldat rouge remet vivement l'épée au fourreau, écarte

la petite de la main, sa main au bracelet de cuir sanglant, puis repousse son casque et s'essuie le front : amende, dégradation ou étrivières, ce qu'il y a de sûr, c'est qu'il vient d'échapper de peu aux punitions, on a frôlé la catastrophe ! Une sale affaire…

Ont-ils vu le désordre, les portes enfoncées, le cadavre d'Hermaïs, le sang de Taous, le corps de sa fille ? Ptolémée, qu'un légionnaire a chargé sur son épaule comme un tapis pour retraverser l'appartement, Ptolémée certainement pas : il a la tête en bas. Mais Alexandre ? Mais Séléné ?

La toute dernière image qu'elle garde d'Alexandrie est celle de la passerelle entre le quai et le bateau. Un soldat les aide à s'engager, un matelot leur tend la main pour enjamber le bordage. Mais Séléné n'a pas de main à donner : elle serre contre elle le petit sac où Cypris a jeté le trésor retrouvé après l'enlèvement d'Iotapa – le gobelet « en maurétanie » et les trois dés verts, cadeau de Césarion. Bien qu'elle n'ait plus de mains, plus d'yeux, plus d'équilibre, elle se dégage d'un mouvement d'épaule et franchit seule le pont en courant. À l'aveuglette.

Les remparts du Port des Rois, les hommes casqués de bronze, la trirème et sa cabine trop basse, elle ne les voit pas. Ne voit plus, parce que, déjà, elle revoit. Revoit l'assassinat du *dioïcète* sur ce même quai, et le bébé d'Arménie dans le Triomphe des Donations, ce nouveau-né prisonnier qu'elle n'a pas sauvé… Elle entend son père, l'Imperator, patient mais inflexible : « C'est la loi de la guerre, Séléné, l'enfant d'hier n'existe plus. »

Note de l'auteur

C'est une folie, sans doute, que d'espérer recréer le monde antique par les images ou par les mots. Non que les sociétés romaine ou hellénistique soient inconnaissables, ni qu'elles se révèlent « exotiques » au point de nous demeurer incompréhensibles ; simplement, les outils dont disposent le cinéaste ou le romancier – la lumière pour l'un, le mot pour l'autre – sont les moins faits pour restituer ces époques lointaines dans leur vérité. Deux détails, parmi tant d'autres : alors que les Anciens vivaient à la lueur pauvre des lampes à huile, le cinéaste doit braquer « le feu des projecteurs » sur les scènes d'intérieur ; quant au romancier, faute de pouvoir écrire dans une langue morte, il est contraint d'employer un vocabulaire et une syntaxe qui révèlent une sensibilité plus moderne.

Certes, Marguerite Yourcenar assurait avoir résolu le problème en rédigeant ses *Mémoires d'Hadrien* en latin. J'ai peine à y croire... En tout cas, je ne pouvais, moi, refaire ici ce que j'avais fait autrefois avec *L'Allée du Roi*, roman à la première personne écrit dans le style du Grand Siècle pour mieux en respecter les mentalités. Avec l'Antiquité, impossible de s'abuser soi-même en recourant à de tels procédés : d'entrée, l'auteur sait qu'il va devoir accommoder et s'accommoder, que les compromis ne seront pas glorieux et que la cote aura toujours l'air mal taillée. Mais le fait qu'un tableau représente en deux dimensions une réalité qui en comporte trois a-t-il jamais dissuadé un artiste de prendre son pinceau ?

Ce roman-ci est une représentation. Qu'il suffise d'indiquer au lecteur à quelles conventions il obéit et quels sont les partis qu'on a dû prendre. En bref, où et comment il a fallu adapter, arranger, et parfois – quand l'Histoire hésitait – parier. Choix et « aménagements » qui portent d'ailleurs bien plus sur des questions de forme (les noms, les titres, le langage) que sur les faits.

*

En ce qui concerne le langage, les difficultés ne se réduisent pas à la question du « rendu » plus ou moins fidèle des dialogues ou à la traduction des termes désignant certains objets courants aujourd'hui disparus : les difficultés commencent dès l'introduction des premiers noms propres – noms de lieux ou de personnages.

Pour les NOMS DE ROYAUMES, PAYS ET PEUPLES, j'ai choisi de faciliter leur compréhension par le lecteur moderne tout en évitant les anachronismes trop brutaux. Car même si je prends toujours plaisir à la lecture du *Moi, Claude, empereur*, de Robert Graves[1], malicieux romancier qui occupa longtemps la chaire de poésie à Oxford, je ne puis me résoudre à écrire, comme il le fit, « la France » au lieu de la Gaule, ni « les Allemands » pour les Germains. D'autant qu'il ne me semble pas nécessaire d'être un grand érudit pour identifier, encore aujourd'hui, la Germanie, la Judée ou la Phénicie, et savoir à peu près où placer les Maures, les Bataves ou les Arabes. Au surplus, nombre de régions ou pays ont

---

1. *I, Claudius*, Robert Graves, Londres, 1934, Librairie Plon, Paris, 1939, et Gallimard, Paris, 1964 ; *Claudius the God*, Robert Graves, Londres, 1934, et, en deux volumes, *Claude, empereur malgré lui* et *Le divin Claude et sa femme Messaline*, Gallimard, Paris, 1978.

conservé, fût-ce dans des frontières autres, leurs anciens noms : ainsi l'Italie, la Sicile, l'Espagne (ou les Espagnes), la Grèce, la Macédoine, l'Arménie, la Cappadoce, l'Égypte, la Libye, la Syrie ou – dans les Gaules – la Belgique.

Le problème n'est vraiment délicat que dans la péninsule balkanique et au Moyen-Orient – des zones instables, divisées entre des royaumes ou provinces multiples. J'ai craint d'égarer le lecteur entre l'Illyrie, la Dacie, la Mésie et la Thrace, ou de le perdre, sur la rive asiatique, entre la Paphlagonie (au nord), la Cilicie (au sud), la Lydie (à l'ouest) et la Commagène (à l'est), au cas où la Bithynie, le Pont et la Galatie ne l'auraient pas déjà englouti… J'ai donc opté souvent pour les appellations génériques modernes de « Balkans », « Danube », « mer Noire » ou « Asie Mineure », sans toutefois mettre ces noms-là dans la bouche ou l'esprit des personnages eux-mêmes.

À l'occasion, s'il fallait éclaircir les enjeux politiques, j'ai fourni à l'intérieur du récit lui-même les indications nécessaires : il n'est pas sans intérêt, par exemple, de savoir que le fameux « empire parthe » (ou « Parthie »), si redouté des Romains, correspondait presque exactement à ce que serait aujourd'hui l'addition de l'Iran et de l'Irak.

Finalement, je n'ai gardé les appellations originelles de ces peuples ou royaumes que dans le titre de leurs souverains ou dans certaines énumérations. Car ces noms, enchanteurs ou sauvages, produisent un effet « Rois mages » délicieux, une petite musique dont aucun romancier ne consentirait à se priver. Mais que le lecteur se rassure : il n'est pas nécessaire de saisir toutes les paroles de la chanson…

En revanche, je dois appeler l'attention sur quelques « faux amis » géographiques.

« Afrique », pour les Anciens, ne peut désigner que l'Afrique du Nord : on ne connaît alors rien du reste (l'Afrique noire n'est vaguement désignée, dans son ensemble, que comme l'*Éthiopie*) ;

quant à l'Égypte, les savants la rangeaient plutôt dans l'Asie. Parfois même, le mot « Afrique » ne désigne que l'*Afrique romaine* : à l'époque d'Auguste, un territoire à peine plus grand que l'actuelle Tunisie.

Quant à la Maurétanie (dont j'ai conservé le nom parce que, comme la Cyrénaïque, il est lié aux titres avec lesquels Cléopâtre-Séléné est entrée dans l'Histoire), cette Maurétanie, ou « pays des Maures », n'a rien à voir avec la Mauritanie d'aujourd'hui. Le « i » fait toute la différence et ce nom désignait alors un royaume fertile qui réunissait nos actuels Maroc et Algérie (la Maurétanie était célèbre dans toute la Méditerranée pour la qualité exceptionnelle du bois de ses thuyas géants, un bois veiné comme du marbre, dont on faisait les tables et les guéridons « les plus chers du monde »).

Pour les NOMS DES VILLES ANTIQUES, les choses sont relativement plus faciles : en français, leur nom actuel est souvent dérivé du nom d'origine (grec, latin, égyptien ou « barbare »). On peut, sans états d'âme, écrire Tanger, Cadix, Gaza, Memphis, Pouzzoles, Damas, Beyrouth, Byzance, Brindisi ou Marseille, puisque les Anciens écrivaient Tingis, Gades, Gaza, Memphis, Puteoli, Damascus, Berytos, Byzancium, Brindisium ou Massilia. Les villes mortes ou disparues me semblent – tout aussi évidemment – devoir garder leur nom ancien : Canope ou Volubilis sont Canope et Volubilis pour l'éternité. Quant aux villes dont le nom actuel n'a plus rien de commun avec le nom premier, lequel s'est trouvé recouvert par une culture postérieure (Constantine pour Cirta, Louqsor pour Thèbes, ou Cherchell pour Iol-Césarée), j'ai, à de rares exceptions près, maintenu leur nom d'époque pour ne pas tomber dans un anachronisme gênant.

*

Le NOM DES PERSONNAGES – égyptiens, grecs, « africains » ou latins – pose d'autres types de problèmes.

Encore faut-il convenir que les NOMS GRECS en posent peu. Ce sont en général des noms uniques, qui ne sont, à proprement parler, ni des prénoms ni des patronymes. Ils sont exclusivement attachés à la personne, et non à la famille. La généalogie n'est indiquée que par la mention « fils de », dont on peut faire suivre le nom. Lorsque plusieurs personnes ayant accédé à la notoriété portaient le même nom, on y ajoutait l'origine géographique : Apollonios « de Rhodes », Nicolas « de Damas », etc.

Dans le roman, je me suis simplement permis de modifier quelquefois l'orthographe grecque d'un nom pour en faciliter la prononciation en français : « Séléné » au lieu de « Séléné », ou « Iotapa » au lieu de « Iotapè ». Sauf lorsqu'il s'agissait de noms déjà connus du public (« Charmion », par exemple), j'ai aussi traduit le « chi » grec par la graphie « kh », et, parfois, le « on » final par « ôn », pour éviter que la prononciation de certains noms ne se trouve altérée dans notre langue par des chuintantes et des voyelles nasales qui n'existent pas en grec. Même problème, et même solution, pour le « c » lorsqu'il est suivi d'un « e » ou d'un « i » : je l'ai généralement remplacé par un « k »[1].

Les NOMS ÉGYPTIENS n'ayant guère été francisés, je les ai gardés tels que je les ai trouvés.

Les NOMS D'ESCLAVES, eux, sont à cette époque, et dans toutes les cultures, des noms simples : un esclave n'a ni origine ni descendance. En général, hommes et femmes reçoivent un nom nouveau dès qu'ils entrent en esclavage. Le plus souvent, on leur donne un nom à consonance grecque. Parfois, c'est un nom emprunté à la mythologie, d'autres fois un qualificatif rappelant quelque trait personnel : Joyeux, Gracieuse, etc. Affranchi, l'esclave doit

1. Il m'est arrivé de faire un effort similaire pour quelques noms latins : ainsi, Baies, si on ne l'écrit pas Baïès, se lira « Bai » en français.

adopter une partie du nom de son maître – ultime trace de son ancienne servitude.

Le gros souci vient en fait, pour l'historien ou le romancier, du NOM DES ROMAINS LIBRES. On saisira toute la complexité du système à partir d'un seul exemple : trois célèbres empereurs romains ont, en réalité, porté le même nom, ou, plus exactement, la même séquence de trois noms (prénom, patronyme et surnom familial) – ces *tria nomina* qui constituaient, pour tout citoyen de culture latine, le bagage indispensable. Bagage minimum puisque en cas d'adoption ou de multiplication des branches d'une lignée, on pouvait juxtaposer jusqu'à six ou sept noms[1]. Dans le cas des trois empereurs susmentionnés, ils portaient tous le triple nom de « Tibère Claude Néron ». Du premier de ces hommes, la tradition a fait l'empereur Tibère, du deuxième l'empereur Claude, du troisième l'empereur Néron. Pour les distinguer, les Romains eux-mêmes avaient déjà pris l'habitude – même sur les monnaies – de désigner l'un par son prénom, l'autre par son patronyme et le dernier par le surnom de sa famille d'adoption[2]. Pourquoi, dès lors, imposer au lecteur contemporain une cohérence que les Anciens eux-mêmes finissaient par négliger ?

---

1. J'ai ainsi fréquenté, au cours de mes lectures, un certain Lucius Fulvius Gavius Numisius Petronius Aemilianus… « Ils sont fous, ces Romains ! »

2. Son nom d'origine, partiellement conservé à l'intérieur de son nouveau nom légal, était Lucius Domitius Ahenobarbus. Il était l'arrière-petit-fils de Cnaeus Domitius Ahenobarbus, l'amiral « Barberousse » qui déserta le camp d'Antoine à la veille d'Actium ; et par sa grand-mère Antonia l'Aînée, qu'on voit vivre dans ce roman sous le nom de « Prima », il était aussi le petit-fils de Marc Antoine et d'Octavie, ainsi que le petit-neveu d'Auguste. Bref, avant même d'être adopté par un empereur, ce jeune homme était d'une excellente famille…

De même, il y a bien longtemps que nos hommes de lettres ont francisé les noms les plus illustres : Jules César pour Caius Iulius Caesar, Lépide pour Marcus Aemilius Lepidus, ou Marc Antoine pour Marcus Antonius. Usage auquel il faut se tenir, évidemment, et tant pis si à côté de ces protagonistes « naturalisés » subsistent, dans l'Histoire, des comparses qui continuent à porter leur nom latin, complet ou abrégé : Munatius Plancus ou Valerius Messala Corvinus. Ce sont là des incohérences avec lesquelles l'auteur est bien obligé de composer.

Ajoutons, pour ne rien simplifier, qu'en France certains patronymes romains ont été transformés en prénoms. Antoine, Émile, Jules, Octave, Claude, Paul, Marcel, Valérie, Lucile ou Julie sont à l'origine des noms de famille latins[1]. Marc Antoine s'écrit sans trait d'union car, si le prénom est Marc, Antoine est un nom de famille. On dira donc « un Antoine », « un Claude », ou, un peu à la manière italienne, « les Antonii », « les Lepidi », ou « les Silani ».

Mais a-t-on jamais, de toute façon, appelé par leur prénom Marc Antoine ou Gaius Iulius Octavianus Caesar (notre Octave-Auguste) ? L'historien peut ignorer la question, le romancier doit y répondre : dans l'intimité – entre frères et sœurs, entre conjoints, ou entre amants –, les Romains se servaient-ils du prénom ? Certains pensent qu'ils ne le faisaient pas, en raison du nombre réduit de ces prénoms (dix-huit en tout). Pour ma part, je ne crois pas que le petit nombre de prénoms soit un obstacle à leur utilisation : nous savons qu'au Moyen Âge, et même au XVIIe siècle, le nombre de prénoms en usage dans les milieux populaires était très faible – on appelait presque tous les garçons Pierre, Paul, Jacques, Jean ou Simon, et toutes les filles Marie, Anne, Madeleine ou Jeanne. Seules les classes supérieures osaient varier l'ordinaire. Or on voit

1. D'autres prénoms français sont des prénoms romains (Marc ou Luc, par exemple) ; d'autres encore, des titres, des surnoms, ou des noms d'esclaves (Auguste, Victor, Félix, Juste, Narcisse, Diane, etc.).

dans les textes littéraires et les archives que ces noms de baptême, quoique très répandus et peu « individualisés », étaient couramment utilisés à l'intérieur des familles et des villages – quitte à fabriquer des diminutifs pour éviter les confusions[1].

Au reste, si dans l'intimité on n'avait pas utilisé les prénoms, comment une mère romaine aurait-elle appelé ses garçons quand elle en avait plusieurs ? Comment des frères se seraient-ils interpellés entre eux ? Certainement, la mère des Antonii, quand elle désignait ses trois fils, les appelait Marcus, Lucius et Gaius. Voilà pourquoi, dans ce roman, Octavie, elle aussi, appelle l'empereur Auguste, son frère, par son prénom de naissance (Gaius), et pourquoi Cléopâtre appelle Antoine « Marc ». Ce qui n'empêche pas qu'en public ces amants de légende se soient certainement donné leurs titres respectifs, « Imperator » pour lui, « Majesté » (*Domina*) pour elle : il y a un temps pour tout, et un nom pour chaque heure...

Le dernier problème à résoudre du point de vue onomastique est celui des NOMS FÉMININS.

Les noms des femmes grecques, même s'ils peuvent obéir à une tradition familiale, sont clairement particularisés : on ne risque pas de confondre Cléopâtre avec ses sœurs Bérénice et Arsinoé. Pas de danger non plus qu'on confonde Cléopâtre VII avec sa fille, Cléopâtre-Séléné, l'héroïne de ce roman, puisque la seconde a été dotée d'un nom composé. Reste à savoir, pourtant, si la deuxième partie de ce nom (« Lune ») fut bien, comme on l'a dit, imposée par

---

1. Tel semble être le cas pour le nom d'« Antyllus », qui n'est pas un prénom répertorié. Certains historiens ont supposé que l'enfant, qui portait sans doute les mêmes nom et prénom que son père, aurait été ainsi surnommé pour le distinguer de Marc Antoine, « Antyllus » correspondant à une prononciation enfantine, ou tout simplement grecque, de l'« Antonius » latin.

Antoine lorsque, à Antioche, il fit la connaissance de ses jumeaux. Si le nom du frère de Séléné, « Alexandre-Hélios », paraît nouveau dans la dynastie des Ptolémées (il n'y avait eu qu'un Ptolémée Alexandre en trois siècles et aucun Hélios) et si ce nom peut, en effet, avoir été choisi par Antoine lui-même, il en va tout autrement de « Cléopâtre-Séléné » : ce nom double avait déjà été utilisé à plusieurs reprises par la monarchie ptolémaïque. Ne peut-on supposer que les jumeaux furent initialement nommés par leur mère « Alexandre » (tout court) et « Cléopâtre-Séléné » (nom composé adopté pour la distinguer de la Reine) ? Et qu'Antoine, plus tard, se borna à ajouter au glorieux nom d'Alexandre le surnom d'« Hélios » (Soleil) pour parfaire le parallélisme gémellaire ? Dans le doute, j'ai cependant suivi la tradition historique dominante : Séléné n'aurait reçu son nom complet qu'à l'âge de trois ans, en même temps que son frère.

Quant aux Romaines, les distinguer entre elles par leur nom est une affaire complexe. Car elles n'ont pas de prénom et leur nom se réduit à un patronyme féminisé qu'elles gardent même une fois mariées. À Rome, les filles d'Antoine sont donc toutes des Antonia, et elles le sont à vie, tandis que chez les Julii toutes les femmes s'appellent Julia – filles, tantes, grand-mères, etc. On voit comme c'est simple !

Il semble acquis, cependant, qu'en dehors de cette pratique officielle les filles recevaient des surnoms privés permettant de les identifier. Surnoms qui constituaient tantôt une allusion à leur place dans la fratrie (Prima, Tertia, Quinta), tantôt la mise en valeur d'une caractéristique morale ou physique (Vera, Pulchra ou Prisca), tantôt un diminutif (Julilla), tantôt le rappel d'un élément du patronyme ou du nom de famille maternel (et même, parfois, grand-maternel). Ainsi verra-t-on l'empereur Claude nommer – ou surnommer – ses filles respectivement Antonia et Octavia (en souvenir d'Antonia, sa propre mère, et d'Octavie, sa grand-mère) alors qu'en bonne logique romaine ces demoiselles n'auraient dû s'appeler que Claudia…

Dans ce roman (en particulier, dans les deuxième et troisième volumes), j'ai utilisé successivement ces différentes méthodes d'élaboration du surnom féminin pour distinguer entre elles les Marcella, les Antonia ou les Domitia, chaque fois que l'Histoire ne nous avait pas transmis leur « petit nom » usuel.

En ce qui concerne les TITRES ET FONCTIONS, je n'ai biaisé qu'en supprimant le titre de *triumvir*.

Octave et Antoine exerçaient en effet le pouvoir, l'un en Italie, l'autre en Orient, au titre d'un triumvirat formé avec un autre ancien consul, Lépide, chargé, lui, de l'Afrique. Il s'agissait là d'un pouvoir collégial exceptionnel mais légal, à l'image de ce qui avait existé vingt ans plus tôt entre César, Pompée et Crassus. Dans de tels cas, le titre officiel de chacun des trois gouvernants était *triumvir*. L'expérience prouve, malheureusement, que ces trépieds constitutionnels (que nous avons connus en France au début du Consulat) sont encore moins stables qu'un guéridon à trois pattes, et, au moment où commence ce roman, Lépide avait déjà été « débarqué » (il ne portera plus, jusqu'à la fin de sa vie, que le titre religieux de *grand pontife*). À moins de revenir sur les évènements antérieurs (ce qui risquait d'être fastidieux), je risquais, en appliquant ce titre de *triumvir* à un duumvirat, de déconcerter le lecteur peu averti. Comme Antoine et Octave portaient par ailleurs l'un et l'autre, et très officiellement, le titre plus militaire d'*Imperator*, je leur ai attribué un titre imaginaire – mais éclairant quant au partage du monde effectué – d'Imperator d'Orient pour l'un, et d'Imperator d'Occident pour l'autre.

Quant aux titres en usage dans l'Égypte des Ptolémées, ils sont, ici, absolument respectés et mis « en situation », mais il n'est pas nécessaire à la compréhension du récit que le lecteur sache à quels emplois ils correspondaient – le bottin administratif n'a sa place dans un roman que pour faire rire ou faire rêver.

Venons-en maintenant aux NOMS COMMUNS, lorsqu'ils désignent des objets, des pratiques, ou même des bâtiments, qui correspondent à un mode de vie différent du nôtre.

Là encore, mon souci a été de rester intelligible en évitant d'en rajouter dans l'archaïsme. Pour autant, il faut se garder de verser dans une modernisation excessive qui ferait écran. Un exemple : les Anciens, quand ils en avaient les moyens, portaient chez eux des robes sans ceinture et des chaussures d'intérieur. Cependant, si l'on écrit, comme le fait Robert Graves, que tel empereur romain apparut « en robe de chambre et en pantoufles », on voit immédiatement le digne *César* chaussé de charentaises et vêtu d'un peignoir en laine des Pyrénées ! Les mots charrient avec eux des visions que nous ne contrôlons pas : une « robe de chambre » a beau n'être, au sens propre, qu'un vêtement d'intérieur, l'expression nous arrive aujourd'hui chargée d'un contenu visuel si précis (et, en l'occurrence, si inadéquat) qu'elle peut déconcerter le lecteur, en tout cas le déconcentrer. On croit lui simplifier l'accès au passé, on le complique.

Mais, comme l'art culinaire, celui du roman historique est affaire de dosage : le jour où je me suis aperçue que la plupart des Français cultivés ne faisaient plus la différence entre un théâtre antique et un amphithéâtre, ni entre un amphithéâtre et un cirque, j'ai dû, bon gré mal gré, chercher des équivalents. C'est ainsi que j'ai adopté le mot « arènes » pour parler de l'amphithéâtre où s'affrontent les gladiateurs et les fauves (même forme architecturale, proche « concept ») ; et, pour désigner le cirque (qui a moins à voir avec Pinder qu'avec le PMU), j'ai employé les mots « champ de courses » ou « hippodrome ». Quant au *Mouseion* d'Alexandrie, si je lui ai donné son nom romain (francisé) de Muséum plutôt que celui de Musée par lequel on l'a généralement traduit, c'est que ce vaste ensemble tenait davantage du centre de recherche scientifique que du musée. En français, il me semble que Muséum rend mieux l'idée[1].

J'ai fait un effort similaire pour beaucoup d'objets de la vie quotidienne antique : pourquoi, dans le vocabulaire des bains, ne pas substituer « racloir » à *strigile* ? pourquoi, dans celui de l'écriture, ne pas dire « roseau taillé », « roseau à écrire » ou « plume de roseau » au lieu de *calame*, et « poinçon » au lieu de *stilus* ? et pourquoi pas « broche » ou « agrafe » plutôt que *fibule* ? « robe de banquet » plutôt que *synthésis* ? « castagnettes » plutôt que *crotales* ? ou « pichet » plutôt qu'*œnochoé* ? J'ai même osé dans le récit, sinon dans les dialogues, convertir parfois les *stades* grecs et les *miles* romains en kilomètres...

Il n'empêche que certains mots restent irremplaçables. *Sistre*, par exemple, que je n'ai pas osé remplacer par « crécelle », comme le font quelques historiens : le son aigu de ce hochet métallique qu'on secouait pour marquer un rythme devait être assez éloigné de celui d'une crécelle en bois qui mouline uniformément.

D'autres termes, bien qu'au fil du temps ils soient devenus des « faux amis » gênants, ne m'ont pas non plus paru transposables. Même si un *éphèbe* n'est pas un « éphèbe », un *gymnase*, pas seulement un « gymnase », un *grammairien*, pas seulement un « grammairien », et un *pédagogue*, rarement un « pédagogue », ils n'ont aucun équivalent dans notre culture. *Pédagogue*, par exemple, ne peut être rendu ni par « précepteur », ni par « professeur », ni par « répétiteur ». Dans les familles grecques et romaines, même lorsqu'elles avaient par ailleurs précepteurs, professeurs et répétiteurs, ce domestique jouait, comme dans les familles plus modestes, le rôle de « nourrice sèche » : esclave attaché à la personne de l'enfant, il veillait sur ses jeux et l'accompagnait dans tous ses déplacements. C'était en quelque sorte l'équivalent masculin de cette « nounou »

1. Ce qui m'a conduite, par souci d'homogénéité, à latiniser d'autres noms de monuments alexandrins, comme le Sérapéum ou l'Iséum.

sur laquelle comptent tant de mères d'aujourd'hui pour prendre leurs bambins à la sortie de l'école. Enfin, à l'esclavage près…

*

Avouons-le : le monde antique se laisse approcher, il ne se laisse pas toujours transposer. Au moins ne me suis-je pas donné pour but de l'éloigner… Dans une telle perspective, comment devais-je traiter LES DIALOGUES ?

Comme le constatait à regret Paul Veyne dans son *Comment on écrit l'histoire*[1], « le roman historique le mieux documenté hurle le faux dès que les personnages ouvrent la bouche ». Le dialogue est en effet la pierre de touche, et souvent la pierre d'achoppement, des romans situés dans le passé.

En français, tant qu'on ne remonte pas au-delà du XVIIe siècle, il est possible, dans les échanges entre les personnages, de respecter la langue de l'époque. Ainsi, dans *La Chambre* ou *L'Enfant des Lumières*, n'ai-je mis dans la bouche de mes héros aucun mot qu'un homme du XVIIIe siècle n'aurait pu prononcer. Reste ensuite, si le récit est à la troisième personne, à lisser l'écart entre ces phrases et le style plus moderne de l'auteur-narrateur ; mais pourvu qu'on fuie, d'un côté, les derniers jargons à la mode et, de l'autre, les coquetteries archaïsantes, la chose est faisable. En revanche, sitôt qu'on remonte vers des époques plus lointaines, la langue d'origine n'est plus comprise du lecteur ; d'ailleurs, la différence entre le dialogue et le langage contemporain de la narration proprement dite serait telle qu'on sombrerait dans le ridicule. La conclusion s'impose : tout récit placé dans une époque antérieure à la Renaissance exige soit qu'on s'en tienne au style indirect (qui n'est en vérité justifié que dans les romans présentés comme des

1. « L'Univers historique », Le Seuil, Paris, 1971.

mémoires), soit qu'on adapte en « bricolant ». Défi de nature artistique, plus qu'historique. Essentiellement littéraire : l'écriture (moderne) de dialogues (antiques) ne soulève pas, au fond, un problème différent de celui qui se pose au traducteur.

Il est vrai, cependant, que nos compatriotes ont tendance à ne voir le langage des Anciens qu'à travers le prisme déformant de la littérature du Grand Siècle : grandeur et sévérité. Du coup, nos traducteurs se sont longtemps conformés à ce modèle, et quand, en les lisant, le naïf croyait lire du grec ou du latin, il ne lisait en vérité que du français classique et, bien souvent, une langue expurgée. Certaines traductions récentes, qui font une large place au vocabulaire actuel, me semblent, à tout prendre, plus fidèles. C'est le cas de plusieurs éditions nouvelles de Catulle, Juvénal, Sénèque, Martial, Ovide, Pétrone, Pline le Jeune, etc., parues ces dernières années chez Actes Sud ou Arléa. Quelques romanciers contemporains ont accompli un admirable travail de rajeunissement – ainsi, dans des styles différents, Dominique Noguez pour les *Épigrammes* de Martial[1] et Marie Darieussecq pour les *Tristes* d'Ovide[2]. Grâce à eux, de nouveau ces textes nous amusent ou nous touchent : ils vivent.

RENDRE VIE, n'est-ce pas aussi ce qu'avait fait Amyot, en son temps, avec Plutarque ? Sa célèbre version des *Vies parallèles*[3], qui fut un « best-seller » du XVIe siècle et inspira Shakespeare avant de nourrir Racine, adapte autant qu'elle traduit : les esclaves sont des « valets », les décurions des « sergents », les chanteuses des « ménétrières » et les impôts des « tailles » ; les belles dames portent des « cottes galamment troussées » pour danser au son « des violes et

1. Paris, Arléa, 2001.

2. *Tristes Pontiques*, Paris, P.O.L., 2008.

3. Bibliothèque de la Pléiade, édition établie et annotée par Gérard Walter.

des hautbois» (que l'Antiquité *oncques* ne connut !), tandis que la cavalerie romaine déploie dans la plaine «ses chevaliers portant pavois et écus découverts». Bref, Amyot a donné une traduction qui correspond si bien aux exigences et à la sensibilité de son siècle qu'elle nous est devenue quasi incompréhensible aujourd'hui... Faut-il le regretter ? L'essentiel n'est-il pas qu'en «interprétant» si librement Amyot ait transmis le flambeau ? Perpétué la mémoire des «Hommes Illustres» ? Repoussé d'un siècle ou deux la mort de ces héros, qui disparaîtront le jour où plus personne ne connaîtra leur nom ?

Passeur, tel est le métier du traducteur. C'est aussi celui de l'historien et des auteurs que l'Histoire inspire. Donner à voir, à sentir, à toucher «les neiges d'antan» et les hommes qui les regardèrent tomber : voilà leur tâche. Marc Bloch, déjà, condamnait sans ménagement les «tâcherons de l'érudition» incapables de saisir les êtres sur le vif : «Le bon historien ressemble à l'ogre de la légende, écrivait-il, là où il flaire de la chair humaine, il sait que là est son gibier.» Cet ogre affamé de chair humaine, n'est-ce pas aussi, et plus qu'aucun autre, le romancier ?

Voilà pourquoi, dans ce livre, Antoine, Cléopâtre, Auguste ou Tibère, faute de pouvoir discourir en latin ou en grec, ne parleront pas non plus en «Corneille aplati» ni en «*basic* Racine». Ils parleront en «chair humaine», chair impure, remuante, malodorante, certes, mais jeune, éternellement. Sans sacrifier aux modes langagières du moment, j'ai souhaité que les enfants s'expriment ici comme des enfants (ou comme nous pensons, aujourd'hui, que peuvent s'exprimer des enfants), les politiques comme des politiques, et les soldats comme des soldats.

J'ai même parfois restitué à la langue une crudité qui était de mise en ce temps-là, mais que nos maîtres ont pudiquement dissimulée à leurs élèves. Passe encore s'il ne s'agissait que d'épargner les écoliers (qui s'en disent d'ailleurs de plus vertes !), mais on prend les lecteurs adultes pour des imbéciles : des éditeurs paresseux republient des traductions vieilles de cent ans, et des universitaires prudents proposent, encore aujourd'hui, des éditions *ad usum Delphini*. Sommes-nous restés victoriens au point de ne pouvoir supporter les mots employés par Juvénal, Horace, Pétrone ? On n'écrirait plus *la p...* avec des points de suspension, mais on lit encore (réédition de 1982) : « Ô Memmius, comme tu m'as longtemps tenu à ta discrétion », là où Catulle avait écrit : « Ô Memmius, comme tu me l'as bien fourrée à la renverse, toute ta trique ! », ou, dans une traduction récente d'Horace (2001) : « Je lâchai un bruit par ma partie postérieure » pour un franc *pepedi* : « J'ai pété ». Quand un traducteur contemporain censure ainsi les innocents *pedere* et autres *cacare*, je laisse à penser combien de *collei*, de *mentulae* et de *turgentes caudae*[1] passent encore à la trappe. Pudibonderies qui sont autant de trahisons[2].

Pour garder leur relief à ces langues anciennes que traduction et transposition aplatissent, j'ai aussi, le plus souvent possible, conservé, dans le discours des personnages, des métaphores d'origine et des proverbes authentiques. Grecques ou égyptiennes dans le premier volume, ces expressions imagées sont plus souvent romaines dans les suivants : j'en ai notamment beaucoup prêté à Octave-Auguste puisqu'on ne prête qu'aux riches et que le premier empereur était connu en son temps pour user fréquemment de locutions populaires.

*

1. « Sens priapéen », comme indique chaque fois, sans autrement préciser, le chaste dictionnaire Gaffiot...

2. Voir, à ce sujet, l'amusante préface de Danièle Robert pour sa nouvelle traduction du *Livre de Catulle de Vérone*, Arles, Actes Sud, 2004.

Curieusement, dans un roman historique « antique », le fond des choses soulève plutôt moins de problèmes que leur forme. Certes, il subsiste ici et là quelques incertitudes quant aux faits, et le romancier est parfois obligé de choisir entre diverses hypothèses, mais rien qui soit essentiellement différent du travail qu'accomplirait un biographe.

Pour ce qui est des PERSONNAGES (grecs, égyptiens ou romains) de ce premier volume, tous, y compris les deux médecins et les valets d'Antoine, sont authentiques. Seules exceptions : les nourrices (qui jouaient alors un rôle important, et bien au-delà de la première enfance), les *pédagogues* (sauf Rhodôn, le *pédagogue* de Césarion), et le précepteur qui précéda Nicolas de Damas auprès des jumeaux (le nom des précepteurs des autres nous est connu).

Si Diotélès, le *pédagogue* « hors normes » de Séléné, est un personnage inventé, il ne m'a pas semblé aberrant d'introduire ce Pygmée à la cour de Cléopâtre. Dans la peinture romaine, les Pygmées sont en effet fréquemment associés aux scènes dites « nilotiques ». On les peint en général au bord du fleuve, dans des scènes de chasse à l'éléphant ou à l'hippopotame, mais il arrive aussi qu'on représente leurs danses ou leurs ébats amoureux. Pour un Romain de ce temps, les mots « Pygmée » et « Égypte » sont presque synonymes. Jusqu'à quel point est-ce là une fantaisie sans fondement, un motif décoratif sans plus de rapport avec la réalité que la licorne des tapisseries médiévales ?

En fait, la cour d'Égypte était grosse consommatrice d'ivoire, et même d'éléphants vivants : les marchands s'approvisionnaient dans l'actuel Soudan, peut-être aussi en Éthiopie. Aurait-il pu s'établir ainsi, d'intermédiaire en intermédiaire, un courant commercial jusqu'avec la région des Grands Lacs où les Pygmées étaient encore présents à l'époque ? Après tout, les artisans de Smyrne (aujourd'hui Izmir) fabriquaient bien des statuettes dont les visages reproduisaient des types mongols et tibétains[1], et, pour la soie, les Romains commerçaient, sans le savoir, avec la Chine : il n'était pas nécessaire de connaître, ni même de situer, un pays pour en acquérir les produits. Un esclave étant un produit, et un esclave pygmée (au même titre qu'un esclave albinos), un bien rare, il n'est pas exclu que des Pygmées aient pu être vendus à Alexandrie[2].

Ce qui est sûr, c'est qu'en 40 av. J.-C., après son premier séjour chez Cléopâtre, Antoine était revenu à Rome avec des nains suffisamment remarquables pour qu'on les évoquât par la suite sous le nom de « nains d'Antoine » ou « nains d'Alexandrie ». Il faut croire que ces attractions présentaient des qualités particulières car Antoine n'était pas, pour son compte, collectionneur de nains (à l'inverse de Livie ou de Julie)[3]. S'agissait-il simplement d'acrobates exceptionnels ? ou de Nubiens atteints de nanisme ? ou bien de quelques-uns de ces Pygmées dont on affirme, un peu vite, qu'ils n'étaient pour les Anciens qu'un peuple mythique, comme les Lithophages « mangeurs de pierres » ? N'oublions pas, tout de même, qu'il y a une grande différence entre les Pygmées et les Lithophages, ou entre les Pygmées et les licornes : les Pygmées existent…

En ce qui concerne le PHYSIQUE DES PRINCIPAUX PERSONNAGES de ce premier volume, il est difficile à déterminer.

Les historiens et les poètes antiques ont été plus prolixes sur

---

1. Voir Maurice Sartre, *Le Haut-Empire romain. Les provinces de Méditerranée orientale d'Auguste aux Sévères*, Paris, Le Seuil, 1991.

2. Telle semble être aussi l'opinion de Pascale Ballet, *La Vie quotidienne à Alexandrie (331-30 avant J.-C.)*, Paris, Hachette Littératures, 1999.

3. En revanche, comme Octave-Auguste et comme beaucoup, Marc Antoine collectionnait les *enfants délicieux* (*pueri delicati*) : l'anecdote des pseudo-jumeaux est authentique.

l'aspect des empereurs romains[1] que sur l'apparence d'Antoine, de Cléopâtre ou de Césarion. Plutarque se borne à indiquer qu'Antoine, doué d'une force herculéenne, avait été d'une « éclatante beauté », et que Cléopâtre était plus charmante et piquante que belle. Quant aux statues, bas-reliefs ou bustes retrouvés ici et là, ils sont rarement identifiables par des indications d'époque. Ce qui n'empêche évidemment pas les musées de multiplier les suppositions prestigieuses : il vaut toujours mieux, pour susciter l'intérêt du public, écrire sur un cartel « buste de Cléopâtre » ou « buste d'Agrippine » que « portrait d'une inconnue », et il sera toujours temps, plus tard, de procéder à des révisions déchirantes...

Bien sûr, lorsqu'ils disposent d'un nombre suffisant de portraits officiels, les historiens de l'art parviennent à élaborer une typologie qui permet d'identifier d'autres statues : tel est le cas pour plusieurs empereurs romains, qu'on reconnaît en effet maintenant au premier coup d'œil. La situation est bien différente pour les « Enfants d'Alexandrie » et leurs parents, que les circonstances politiques semblent avoir effacés de la statuaire.

En ce qui concerne les illustres parents, trois ou quatre portraits seulement nous sont aujourd'hui présentés comme ceux d'Antoine, dont deux à Rome, le plus célèbre étant au Vatican : il s'agit, dans tous les cas, de bustes représentant un bel homme d'une quarantaine d'années, dont les cheveux, abondants et bouclés, retombent sur le front. Quant à dire que ces rares portraits se ressemblent entre eux... Tout au plus pense-t-on, en les voyant, que Mankiewicz avait bien choisi les deux acteurs auxquels il confia successivement le rôle d'Antoine : le jeune Marlon Brando, qui joua l'Antoine « débutant » de son *Jules César*, puis Richard Burton qui, dans son *Cléopâtre*, incarna l'Imperator de la maturité. Même excellente distribution du rôle dans la série

1. C'est surtout vrai de Suétone, qui décrit précisément (maladies comprises) chacun de ses *Douze Césars*.

britannique *Rome*. Mais ces acteurs sont-ils proches physiquement de l'Antoine historique, ou bien correspondent-ils seulement à l'idée que nous nous faisons de lui ? La question se pose dans les mêmes termes pour les bustes exposés dans les musées : représentent-ils Marc Antoine, ou ont-ils été choisis dans le stock d'« inconnus » parce qu'ils pouvaient convenir au personnage ? L'identification de ces bustes est, en l'occurrence, d'autant plus sujette à caution que, d'après les historiens antiques, ordre avait été donné par Octave de détruire tous les portraits de son adversaire. Cette condamnation laisse peu d'espoir de retrouver jamais un buste « sûr » du père de Séléné.

Pour Cléopâtre, sa mère, d'assez nombreux bustes sont proposés à notre admiration. Avoir *sa* Cléopâtre est, apparemment, pour certains musées, une question de standing... De ces portraits, le plus vraisemblable est celui qu'on expose à Berlin. Le trop célèbre buste du British Museum (visage ovale, pommettes hautes, nez busqué, coiffure en *côtes de melon*) aurait pu faire l'affaire si la personne représentée avait porté un diadème. Tel n'est pas le cas. Jusqu'à plus ample informé, il ne s'agit donc pas d'une reine, mais d'une femme de type moyen-oriental coiffée à la mode d'Alexandrie ; il devait y avoir, en Égypte ou en Syrie, plusieurs centaines de « dames » susceptibles d'être représentées de la sorte[1].

Enfin, un portrait de Césarion, retrouvé lors des explorations sous-marines du Grand Port et qui appartient désormais au musée d'Alexandrie, a été présenté à Paris dans le cadre de l'exposition *Trésors engloutis d'Égypte* : c'est un beau portrait, vraisemblable, sinon totalement sûr[2].

---

1. Telle est aussi l'opinion exprimée par Christian-Georges Schwentzel (*Cléopâtre*, Paris, P.U.F., 1999).

2. Le catalogue de l'exposition (Paris, 5 Continents Éditions / Le Seuil, 2006) donne une bonne reproduction photographique de ce portrait singulier, mi-romain, mi-égyptien.

Si les noms des modèles ne sont presque jamais gravés sur les bustes, ils figurent, en revanche, sur les monnaies émises par ceux qui ont exercé le pouvoir. Mais de là à prendre ces « profils de médaille » pour des portraits réalistes, il y a un grand pas… Car ces visages ou silhouettes conventionnels sont en général très grossiers, et leurs traits, extrêmement accentués pour rester lisibles sur des pièces métalliques plus petites que les nôtres. À l'exception d'Octave-Auguste qui, comme Alexandre le Grand, parvient à être jeune et beau partout (cet homme-là avait maîtrisé avant tout le monde l'art de la communication), les autres chefs de guerre ou de gouvernement sont généralement laids. Sans doute est-ce d'ailleurs dans ses propres monnaies qu'il faut chercher l'origine du discrédit esthétique où est tombée la reine d'Égypte : sur la plupart de ses pièces, « l'ensorceleuse » a surtout l'air d'une sorcière ! Mais, dans le monde antique, une femme qui gouvernait devait paraître résolument virile (la reine Zénobie subira le même traitement monétaire), d'où des nez crochus et des mentons en galoche.

Même problème pour les monnaies d'Antoine, qui nous laissent seulement l'impression qu'il portait une frange épaisse et avait, à quarante-cinq ans, un cou puissant et un menton un peu lourd. Comme signalement, c'est court.

Voilà pourquoi je ne me suis guère attardée, dans ce premier volume, sur l'apparence physique des héros, me bornant à imaginer une Cléopâtre peut-être plus agréable à voir de face que de profil, et un Antoine athlétique, à la chevelure souple et fournie, blonde, puis grisonnante.

Quant à Séléné, elle n'avait pu encore, à ce stade de sa vie, faire l'objet d'aucun portrait. Pourtant, c'est bien elle, petit personnage oublié par la grande Histoire, que j'ai entrepris de ressusciter et, même si je ne pouvais passer sous silence l'aventure de ses parents (tout le monde n'a pas la chance – ou le malheur – d'être la fille d'Antoine et de Cléopâtre), c'est elle que j'ai voulu donner à voir.

Faute de portrait[1], je l'ai donc « vue » ici en romancière, et décrite comme je la voyais.

*

La configuration de certains LIEUX antiques demande aussi, une fois réunis tous les éléments disponibles, un peu d'imagination. Tel est le cas surtout pour l'Alexandrie des Ptolémées. Bien entendu, il en existe de multiples reconstitutions – plans[2], maquettes, dessins, « vues d'artiste » et, désormais, cartographies du Grand Port établies en fonction des dernières campagnes de sondages et de fouilles sous-marines. Mais si ces représentations concordent sur la plupart des points, elles divergent sur quelques autres. L'auteur doit donc choisir en fonction de sa conviction, ou inventer là où rien ne lui est proposé.

J'ai ainsi « parié » sur l'emplacement du Mausolée de Cléopâtre et du Sôma d'Alexandre le Grand : je les crois, l'un et l'autre, proches du Quartier-Royal, donc du cap Lokhias. En lisant Plutarque, nous apprenons en effet deux choses sur ce Mausolée : il comportait au moins deux niveaux et était construit « près du sanctuaire d'Isis ». Quel sanctuaire ? Il ne peut s'agir du temple d'Isis Pharia, ni, me semble-t-il, de celui de l'île d'Antirhodos : dans les deux cas, le transport des richesses de la Reine depuis le Quartier-Royal, tel qu'il se fit peu avant le siège de la ville, aurait nécessité des ruptures de charge. S'il existait bien (on ne dispose, en vérité, que d'une seule mention) un temple d'Isis Lokhias proche des palais, un mausolée construit en bordure de ce temple aurait été à la fois un « coffre-

1. J'aborde, dans le troisième volume, la question de son image à l'âge adulte (monnaies et « coupe d'Afrique » du Trésor de Boscoreale).

2. Le premier « plan supposé » de la ville antique d'Alexandrie, établi par Mahmoud al-Falaki, date de 1866.

fort» commode et un refuge facile d'accès en cas d'invasion de la ville.

Comme il se trouve, par ailleurs, que les ancêtres de Cléopâtre avaient tous construit leurs tombeaux autour de celui d'Alexandre, rebâti sous Ptolémée IV, et qu'il n'y a aucune raison pour que la Reine, dans la mort, ait cherché à s'éloigner de la tradition, situer le Mausolée, c'est sans doute aussi situer le Sôma[1] : dans les deux cas, probablement au nord du *Brukhiôn*, quartier assez éloigné du centre-ville et de l'Agora[2], mais tout proche du cap Lokhias, du Muséum et de sa Bibliothèque[3].

Une Bibliothèque dont j'ai supposé, à la suite de beaucoup d'historiens, qu'elle n'avait pas brûlé lors des combats livrés par Jules César : l'incendie n'a sans doute atteint que des entrepôts de livres, comme l'indique Dion Cassius, ou une annexe, l'une de ces «bibliothèques-filles» comme il en existait à l'intérieur du Sérapéum. Jamais, d'ailleurs, les activités de la Bibliothèque et du Muséum ne furent interrompues, ni sous Cléopâtre ni dans la

---

1. Pour autant, il n'est pas certain que les corps d'Antoine et de Cléopâtre aient été inhumés là. Octave a toujours déclaré les avoir enterrés ensemble pour exaucer leurs vœux, formulés, pour Antoine, quatre ans auparavant dans son testament, et, pour Cléopâtre, dans sa lettre d'adieu. Mais, au moment de leur suicide, la construction du Mausolée n'était pas terminée. Il y eut donc, nécessairement, une inhumation provisoire. Où ? On l'ignore. Pas plus qu'on ne sait si, une fois la construction achevée, les corps y furent vraiment transportés.

2. Sous l'Empire romain, l'un des deux procurateurs désignés pour administrer le port et les entrepôts d'Alexandrie était *procurateur de Néapolis et du Mausolée* – ce qui semble indiquer que *Néapolis* (le centre-ville) apparaissait, depuis le port, comme un quartier distinct de celui du Mausolée.

3. La «Bibliotheca Alexandrina», récemment inaugurée, occupe l'emplacement qui, selon la plupart des archéologues, fut celui de la première Bibliothèque : juste à l'entrée de ce qui reste du cap Lokhias.

période augustéenne. Séléné a donc sûrement pu visiter ce lieu sacré où l'on conservait tous les savoirs du monde. En revanche, les incendies de la « guerre alexandrine » avaient ravagé l'île de Pharos, à l'exception du temple d'Isis.

Pour les palais de l'enceinte royale, nous savons qu'ils étaient très nombreux, mais nous ne savons ni leurs noms, ni lesquels occupa Cléopâtre, mis à part celui d'Antirhodos qu'elle réaménagea mais qui ne fut peut-être qu'une résidence d'été, et la « Timonière » d'Antoine[1], que les fouilles sous-marines ont permis de situer exactement. Pour les autres palais, il m'a fallu inventer des dénominations afin que, dans le récit, on pût les distinguer.

J'ai supposé en outre qu'il existait, encore à l'époque, deux canaux traversant Alexandrie : on est sûr de celui qui, dans la partie ouest de la ville, allait du chenal du Bon Génie (l'*Agathos Daimôn*) jusqu'au port carré appelé *Kibotos* ; quant à l'autre canal (qui, à l'origine, menait du même chenal jusqu'au cap Lokhias et se jetait, semble-t-il, dans un bassin jouxtant le Port des Rois), on ignore s'il n'avait pas déjà fait place à une rue. Comme les auteurs modernes de plans ou maquettes d'Alexandrie et comme les historiens[2], j'ai dû parier…

Canal ou pas, les citernes du quartier des palais restaient alimentées par de larges et longs réservoirs reliés au « Bon Génie », et il existait bien (ou avait existé) un souterrain creusé depuis l'enceinte

1. Le nom grec est *Timoneiôn*. Je me suis permis de le franciser.

2. Voir, notamment, les « vues d'artiste » de Jean-Claude Golvin dans *Le Phare d'Alexandrie* de Jean-Yves Empereur (« Découvertes » Gallimard, 1998), *Alexandrie des Ptolémées* d'André Bernand (CNRS Éditions, 2001) et *Alexandrie* de Jean-Yves Empereur (« Découvertes » Gallimard, 2001). Voir aussi le plan que propose Édith Flammarion dans *Cléopâtre, vie et mort d'un pharaon* (« Découvertes » Gallimard, 1993) – lequel fait clairement apparaître les deux grands canaux intérieurs – et la description que donne de la ville Pascale Ballet (*op. cit.*).

palatiale jusqu'au Théâtre pour permettre une sortie discrète du pharaon en cas de troubles.

Quant au reste, je crois m'en être tenue à ce qui est connu et universellement admis.

*

Ai-je pris des libertés avec les ÉVÈNEMENTS ? Très peu[1]. Même l'histoire de la moustiquaire de Cléopâtre est vraie : le poète Horace s'en est fait l'écho.

D'une manière générale, je me suis donné pour règle d'adopter, quant aux principaux faits, la version la plus répandue chez les historiens modernes, même lorsqu'elle ne me persuadait pas complètement.

---

1. Contrairement à ce que croient souvent les lecteurs, lorsqu'on situe un roman dans une époque très reculée, les difficultés tiennent moins à l'établissement des faits (comme une bonne mère de famille, le romancier cuisinera avec ce qu'il a) qu'à la reconstitution des gestes ordinaires de la vie. Ce sont les comportements physiques qui nous échappent. Non pas tant, d'ailleurs, ce qui relève de la sexualité (sur laquelle, grâce, notamment, aux peintres grecs et romains, nous avons quelques idées) que ce qui touche aux habitudes alimentaires, manières de table, pratiques religieuses, ou signes de politesse. Par exemple, le romancier doit résister à l'envie, si naturelle, d'écrire « Elle haussa les épaules » ou « Il hocha la tête » : hochait-on la tête dans l'Arménie du Ier siècle avant J.-C. ? Haussait-on les épaules dans l'Égypte de Cléopâtre ? Et si oui, quelle signification avaient ces mimiques ? Difficile aussi de reconstituer les accents que pouvaient avoir des personnages antiques lorsqu'ils parlaient, mal, une autre langue que leur langue maternelle (l'accent grec en latin, l'accent égyptien en grec, etc.). Je m'en suis tenue là-dessus aux indications, rares et allusives, des satiristes romains... Finalement, plus que la connaissance des « mentalités » (sur laquelle les historiens modernes nous ont beaucoup renseignés), ce sont ces détails concrets qui manquent au romancier pour bien « voir » le monde antique qu'il veut peindre.

C'est ainsi que, tout en conservant quelques doutes sur la date du mariage d'Antoine et de Cléopâtre (il pourrait avoir été plus précoce), je me suis rangée à l'opinion dominante, qui, en l'espèce, se fonde sur un monnayage spécifique de la Reine et l'agrandissement concomitant de son royaume[1]. Mes principales « inventions » concernent, évidemment, les sentiments des protagonistes, les relations entre les cinq enfants, les menus incidents de leur vie quotidienne, et le regard qu'ils peuvent porter sur cette Histoire dont ils n'ont pas l'âge d'être les acteurs, mais dont ils seront les victimes – puisqu'on est toujours assez vieux pour mourir…

Je n'ai pas raconté le déroulement de la BATAILLE D'ACTIUM : les conséquences en sont mieux connues que les circonstances. Les historiens anciens ne nous ont transmis, en effet, que la version popularisée par la propagande octavienne : la Reine, effrayée (une femme, vous pensez !), prend brusquement la fuite au milieu de la bataille, et le généralissime, incapable de se passer d'elle plus de cinq minutes, perd la tête et abandonne ses troupes pour rejoindre sa maîtresse… Tout cela ne tient guère – les historiens modernes en conviennent –, surtout lorsqu'on le confronte à d'autres faits qui semblent exclure toute improvisation du côté antonien : en particulier la destruction volontaire, avant l'affrontement, des vaisseaux les plus lourds, ainsi que l'ordre donné aux autres navires de charger leurs voiles, ordre inhabituel en un temps où, dans les

1. En fait, cette date de 37 avant J.-C. s'accorde si mal avec les termes d'une lettre authentique d'Antoine écrite en 31 ou 32 (« La Reine est ma femme légitime depuis neuf ans ») que j'ai dû, dans la scène où il dicte cette lettre, en intervertir deux phrases pour que le texte cadre avec le point de vue de la majorité des historiens. Quand Antoine devint-il bigame ? A-t-il épousé Octavie avant, ou après, son mariage avec Cléopâtre ? En vérité, nous l'ignorons.

batailles navales, on ne manœuvrait qu'à la rame. Il est clair que le plan d'Antoine et de Cléopâtre visait moins à détruire la flotte adverse qu'à percer le front pour gagner le sud de la Grèce, la Syrie ou l'Égypte, en profitant de vents favorables. Sur les péripéties du combat et les raisons de la (relative) défaite antonienne, les historiens, pourtant, ne s'accordent pas. Il est probable que, comme Fabrice à Waterloo, la plupart des acteurs n'y comprirent eux-mêmes pas grand-chose… Aussi, plutôt que de traiter ces faits « objectivement » et du point de vue d'un auteur omniscient, ai-je préféré, dans la suite du récit (deuxième et troisième volumes), que Séléné entendît des versions successives, contradictoires, et toutes également subjectives, de cette bataille confuse.

Quant au SUICIDE D'ANTOINE ET CLÉOPÂTRE, je ne me suis pas étendue sur son lent et terrible déroulement : aucun romancier ne peut passer derrière Plutarque et Shakespeare, qui ont magnifiquement épuisé le sujet. J'ai choisi de ne voir les choses que par les yeux de Séléné, une petite fille qu'on n'informe de rien et qui ne saisit pas tout.

Si, cependant, je ne fais aucune allusion au piège que Cléopâtre aurait tendu à Antoine pour le pousser à se supprimer (hypothèse de Plutarque), c'est que je n'y crois guère. Il y avait longtemps qu'Octave, dans ses lettres, invitait Antoine à se suicider et qu'il pressait la reine d'Égypte de se débarrasser de son époux. Cléopâtre, néanmoins, montra bien que pour elle la vie d'Antoine n'était pas « négociable ». Pour quelle raison aurait-elle tenté, et si tardivement, de satisfaire l'ennemi ? Pourquoi pareille faiblesse, alors que, réfugiée dans son Mausolée et séparée de ses enfants, il ne lui restait plus beaucoup à espérer ?

À propos de la PRISE D'ALEXANDRIE, on a prétendu qu'elle s'était produite sans effusion de sang. Du moins les historiens antiques n'ont-ils vu saigner que quelques personnalités de premier plan : les princes, et certains compagnons d'Antoine qui se donnèrent la mort ou la reçurent. Qu'on me pardonne, pourtant, si je ne crois pas à la conquête paisible d'une capitale ennemie : qu'il y ait moins de morts civils quand une ville se déclare « ouverte » et renonce à résister, c'est un fait ; mais que l'armée victorieuse soit accueillie avec des fleurs et que ses soldats se comportent partout en *gentlemen*, c'est un conte à dormir debout. Contemporaine, pour ma part, de l'évacuation forcée de Phnom Penh et de la chute de Saigon, je me souviens que les journaux parisiens nous présentèrent comme tranquille et débonnaire l'entrée des vainqueurs dans ces deux villes. Vu de loin, tout se passe toujours bien… Depuis lors, nous avons appris ce qu'il en fut réellement pour Phnom Penh ; et, par des témoins directs et neutres, j'ai su de combien de suicides, d'exécutions sommaires et même, ponctuellement, de massacres, s'accompagna la libération de Saigon. Qu'on ne compte donc pas sur moi pour supposer que l'occupation du Quartier-Royal par les troupes d'Octave se passa dans la douceur et dans la liesse : la manière dont fut assassiné le malheureux Antyllus suffit d'ailleurs à nous renseigner sur l'état d'esprit, et la prétendue « correction », des conquérants.

Quant à Iotapa, il semble – heureuse enfant ! – qu'Octave se soit borné à la renvoyer à son père, le roi de Médie-Atropatène, lequel avait entre-temps perdu, puis retrouvé son trône, avant de le perdre à nouveau. Tigrane, fils survivant du roi d'Arménie et ancien prisonnier de Cléopâtre, fut expédié à Rome pour être replacé sur le trône arménien dès qu'on se serait débarrassé de son prédécesseur, trop proche des Parthes. À l'égard des diverses monarchies orientales et de ceux que nous appelons « les princes clients », Octave, faisant litière des critiques infondées qu'il avait adressées à Antoine, semble avoir finalement suivi en tous points la politique entreprise par son adversaire : il n'est pas rare, aujourd'hui non plus, qu'après une campagne électorale acharnée le vainqueur – brusquement confronté aux réalités – applique le programme du vaincu…

*

Nuances, explications, précisions, précautions : est-ce bien le lecteur, en fin de compte, que je cherche à convaincre ? En me donnant tant de mal pour rester fidèle à la vérité (ou, du moins, à la vraisemblance), n'est-ce pas moi, plutôt, que j'essaye de persuader ? Le conteur arabe, sur les places, a besoin de capter la confiance de son public ; mais il a besoin, surtout, de croire lui-même à l'histoire qu'il raconte… Jamais je n'ai entrepris un roman historique sans me donner d'abord, par une longue recherche, les moyens de penser que j'étais dans le vrai ; car, pour oser abolir « la distance des siècles » et reconstruire, à sa manière, le passé, il faut plus que des connaissances : il faut la naïveté du conteur, la témérité de l'explorateur, la folie du voyant et la foi du charbonnier.

Certaines sources étant communes aux trois volumes de ce roman, l'ensemble de la bibliographie est reporté à la fin du troisième volume.